ラストスパート

2024年度版

管理業務主任者
直前予想模試

TAC管理業務主任者講座 編

TAC出版

TAC PUBLISHING Group

JN047346

はじめに

　TACは、公認会計士試験や簿記検定試験、また、不動産鑑定士試験や宅建士試験などにおいて、長年の実績を誇る「資格の学校」です。本書は、こうした実績を支えるTAC講師陣が、積み重ねてきた受験指導を通して培った**合格ノウハウを集結**させ、本試験の出題論点を徹底的に研究・分析して制作した**直前期の学習に最適**な"実戦型問題集"です。

　本書『ラストスパート 管理業務主任者 直前予想模試』には、本試験と同様の形式で３回分・全150問を収録しました。これらの問題は、**重要ポイントや今年度の出題予想論点**をくまなく網羅しています。

　取り外し式で収録された本書の問題に、本試験同様の緊張感をもって取り組み、『正解・出題項目一覧＆あなたの成績診断』を活用すれば、ご自分の知識の習得度合いや弱点の確認をしっかり行うことができます。

　学習効果を上げるためには、次の①〜③をきっちり行うことが大切です。

> ① 各２時間の「制限時間」を守って問題を解く
> ② 間違えた問題については解説を熟読する
> ③ 収録されている論点についてはテキスト等でしっかり復習する

　これらを数度繰り返せば、合格するために必要な学力が必ず身につきます。自信をもって本試験に臨んでください。

　また、巻頭には、今年の試験でポイントとなる情報を集めた特集（法改正情報・重要数字チェック表等）「**管理業務主任者　令和６年度本試験・必勝対策**」を掲載しました。これからの直前期に**必ず役に立つ知識**をコンパクトにまとめてあります。是非ご一読ください。

　本書を十二分に活用されることで、１人でも多くの受験生の皆さんに**合格の喜び**をつかんでいただきたい。それがTAC管理業務主任者講座の切なる願いです。

2024年７月
TAC管理業務主任者講座

＊　本書は，2024年４月現在施行されている法令等に基づいて執筆されています。
法改正等に関する情報冊子『法律改正点レジュメ』を，Web登録で，無料でご提供いたします（2024年９月上旬頃発送予定）。

【登録方法】お手元に本書をご用意の上，インターネットの「情報会員登録ページ」からご登録ください（要・パスワード）。

| TAC 情報会員 | 検索 |

【登録用パスワード】025-2024-0943-25
【登録期限】2024年11月1日まで

本書の特長とご利用方法

本書の特長

●知識を"実戦"で身に付けよう!●

- 本試験と同形式の模擬問題を「取り外し式」で3回分・計150問収録しています。**"本番"の臨場感**を、ご自宅で体験できます!
- 近年の試験傾向を徹底分析! 今年**出題される可能性の高い項目を厳選**し、肢ごとに詳しい解説、および「プラスα」の欄で補足説明を行っています。さらに「講師からのアドバイス」の欄では、学習のヒントや解答のコツなど、直前期の学習に有用な情報をふんだんに盛り込んでいます。
- もちろん、**直近の法改正等**もしっかり出題に取り入れていますので、**実戦的に最新の知識を吸収**することができます。
- **巻頭**には、法改正等の必須情報をまとめた「**令和6年度本試験 必勝対策**」を収録!!

ご利用方法

●こうして使えば学習効果バッチリ!●

① 年度によってばらつきのある合格基準点（**合格ライン**）をシミュレーションし、各回の問題の合格ラインや難易度を、次のように3段階のレベルに設定しました。

> 第1回問題‥‥‥‥合格ラインを**36点**に設定
> 第2回問題‥‥‥‥合格ラインを**35点**に設定
> 第3回問題‥‥‥‥合格ラインを**34点**に設定
>

② 各解説の冒頭には「**正解・出題項目一覧＆あなたの成績診断**」の表を設けました。各問題には、次のように3段階の「**難易度ランク**」を設定しています。

> **A**ランク＝「**やや易**」 ‥‥‥‥‥‥ 必ず得点！ 絶対に落としてはダメ
>
> **B**ランク＝「**普通**」 ‥‥‥‥ できれば得点したい。合格者は解ける
>
> **C**ランク＝「**難**」 ‥‥‥‥ 難しい問題。できなくても気にしないこと！

③ 「**難易度別の成績**」欄を集計することで、ご自分の得点力が把握できます。難易度**A・B**の問題の正答数が多ければ、合格可能性が高いといえるでしょう。しかし、逆に「**A**」の問題を多く間違えた場合は、「基礎が固まっていない」と判断できますので、その論点を徹底的に復習するように心がけましょう。

④ 間違えた問題には、必ず「☑」欄にチェックを付けておきましょう。何度も繰り返して、徹底的に知識を自分のものにすることが大切です。

項目別の難易度を
3段階で表示しています

間違えた問題は
必ずチェックしておいて
徹底的に復習しましょう!!

【第1回】
正解・出題項目一覧 & あなたの成績診断

【難易度】 A…やや易　得点アップ　B…普通　合否決定　C…難　難問

問	項　目	正解	難易度	☑	問	項　目	正解	難易度	☑
1	民法（意思表示）	2	A	□□	26	区分所有法（集会）	4	A	□□
2	民法・判例（債務不履行）	3	B	□□	27	標準管理規約（専有部分・共用部分）	1	A	□□
3	民法（相隣関係）	2	B	□□	28	標準管理規約（議決権行使）	1	A	□□
4	民法・区分所有法（不法行為）	3	A	□□	29	民法・判例（対抗問題）	1	A	□□
5	標準管理委託契約書（維持修繕）	2	A	□□	30	民法・判例（相続）	1	A	□□
6	標準管理委託契約書（事件・事故等への対応）	2	A	□□	31	区分所有法・民法（先取特権）	3	B	□□
7	標準管理委託契約書（総合）	3	A	□□	32	区分所有法・標準管理規約（規約）	1	B	□□
8	標準管理委託契約書（管理事務）	3	A	□□	33	区分所有法（復旧・建替え）	1	A	□□
9	標準管理規約（会計）	3	A	□□	34	区分所有法（団地共用部分）	2	B	□□
10	標準管理規約（監事）	1	A	□□	35	標準管理規約（修繕積立金）	4	A	□□
11	管理組合の会計（貸借対照表）	4	A	□□	36	標準管理規約（団地型）	3	B	□□
12	管理組合の会計（仕訳）	2	A	□□	37	区分所有法（判例）	3	C	□□
13	管理組合の会計（仕訳）	3	B	□□	38	管理費の滞納処理	2	B	□□
14	建築基準法（用語の定義）	2	A	□□	39	民法・判例（消滅時効）	2	A	□□
15	建築基準法（単体規定）	2	B	□□	40	品確法	3	A	□□
16	消防法（防火管理者等）	3	A	□□	41	不動産登記法	4	C	□□
17	建築構造（耐震等）	1	B	□□	42	個人情報保護法	3	B	□□
18	防水工事	3	B	□□	43	建替え等円滑化法	4	C	□□
19	排水設備	3	B	□□	44	借地借家法（借家権）	2	A	□□
20	給水設備	3	A	□□	45	宅建業法（重要事項の説明）	4	A	□□
21	建築設備総合	4	B	□□	46	管理適正化基本方針	2	A	□□
22	長期修繕計画作成ガイドライン	1	B	□□	47	管理適正化法（管理業務主任者）	1	A	□□
23	長期修繕計画作成ガイドライン	2	C	□□	48	管理適正化法（管理業者の業務）	3	B	□□
24	長期修繕計画作成ガイドライン	3	B	□□	49	管理適正化法（管理業者の登録）	4	B	□□
25	修繕積立金ガイドライン	1	B	□□	50	管理適正化法（総合）	2	B	□□

各ランク毎に
得点を集計しましょう。
今のご自分の実力が
把握できます！

■ 難易度別の成績

Aランク…	問／26問中
Bランク…	問／20問中
Cランク…	問／4問中

★A・Bランクの問題はできる限り得点しましょう！

■ 総合成績

合　計
50問中の正解
点

★この回の正答目標は
36点です!!

5

【凡　例】

　本書の「解説文」中においては、法令名を略称で表記しているものがあります。それぞれの主な略称は下記のとおりです。

- 「区分所有法」……………………建物の区分所有等に関する法律
- 「品確法」……………………………住宅の品質確保の促進等に関する法律
- 「建替え等円滑化法」………………マンションの建替え等の円滑化に関する法律
- 「特定瑕疵担保履行法」……………特定住宅瑕疵担保責任の履行の確保等に
　　　　　　　　　　　　　　　　　　関する法律
- 「標準管理委託契約書」……………マンション標準管理委託契約書及び
　　　　　　　　　　　　　　　　　　マンション標準管理委託契約書コメント
- 「標準管理規約」……………………マンション標準管理規約及び
　　　　　　　　　　　　　　　　　　マンション標準管理規約コメント（単棟型）
- 「バリアフリー法」…………………高齢者、障害者等の移動等の円滑化の促進に
　　　　　　　　　　　　　　　　　　関する法律
- 「マンション管理適正化法」………マンションの管理の適正化の推進に関する
　　　　　　　　　　　　　　　　　　法律
- 「マンション管理適正化基本方針」……マンションの管理の適正化の推進を
　　　　　　　　　　　　　　　　　　図るための基本的な方針

※　本書『2024年度版 ラストスパート 管理業務主任者 直前予想模試』には、同書の『2023年度版』に収載した問題も一部含まれております。

　　これらは、本試験の出題傾向等から見て、本年度も出題される可能性が高いと考えられる問題について、必要に応じて法改正等による補正・改題を行ったうえで収載しているものです。

目　次

巻頭特集

管理業務主任者・令和6年度本試験

絶対合格!!

必勝対策 ……………………………… **8**

【解答用マークシートは、「解答・解説」の前にまとめて収録しています】

令和6年度　管理業務主任者模擬試験
解答・解説

● **取り外してチャレンジしよう!!**　問題は巻末に"**別冊式**"で収録 ●

令和6年度　管理業務主任者模擬試験
問題

絶対合格!! 必勝対策

管理業務主任者試験がだんだん近づいてきました。受験生の皆さん、学習の進み具合はいかがでしょうか。管理業務主任者試験に合格するためには、まずは基本的な知識を正確に押さえることが第一です。

それに加えて、近年の関連分野の重要な法改正についても目を配っておく必要があります。特に、昨年改正されたマンション標準管理委託契約書は、管理業務主任者試験で例年3～4題出題される重要分野ですので、今回、この「必勝対策」でまとめた改正のポイントは、しっかりと押さえておきましょう。

受験生の皆さんの「合格への一助」となれば幸いです。

1 管理業務主任者 本試験の傾向と対策

管理業務主任者試験は、例年、50問中7割の「35問」前後が得点できれば突破できる試験です。そこで戦略として、「自分はどの科目で何点くらい得点するのか」をきちんと考えることが重要になります。

例えば「苦手な設備系分野では半分の5割程度。その代わりに法令系分野では9割以上を確実に取る」といった、各自の「35点得点プラン」を設計し、それに基づいて学習時間を割り当て、「時間」対「効果」が高い学習を心がけましょう。

それでは以下、頻出の分野やテーマに絞って、その傾向と対策について検討していきます。

●●● 法令系

法令系の内容は多岐にわたりますが、管理業務主任者試験に合格するために得点源とすべき非常に重要な分野です。各出題分野のポイントをしっかり押さえて高得点を目指しましょう。

民法・借地借家法	●頻出論点は、「総則」では意思表示・代理・時効、「物権」では共有、「契約」では契約不適合責任・委任・請負・賃貸借・保証、「契約外責任」では不法行為、「それ以外」では相続等である。細かいところでは差がつかないため、基本的な部分を正確に押さえるよう心掛けること。 ●事例で出題されることも多いので、人物関係図を手早く書けるように訓練し、解けるようにしたい。

民法・借地借家法	◉ 時効は管理費等の滞納対策で出題されている。これに絡めて、民事訴訟法や破産法との複合問題として出題されることも多い。 ◉ 借地借家法については、毎年1問出題されており、特に借家権に関する出題が圧倒的に多い。借家権に関する基本ルールを、民法との比較で押さえておきたい。 ◉ 借地借家法上の借家権については、普通借家契約と定期借家契約とを区別し、違いを意識しながら整理して押さえておこう。
区分所有法	◉ 全般的にまんべんなく出題されているが、管理組合（法人含む）、規約、集会は、それぞれ毎年何らかの形で出題されているので、特に重点的に学習する必要がある。 ◉ 標準管理規約との複合問題等が出題されている。ただし、難問というわけではなく、それぞれの重要論点を押さえてさえいれば、得点源にすることが可能である。区分所有法と標準管理規約の「比較」の視点を忘れずに。
マンション標準管理規約	◉ 大規模修繕工事・総会決議・会計といった定番論点から出題されているので、過去問を中心に勉強して、1問でも多くとれるようにすること。 ◉ 管理費と修繕積立金の流用禁止や、管理費が不足した場合の徴収といった管理組合の会計に関する問題も出題されている。 ◉ 近年、コメントの細かい部分からの出題も多い。可能な限り、本文及びコメントに目を通しておくこと。
その他	◉ 毎年すべてではないが、「建替え等円滑化法」「不動産登記法」「住宅品確法」「消費者契約法」「個人情報保護法」といった分野からも出題される。出題数のわりに内容が幅広いため、まずは過去問で出題された範囲に絞って学習しよう。 ◉ 宅建業法は、毎年出題されている。特に重要事項説明に関する出題が頻出であるので、制度の全体像をきちんと確認しつつ、細かい論点を過去問で補っておこう。 ◉ 近年、「賃貸住宅管理業法」と「マンションに関する統計」からの出題も続いている。

実務・会計系

　実務・会計系は、管理業務主任者試験における得点源にしたい分野です。過去問の既出論点からの焼き直しが多く、きちんと学習すれば高得点を取りやすい分野といえます。

標準管理委託契約書	◉ 例年3〜4問程度出題される。 ◉ 出納業務に関しては、「別表」や「コメント」からも出題されており、細かい点までしっかりと目を通しておく必要がある。 ◉ マンション管理適正化法を背景にした規定も多いため、マンション管理適正化法をきちんと学習することで、標準管理委託契約書の理解度も高まる。

会計・税務	●例年、仕訳 2 問、税務 1 問の合計 3 問が出題される。 ●過去出題された論点が繰り返し出題されている。 ●令和 3・4・5 年に「財務諸表（貸借対照表）」について出題されている。貸借対照表・収支計算書の基本的な内容は確認しておきたい。

● ● 建築・設備・維持保全系

建築・設備・維持保全系は、過去問ベースの問題もあるものの、例年、過去に出題のない難しい問題も一定数出題される分野です。**基本知識を確実に押さえ、深入りしないようにしましょう。**

建築基準法	●**用語の定義等**からの出題が多い。 ●それ以外にも、居室に関する規定、避難に関する規定、定期調査等が頻出論点である。
建　築	●近年頻出論点となっているのが**コンクリート**である。コンクリートの特徴や中性化などの劣化現象等に注意したい。 ●**断熱・結露・省エネ**といった論点からも多く出題されている。 ●遮音・防水に関して出題されることもある。
設　備	●頻出論点は、**水道法・給水設備・排水設備**である。 ●換気設備や消防設備、電気設備、エレベーターから出題されることもある。
維持保全	●劣化現象や劣化診断から出題されることが多い。調査器具と診断目的等をきちんと覚えておこう。 ●近年、「長期修繕計画作成ガイドライン」「修繕積立金ガイドライン」の内容からの出題数が多い傾向が続いている（3〜4 問）。細かい内容のものもあるが、維持保全の分野では重点的に学習する必要がある。 ●耐震改修工事や耐震改修促進法からも出題されている。

● ● マンション管理適正化法

適正化法は、きちんと学習すれば **5 点満点も可能**です。過去問での既出論点をしっかり学習し、取りこぼしのないようにしましょう。

マンション管理 適正化法	●毎年 5 問出題される。 ●「マンション管理適正化基本方針」から 1 問、用語の定義・管理業務主任者・重要事項の説明・契約書の交付・管理事務の報告等の重要論点から 4 問が出題されるパターンが多い。 ●新しい制度である「マンション管理計画認定制度」の概要は、しっかり押さえておきたい。

2 きっちり押さえておきたい「重要判例」

ここでは、管理業務主任者本試験での出題可能性が高い、重要な判例を紹介します。

■高圧受電方式への変更に伴う個別電力供給契約の解約の義務付け（最判平成31年3月5日）

事例 区分所有建物5棟で構成される総戸数544戸のマンションにおいて、従来、団地建物所有者等は、個別に電力会社との間で、専有部分において使用する電力の供給契約（以下「個別契約」という）を締結し、団地共用部分である電気設備を通じて、各自電力の供給を受けていた。

その後、団地管理組合法人の総会において、専有部分の電気料金を削減するため、団地管理組合法人が一括して電力会社との間で高圧電力の供給契約を締結し、団地建物所有者等が団地管理組合法人との間で専有部分において使用する電力の供給契約を締結して電力の供給を受ける方式（以下「高圧受電方式」という）への変更をする旨の決議がされた。

この高圧受電方式に変更するには、団地建物所有者等全員が個別契約を解約することが必要とされるため、さらに後の総会において、電力の供給に用いられる電気設備に関する団地共用部分につき、区分所有法65条に基づく規約を変更し、その細則として、団地建物所有者等に個別契約の解約申入れを義務付ける「電気供給規則」の決議がなされたが、一部の団地建物所有者等がこれに応じず、個別契約の解約申入れをしなかった。

そこで、他の団地建物所有者等が、電気料金の削減がされないという損害を被ったことを理由に、個別契約の解除に応じない団地建物所有者等に対して、不法行為に基づく損害賠償請求を求める訴訟を提起した。

主な争点

① 団地建物所有者等に個別契約の解約申入れを義務付けるのは、**団地共用部分の変更またはその管理に関する事項**を決するものといえるか。

② 団地建物所有者等に個別契約の解約申入れを義務付ける規約は、区分所有法66条において準用する同法30条1項の **団地建物所有者相互間の事項** を定めたものであるといえるか。

③ 個別契約の解約申入れをしなかった一部の団地建物所有者等の行為は、**不法行為**といえるか。

⚖️ 判決の要旨 一部の団地建物所有者等が個別契約の解約申入れをしないことは、他の団地建物所有者等に対する不法行為とならない。

① 総会決議で定められた細則のうち、団地建物所有者等に個別契約の解約申入れを義務付ける部分は、専有部分の使用に関する事項を決するものであって、**団地共用部分の変更またはその管理に関する事項を決するものではない**。したがって、区分所有法66条において準用する同法17条1項または18条1項の「（団地）共用部分の管理」に関する決議として効力を有するものとはいえない。なお、このことは、本件高圧受電方式への変更をするために個別契約の解約が必要であるとしても異なるものではない。

② 総会決議で定められた細則のうち、団地建物所有者等に**個別契約の解約申入れを義務付ける部分**は、区分所有法66条において準用する同法30条1項の「**区分所有者相互間の事項**」を定めたものではなく、**規約としての効力を有するものとはいえない**。

③ 以上のことから、本件決議に基づき専有部分の電力供給契約の解約申入れを行わないことは、他の団地建物所有者等に対する不法行為とはならず、**不法行為に基づく損害賠償の請求は認められない**。

✏️ 解説 この判決は、団地管理組合法人が電力会社との間で一括高圧電力契約を締結するために、団地建物所有者等に対し、専有部分において使用する電力につき個別に締結されている供給契約の解約申入れを義務付ける規約等の変更が決議された場合において、一部の区分所有者が個別契約の解約申入れに応じなかったことが、他の団地建物所有者等に対する不法行為にはあたらない、としたものです。

問題となったマンションでは、団地建物所有者等がその専有部分において使用する電力の供給契約を解約するか否かは、それのみでは直ちに他の団地建物所有者等による専有部分の使用または団地共用部分等の管理に影響を及ぼすものではありませんでした。また、高圧受電方式への変更は、専有部分の電気料金を削減しようとするものにすぎず、この変更が行われなくても、専有部分の使用に支障が生じたり、団地共用部分等の適正な管理が妨げられるわけではありませんでした。こうしたことから、団地建物所有者等は、個別契約の解約申入れをする義務を負うものではない、とされました。

3 重要な法改正（令和5年度及び近時の主要な法改正）

令和5年度の法改正

■ 不動産登記法の改正〜相続登記の義務化〜

1 改正の背景

　不動産の所有者が死亡して相続が生じたにもかかわらず、その相続登記（被相続人が所有していた不動産の名義を相続人の名義へ変更すること）がされないまま放置されているがゆえに、登記簿を見ても実際の所有者が分からない「所有者不明土地」が増加し、周辺の環境悪化や取引・公共事業の阻害といった社会問題が発生しています。

　そこで、**令和6（2024）年4月1日から相続登記が義務化**されました。なお、**これ以前に相続した**不動産も、相続登記がされていないものは、**令和9年3月31日までに相続登記を**する必要があるとされています。

2 制度の概要

　所有権の登記名義人について相続の開始があったときは、当該相続により所有権を取得した者は、**①自己のために相続の開始があったことを知り、かつ、②当該所有権を取得したことを知った日から「3年以内」**に、所有権の移転の**登記を申請**しなければなりません。遺贈（相続人に対する遺贈に限る）により所有権を取得した者も同様です。

　なお、相続による登記がされた後に遺産の分割があったときは、当該遺産の分割によって当該相続分を超えて所有権を取得した者は、当該遺産の分割の日から3年以内に、所有権の移転の登記を申請しなければなりません。上記の**申請義務に違反**した者は、**10万円以下の過料**に処せられます。

> 要チェック！　確認問題
>
> **Q** 所有権の登記名義人について相続の開始があったときは、当該相続により所有権を取得した者は、自己のために相続の開始があったことを知り、かつ、当該所有権を取得したことを知った日から3年以内に、所有権の移転の登記を申請しなければならない。
>
> **A** 所有権の登記名義人について相続の開始があったときは、当該相続により所有権を取得した者は、①自己のために相続の開始があったことを知り、かつ、②当該所有権を取得したことを知った日から「3年以内」に、所有権の移転の登記を申請しなければなりません。　　　　　　　　　（〇）

■ マンション標準管理委託契約書の改正

① 改正の背景

マンション管理を取り巻く環境や社会情勢は、マンション管理適正化法等の改正、担い手確保・働き方改革、居住者の高齢化・感染症のまん延等、近年大きく変動しています。そこで、「マンション標準管理委託契約書」及び「マンション標準管理委託契約書コメント」が改正されました。

管理業務主任者試験では、マンション管理士試験と異なり、**マンション標準管理委託契約書の出題頻度が高く、出題数も多い（例年3～4題）**です。**過去問を含めてしっかりと学習**し、可能な限り得点できるようにしていきましょう。

② 改訂の概要

1　書面の電子化及びIT総会・理事会等DXへの対応

DX（デジタルトランスフォーメーション：デジタル技術の活用を通して生活やビジネスを変革すること）への対応として、**交付すべき書面を電子化**したり、**IT（WEB会議システム等）を用いて説明を行ったり**するための規定等が整備されました。

また、WEB会議システム等を活用した理事会・総会を行う場合において、管理組合が管理業者の協力を必要とするときの**機器の調達、貸与及び設置の補助**につき、「**基幹事務以外の事務管理業務**」として、管理業者が行うことが明記されました。

2　担い手確保・働き方改革に関する対応
　（カスタマーハラスメント、管理員・清掃員の休暇取得等）

近年、管理組合の役員・組合員等からの**カスタマーハラスメント**や、管理員・清掃員の休暇等の**労働条件**が管理組合にとって明確でないことなどを原因として、管理組合の運営支援、建物や設備の維持・管理などを行う「フロント」や、マンションでの受付・清掃・巡回等を行う「管理員・清掃員」などの**担い手が不足**するという問題が生じています。

そこで、これらの問題を解消するための手段として、次のような規定が整備されました。

〈カスタマーハラスメント関連〉

【第8条（管理事務の指示）】
　本契約に基づく甲（＝管理組合）の乙（＝管理業者）に対する管理事務に関する**指示**については、**法令の定めに基づく場合を除き**、甲の管理者等又は甲の指定する甲の役員が乙の使用人その他の従業者（以下「**使用人等**」という。）のうち乙が指定した者に対して行うものとする。

【コメント第8条関係】
①　本条は、カスタマーハラスメントを未然に防止する観点から、管理組合が管理業者に対して管理事務に関する指示を行う場合には、**管理組合が指定した者以外から行わないこと**を定めたものであるが、組合員等が管理業者の使用人その他の従業者（以下「使用人等」という。）に対して行う**情報の伝達**、**相談や要望**（管理業者がカスタマーセンター等を設置している場合に行うものを含む。）を**妨げる**ものではない。
②　管理組合又は管理業者は、本条に基づき**指定する者**について、あらかじめ相手方に**書面で通知**することが望ましい。

〈管理員業務関連〉

【コメント別表第2（管理員業務）関係】
③　管理業者は、管理員の夏期休暇、年末年始休暇の**対象日**、その他**休暇の日数等**（健康診断や研修等で勤務できない日を含む。）について**事前に書面で提示**し、また、それらの休暇の際の対応（精算や他勤務日での時間調整等）を、あらかじめ具体的に明示することが望ましい。
④　管理業者は、管理員が忌引、病気、災害、事故等で**やむを得ず勤務できない場合の対応**（精算や他勤務日での時間調整等）を管理組合との**協議**により、あらかじめ規定しておくことが望ましい。
⑤　管理員に勤務時間**外**の対応が想定される場合、あらかじめ管理組合との**協議**を行い、必要に応じて、本契約に**条件等**を**明記**することが望ましい。

3　マンション管理業の事業環境の変化（居住者の高齢化、感染症のまん延等）への対応

　マンション内で、**感染症**の流行により組合員等の共同生活に影響を及ぼすおそれがある場合や、組合員等に**認知症**の兆候がみられ、管理事務の適正な遂行等に影響を及ぼすおそれがあると認められる場合があることを踏まえ、次のようなコメントが追加されました。

【コメント第13条（通知義務）関係】

・今後、管理業者が、管理事務の実施に際し、マンション内で初めて、健康の維持に重大な影響を及ぼすとされる**新たな感染症への罹患の事実を知った場合**にも、**協議**の上で、**相手方に通知**しなければならない内容とすることが考えられる。この場合には、行政からの指示や情報を踏まえて対応することが望ましい。

・管理事務の実施に際し、組合員等にひとり歩き等の**認知症**の兆候がみられ、組合員等の共同生活や管理事務の適正な遂行に影響を及ぼすおそれがあると認められる場合にも、**協議**の上で、**相手方に通知**しなければならない内容とすることが考えられる。

・管理業者がこれらの情報を**本契約の範囲内で取得**した場合は、**本人の同意なくこれらの情報を管理組合に提供**でき、**管理組合も本人の同意なく取得**することができる。ただし、管理業者が通知するこれらの情報については、特定の個人を識別する情報が含まれているため、当該情報の取扱いを適切に行う観点から、あらかじめ管理組合において、その取扱いについて定めておく必要がある。

・専有部分は組合員が管理することになるが、**専有部分において犯罪や孤立死（孤独死）**等があり、当該専有部分の組合員の**同意の取得**が困難な場合には、警察等から管理業者に対し、**緊急連絡先の照会等の協力**を求められることがある。

■ 建築基準法の改正

　マンション管理士・管理業務主任者試験での出題可能性は高いとはいえませんが、令和5年建築基準法でも主に次のような改正がなされました。

①　耐火建築物に係る主要構造部規制の合理化

　　耐火建築物で、火災時の損傷によって建築物全体への倒壊・延焼に影響がない主要構造部について、損傷を許容し、耐火構造等とすることが不要とされました。

　　これにより、例えば、一室が二階層になっているメゾネットタイプのマンションにおいて、メゾネットを囲む空間を強化防火区画とし、通常よりも長時間火災に耐えうる耐火構造の壁や床、防火設備で区画することを前提として、住戸内を木造の柱や梁、床で作ることが可能となります。

②　既存不適格建築物の増築等に係る規制の合理化

　　既存不適格建築物の増築等の際、現行規定（防火・避難規定、接道規制や道路内建築制限）の遡及適用を緩和することで、増築等による建築物の省エネ化やストックの有効活用が円滑化される仕組みが作られました。

■ 水道法の改正

　水道関連の所管が厚生労働省から移管され、①水道整備・管理行政のうち水質又は衛生に関する事務に関する権限は、厚生労働大臣から環境大臣に、また、②水道整備・管理行政のうち①に掲げる事務以外のものに関する権限は、厚生労働大臣から国土交通大臣に移管されました。

　試験対策レベルでは、次のような整理をしておきましょう。

・専用水道の水質検査に関し、検査施設がない場合は、**地方公共団体の機関又は国土交通大臣及び環境大臣の登録を受けた者**に委託する。
・簡易専用水道の管理についての検査の受検に関し、**毎年1回以上、定期に、地方公共団体の機関又は国土交通大臣及び環境大臣の登録を受けた者**の検査を受けなければならない。

近時の法改正

■ 民法の改正

1 相隣関係の見直し

1　隣地使用権

（1）　隣地使用請求権から隣地使用権へ

　隣地の使用に関しては、従来、一定の範囲で「隣地の『**使用を請求**』することができる」（隣地「使用請求」権）という規定でしたが、法改正により、「隣地を『**使用**』することができる」（隣地「使用」権）という規定に変わりました。もっとも、住家については、その居住者の承諾がなければ、立ち入ることはできません。

（2）　隣地使用権の対象の拡大

　法改正により、①に加え、②・③の場合にも隣地使用権が認められることとなりました。

①　障壁、建物その他の**工作物の築造、収去、修繕**
②　境界標の**調査**・境界に関する**測量**
③　**越境**してきた竹木の枝の切取り

(3) 使用の日時等の選択と通知

　隣地を使用するにあたり、その**使用の日時・場所・方法**は、隣地の所有者・隣地を現に使用している者（以下「隣地所有者等」）のために**損害が最も少ないもの**を選ばなければなりません。

　また、隣地を使用する者は、急迫の事情があるなど事前通知が難しい場合を除き、**事前に**その目的・日時・場所・方法を隣地所有者等に**通知**しなければなりません。

　なお、この隣地使用により、隣地所有者等が**損害**を受けたときは、その**償金**を請求することができます。

2　ライフラインの設備の設置・使用権

　他人の土地に導管等の設備を設置したり、他人が所有する導管等の設備を使用したりしなければ、自分の土地で電気・ガス・水道等の継続的な供給を受けられないときは、必要な範囲で、他人の土地に設備を設置（**導管等設置権**）し、又は他人が所有する設備を使用（**導管等使用権**）できます。

3　越境した竹木の枝の切取り

　土地の所有者は、隣地の竹木の「**枝**」が境界線を越えるときは、その竹木の所有者に、その枝を**切除させる**ことができます。この場合、竹木が数人の**共有**であるときは、**各共有者が**枝を切除できます。

　他方、土地の所有者は、次の場合、必要な範囲で**隣地を使用**して、**自らその枝を切り取る**ことができます。

> ①　竹木の所有者に枝を切除するよう**催告**したにもかかわらず、竹木の所有者が相当の期間内に**切除しないとき**。
> ②　竹木の**所有者を知る**ことができず、又はその**所在を知る**ことができないとき。
> ③　**急迫の事情**があるとき。

　なお、土地の所有者は、隣地の竹木の「**根**」が境界線を越える場合、その根を**自ら切り取る**ことができますが、この場合に隣地使用権は認められていません。

⦿ 要チェック！　確認問題

Q 土地の所有者は、隣地の竹木の枝が境界線を越える場合において、竹木の所有者に枝を切除するよう催告したにもかかわらず、竹木の所有者が相当の期間内に切除しないときでも、自らこれを切除することはできない。

A 土地の所有者は、以下の①～③のいずれかに該当するときは、必要な範囲で隣地を使用して、自らその枝を切り取ることができます。　　　　　　　　　　　　　　　　　　　　（✘）
　①　竹木の所有者に枝を切除するよう催告したにもかかわらず、竹木の所有者が相当の期間内に切除しないとき
　②　竹木の所有者を知ることができず、又はその所在を知ることができないとき
　③　急迫の事情があるとき

2 共有物の利用促進のための改正

1 共有物の「変更行為」の細分化

民法上の共有物の「変更行為」が「軽微変更」と「重大変更」という2つの種類に細分化され、その要件等が以下のように再構成されました。

行為の分類	内容	要件
保存	共有物の**現状を維持する**行為 例）・共有物の修繕 　　・**不法占拠者に対する返還請求**	**各共有者が単独**でできる
管理・軽微変更	共有物の形状又は効用の著しい変更を伴わずに、共有物を利用・改良する行為 例）・共有物の**管理者の選任・解任** 　　・共有物に関する**下記期間内の賃貸借契約の締結・解除** ① 樹木の栽植・伐採を目的とする山林の賃借権等➡10年以内 ② ①の賃借権等以外の**土地の賃借権等**➡**5年以内** ③ **建物の賃借権等**➡**3年以内** ④ 動産の賃借権等➡**6ヵ月以内**	**各共有者の持分の価格の過半数で決する** ※共有物を**使用する共有者がいる場合も同様**
重大変更・処分	共有物の形状又は効用の著しい変更を伴うものや、**共有物全体の処分** 例）・共有建物の建替え・増改築 　　・共有物全部の売却・抵当権の設定	**共有者全員の同意**で決する ※共有物の「**共有持分の処分**」については、**各共有者が単独でできる**（他の共有者の同意は不要）

なお、一時使用目的や存続期間が3年以内の定期建物賃貸借などを除き、**借地借家法が適用される建物賃貸借**の場合、期間が満了しても**更新が前提**となるため、約定された期間内での終了が確保されません。そこで、このような建物賃貸借契約は、原則として**共有者全員の同意がなければ無効**と解されています。

2 他の共有者への使用対価償還義務・善管注意義務

共有物を使用する共有者は、別段の合意がある場合を除き、他の共有者に対し、自己の**持分を超える**使用の対価を償還する義務を負います。

また、共有者には、**善良な管理者の注意**をもって共有物を使用する義務が課されます。

3　所在等不明共有者・賛否不明共有者がいる場合の管理

　　所在等が不明の共有者や賛否が不明な共有者がいる場合、裁判により、それ以外の共有者が管理・変更をすることが可能となる制度ができました。

	行為	要件
所在等不明共有者がいる場合（※1）	重大変更	裁判により、所在等不明共有者「以外」の共有者全員の同意で共有物の重大変更が可能
	管理行為・軽微変更	裁判により、所在等不明共有者「以外」の共有者の持分価格の過半数で共有物の管理事項の決定が可能
賛否不明共有者がいる場合（※2）	管理行為・軽微変更	裁判により、賛否不明共有者「以外」の共有者の持分価格の過半数で共有物の管理事項の決定が可能

　※1：所在等不明共有者が共有持分を失う行為（抵当権設定等）には利用不可。
　※2：重大変更や賛否不明共有者が共有持分を失う行為（抵当権設定等）には利用不可。

4　共有物の管理者

　　共有者は、共有者の持分価格の過半数により、共有物を管理する者（管理者）を選任・解任できる制度ができました。
　　共有物の管理者は、共有物の管理に関する行為（軽微変更を含む）をすることができますが、重大変更は、共有者の全員の同意が必要です。

要チェック！ 確認問題

Q 民法上、共有物に対する変更行為は、すべて共有者全員の同意が必要である。

A 共有物に対する変更行為は、形状又は効用の著しい変更と伴わない「軽微変更」と、形状又は効用の著しい変更を伴う「重大変更」とに分かれます。そして、前者は各共有者の持分の価格の過半数が、後者は共有者全員の同意が必要です。　　　　　　　　　　　　　　（✗）

❸ 土地・建物の管理制度の見直し

1　所有者不明土地管理制度・所有者不明建物管理制度

　　調査を尽くしても土地や建物の所有者又はその所在を知ることができない場合に、裁判所が所定の管理人による管理を命ずる、所有者不明土地管理制度・所有者不明建物管理制度が創設されました。
　　ただし、区分所有建物の場合は、管理組合が規約や集会決議により自律的に解決可能であるため、所有者不明建物管理制度については、専有部分及び共用部分に適用されません。

2　管理不全土地・建物管理制度

　管理不全土地・建物について、裁判所が、利害関係人の請求により、管理人による管理を命ずる処分を可能とする「**管理不全土地・建物管理制度**」も創設されました。

　ただし、**管理不全建物管理制度**については、**専有部分及び共用部分に適用されません**。

> 要チェック！　確認問題
>
> **Q** 所有者不明建物管理制度及び管理不全建物管理制度は、区分所有建物の専有部分及び共用部分にも適用される。
>
> **A** 所有者不明建物管理制度及び管理不全建物管理制度は、区分所有建物の専有部分及び共用部分には適用されません。　　　　　　　　　　　　　　　　　　　　　　（**✗**）

■ 区分所有法の改正

●民法の改正規定の一部不適用

　前述のとおり、「民法264条の8（**所有者不明建物管理命令**）及び264条の14（**管理不全建物管理命令**）の規定は、**専有部分及び共用部分には適用しない**。」という規定が新設されました。

■ マンション標準管理規約の改正

1　マンション標準管理規約（単棟型）の主な改正

(1)　ITを活用した総会・理事会のための規定の整備

　WEB会議システム等のITを活用した総会・理事会の会議の実施が可能であることが明確化され、留意事項等が記載されました。

> ①　ITを利用した理事長による総会での事務報告
>
> 　理事長が**WEB会議システム**等を用いて**総会に出席**し、**報告**を行うことも可能であることが記載されました。
>
> 　その際、WEB会議システム等を**用いない場合と同様**に、各組合員からの**質疑への応答**等について**適切に対応**することが必要とされました。
>
> ②　ITを活用した総会・理事会における開催方法の通知
>
> 　「ITを活用した総会・理事会」の会議を実施するにあたり、開催方法として、WEB会議システム等に**アクセスするためのURLを通知**することが記載されました。

③　ＩＴを活用した議決権行使の取扱い

　　ＩＴを活用した議決権の行使は、総会や理事会の会場において**議決権を行使する場合と同様に取り扱う**ことが記載されました。

④　ＩＴを活用した総会・理事会における、**ＷＥＢ会議システム等を用いて出席した者の取り扱い**等

　　議決権を行使することができる組合員（・理事）が**ＷＥＢ会議システム等を用いて総会**（・理事会）**に出席した場合**については、定足数の算出において**出席組合員**（・出席理事）**に含まれる**ことが記載されました。

※このＩＴを活用した総会・理事会については、それを可能とすることを明確化する観点から標準管理規約の改正を行っているものであるため、この改正に伴って各管理組合の管理規約を変更しなくとも、ＩＴを活用した総会・理事会の開催は可能です。

(2)　電磁的方法が利用可能である場合の規定の整備

　「書面」によることが必要とされていた次のものにつき、**電磁的方法が利用可能である場合**には「**電磁的方法**」**でも可能**とされています。

・専有部分の修繕等における理事長の「**書面**」による承認
・暴力団員の排除の際における管理組合による**解約権の代理行使**を認める旨の提出すべき「**書面**」
・区分所有者が**敷地・共用部分等の保存行為**を行う旨の申請に対する理事長の「**書面**」による承認
・区分所有者が**窓ガラス等の改良**を行う旨の申請に対する理事長の「**書面**」による承認
・**組合員の資格を取得・喪失した場合**の管理組合への「**届出書面**」
・総会における**代理人の代理権を証する**「**書面**」

(3)　マンション内における感染症の感染拡大のおそれが高い場合等の対応

①　共用施設の使用停止等の手段について

　　感染症の感染拡大のおそれが高いと認められた場合における**共用施設の使用停止等**を、「**使用細則**」で定めることが可能であることが記載されました。

②　ＩＴを活用した総会の開催及びやむを得ない場合の招集の延期

　　感染症の感染拡大の防止等への対応として、「ＩＴを活用した総会」を用いて会議を開催することも考えられますが、**やむを得ない場合には**、通常総会を必ずしも「**新会計年度開始以後２ヵ月以内**」**に招集する必要はなく**、これらの**状況が解消された後、遅滞なく招集すれば足りる**ことが記載されました。

◎ 要チェック！ 確認問題

Q マンション内における感染症の感染拡大のおそれが高いと認められた場合において、居住者による共用部分等の使用の一時的な停止・制限は、使用細則で定めることができる。

A このような共用部分等の使用の一時的な停止・制限は、規約に定めなくとも、「使用細則」に定めることで可能となります。　　　　　　　　　　　　　　　　　　　　　　　（**O**）

⑷　置き配を認める手段等について

　置き配を認める際のルールについて、「**使用細則**」で**定めることができる**旨が明示されました。

　ただし、専用使用部分でない共用部分に物品を置くことは原則として認められませんので、宅配ボックスがない場合等、例外的に共用部分への置き配を認める場合には、長期間の放置や大量・乱雑な放置等により避難の支障とならないよう留意する必要があります。

⑸　専有部分の配管に関する清掃・取替え

　専有部分である設備のうち共用部分と**構造上一体**となった部分の管理を共用部分の管理と一体として行う必要があるときは、**管理組合**がこれを行うことができます。

　この場合、配管の清掃等に要する費用については、「共用設備の保守維持費」として**管理費を充当**することが可能ですが、配管の**取替え等**に要する費用のうち**専有部分に係るもの**については、**各区分所有者が実費に応じて負担**すべきものです。

　もっとも、共用部分の配管の取替えと専有部分の配管の取替えを**同時に行う**ことにより、専有部分の配管の取替えを単独で行うよりも**費用が軽減**される場合には、これらについて**一体的に工事**を行うこともできるということが示されました。

　なお、その場合には、**あらかじめ長期修繕計画において専有部分の配管の取替えについて記載**し、その工事費用を修繕積立金から拠出することについて規約に規定するとともに、**先行して工事を行った区分所有者への補償の有無等についても十分留意**することが求められています。

⑹　長期修繕計画の内容の見直し

　長期修繕計画の内容として必要とされるものにつき、**計画期間が30年以上**で、「かつ」大規模修繕工事が**2回含まれる期間以上**とすることが記載されました。

⑺　役員の解任に関する規定の整備

　従来、理事・監事の「**選任**」は総会の決議で、また、理事長・副理事長・会計担当理事の「**選任**」は理事会の決議で行うことは定められていましたが、それぞれの「**解任**」については明文がありませんでした。

　そこで、選任のみならず「**解任**」についても、理事・監事の解任（＝理事・監事の地位を失う）は「**総会の決議**」で、また、**理事長・副理事長・会計担当理事の解任**（＝役職を解かれて平理事になる）は「**理事会の決議**」で行うことができる旨が明示されました。

(8) 管理計画認定及び要除却認定の申請

　総会の議決事項として、改正マンション管理適正化法に基づく「管理計画の認定の申請」及び、マンションの建替え等の円滑化に関する法律に基づく「要除却認定の申請」が追加されました。

2　マンション標準管理規約（団地型）の主な改正（条文は「団地型」）

　マンション標準管理規約（単棟型）の改正と同様の改正のほか、マンション標準管理規約（団地型）特有の改正として、以下の内容の改正が行われました。

(1)　団地修繕積立金及び各棟修繕積立金の使途の追加

　団地修繕積立金及び各棟修繕積立金の使途として、「敷地分割に係る合意形成に必要となる事項の調査」が追加されました。

(2)　招集手続における敷地分割決議に関する規定の追加

　招集通知の発送期限が会日の2ヵ月前までとされる決議の対象として、建替え承認決議、一括建替え決議の場合に加え、**敷地分割決議を行うための団地総会の招集手続**（議案の要領の通知事項）が追加されました。

(3)　敷地分割決議に関する団地総会の会議及び議事の追加

　敷地分割決議の決議要件が追加され、敷地分割決議は、組合員総数の5分の4以上及び議決権（団地内敷地の持分の割合による）総数の5分の4以上で行うものとされました。

■ マンション建替え等円滑化法の改正

　マンション建替え等円滑化法では、維持修繕等が困難なマンションの再生の円滑化の推進という観点から、「容積率の緩和特例」「マンション敷地売却事業」「団地における敷地分割事業」といった制度が設けられています。このうち、新設されたのは「団地における敷地分割事業」です。

1　除却の必要性に係る認定

(1)　除却の必要性に係る認定の申請

　マンションの管理者等は、特定行政庁に対し、当該マンションを**除却する必要がある旨の認定**（**要除却認定**）を申請することができます。

　そして、特定行政庁は、この申請があった場合において、申請に係るマンションが次のいずれかに該当するときは、その旨の認定をします。なお、①～③を「**特定要除却認定**」といいます。

① 耐震性の不足
② 火災に対する安全性の不足
③ 外壁等の剥落により周辺に危害を生ずるおそれ
④ 給排水管の腐食等により著しく衛生上有害となるおそれ
⑤ バリアフリー基準への不適合

(2) 除却の必要性に係る認定の根拠と適用される制度

要除却認定がなされた理由により、「容積率の緩和特例」「マンション敷地売却事業」「団地における敷地分割事業」の制度のうち、次のように適用されるものが決まります。

認定根拠		容積率緩和の特例	マンション敷地売却事業	団地における敷地分割事業
特定要除却認定	耐震性不足	○		
	火災に対する安全性不足			
	外壁等の剥落により周囲に危害を生ずるおそれ		○	○
給排水管の腐食等により著しく衛生上有害となるおそれ			×	×
バリアフリー基準への不適合				

2 団地における敷地分割事業

(1) 団地における敷地分割事業の必要性

団地型マンションにおいて、棟や区画ごとの必要性に応じ、一部の棟の建替え・敷地売却を行うため、特定要除却認定を受けたマンションを含む団地で敷地の分割を可能とする「**敷地分割決議**」の制度が設けられました。

(2) 敷地分割決議の内容

特定要除却認定を受けた場合においては、団地建物所有者集会において、特定団地建物所有者及び議決権の**各5分の4以上**の多数で、その特定団地建物所有者の共有に属する団地内建物の敷地又はその借地権を分割する旨の決議（**敷地分割決議**）をすることができます。

■ マンション管理適正化法の改正

1 マンション管理計画認定制度等の創設

積極的に行政も関与しながらマンションの管理水準を一層維持向上させていく仕組みとして、次の3つの制度が創設されました。

制度	概要
地方公共団体による管理適正化推進計画の作成	**地方公共団体**は、マンション管理適正化の推進を図るための施策等を含む、**マンション管理の適正化の推進を図るための計画**を作成することができます。
マンション管理計画の認定制度	**管理適正化推進計画を作成した都道府県等**において、マンションの管理計画が一定の基準を満たす場合に、マンション管理組合は、地方公共団体から**適切な管理計画を持つマンション**として認定を受けることができます。 このマンション管理計画認定制度では、都道府県等が、地域性を踏まえた指針を定めることにより、国が定める認定基準に加えて独自の基準を設けることなどが可能です。
地方公共団体による助言・指導等	地方公共団体は、管理適正化のために必要に応じて助言や指導等を行うことができます。

2　管理計画の具体的な認定基準

　計画作成都道府県知事等は、**管理計画の認定の申請**があった場合において、その申請に係る管理計画が一定の**基準に適合**すると認めるときは、その**認定**をすることができます。その具体的な認定基準は次のとおりです。

項目	基準
管理組合の運営	①　**管理者等**が定められていること ②　**監事**が選任されていること ③　集会が**年１回以上**開催されていること
管理規約	①　**管理規約**が作成されていること ②　マンションの適切な管理のため、管理規約において**災害等の緊急時**や管理上必要なときの専有部の立ち入り、修繕等の履歴情報の管理等について定められていること ③　マンションの管理状況に係る情報取得の円滑化のため、管理規約において、**管理組合の財務・管理に関する情報の書面の交付**（又は電磁的方法による提供）について定められていること
管理組合の経理	①　管理費及び修繕積立金等について**明確に区分して経理**が行われていること ②　**修繕積立金会計から他の会計への充当**がされていないこと ③　直前の事業年度の終了の日時点における**修繕積立金の３ヵ月以上の滞納額**が全体の**１割以内**であること
長期修繕計画の作成・見直し等	①　長期修繕計画が「**長期修繕計画標準様式**」に準拠し作成され、長期修繕計画の内容及びこれに基づき算定された**修繕積立金額**について**集会にて決議**されていること ②　長期修繕計画の作成又は見直しが**７年以内**に行われていること ③　長期修繕計画の実効性を確保するため、**計画期間が30年以上**で、かつ、残存期間内に**大規模修繕工事が２回以上**含まれるように設定されていること ④　長期修繕計画において**将来の一時的な修繕積立金の徴収を予定していないこと**

長期修繕計画の作成・見直し等	⑤　長期修繕計画の計画期間全体での修繕積立金の総額から算定された**修繕積立金の平均額が著しく低額でない**こと ⑥　長期修繕計画の計画期間の**最終年度**において、**借入金の残高のない長期修繕計画**となっていること
その他	①　管理組合がマンションの区分所有者等への平常時における連絡に加え、災害等の緊急時に迅速な対応を行うため、**組合員名簿、居住者名簿**を備えているとともに、**1年に1回以上は内容の確認**を行っていること ②　都道府県等マンション管理適正化指針に照らして適切なものであること

3　重要事項説明の特例措置の拡充

　管理業者は、管理組合と**新規**に管理受託契約を締結しようとするときは、**あらかじめ、説明会を開催**し、区分所有者等・管理者等に対し、**管理業務主任者**をして、管理受託契約の内容・履行に関する一定の**重要事項**について**説明をさせなければならない**のが原則です。

　しかし、**新たに建設**されたマンションの「**分譲に通常要すると見込まれる期間（1年間）**」**中に契約期間が満了する管理受託契約については、重要事項を説明する義務はありません。**これは、管理組合が**実質的に機能**するまでの間に行われる暫定的な契約にかかる重要事項説明を**不要**とする趣旨です。

　ここで、「分譲に通常要すると見込まれる期間（1年間）」は、「**完成売り**」の場合と「**リノベマンション**」とで、次のように起算点が異なります。

> ①　完成売りマンション（新たに建設されたマンション）
> 　➡「**最初の購入者**」への引渡し後1年間
> ②　リノベマンション（再分譲前提の既存のマンション）
> 　➡「**再分譲後の最初の購入者**」への引渡し後1年間

4　暴力団員等の排除改正

　登録拒否の要件（法第47条）及び登録取消の要件（法第83条）として、次に該当する者を追加し、**マンション管理業者**から**暴力団員等を排除する姿勢**を明示しました。

> ・暴力団員又は元暴力団員
> ・暴力団員等がその事業活動を支配する者（例えば、事業主の親族が暴力団員である場合など）

5 「マンションの管理の適正化の推進を図るための基本的な方針」の策定

これまでの「マンション管理適正化指針」が廃止され、新たに「マンションの管理の適正化の推進を図るための基本的な方針」が創設されました。

本方針では、次の内容が定められています。

・マンションの管理の適正化に関する目標の設定に関する事項
・管理組合によるマンションの管理の適正化の推進に関する基本的な指針に関する事項（マンション管理計画認定制度の認定基準を含む）
・マンションの建替えその他の措置に向けたマンションの区分所有者等の合意形成の促進に関する事項
・マンション管理適正化推進計画の策定に関する基本的な事項など

■ 建築基準法の改正

1 採光に関する規制の緩和

住宅等の居室には、採光のための窓等の開口部を設け、採光に有効な部分の面積は、居室の床面積に対して、住宅では原則として**7分の1以上**としなければなりません。

もっとも、**照明設備の設置、有効な採光方法の確保**その他これらに準ずる措置（＝床面において50ルクス以上の照度を確保することができるよう照明設備を設置すること）が講じられているものにあっては、これを**10分の1まで緩和**することが認められるようになりました。

2 住宅等のうち給湯設備に関する容積率算定からの除外

住宅等に設ける**機械室等の建築物の部分**（一定の基準に適合する**給湯設備等**の建築設備を設置するためのものに限る）で、特定行政庁が交通上、安全上、防火上及び衛生上支障がないと認めるものは、建築物の**容積率の算定**の基礎となる**延べ面積に算入されない**こととされました。

■ 長期修繕計画作成ガイドライン・修繕積立金ガイドラインの改正

1 長期修繕計画作成ガイドライン

長期修繕計画作成ガイドラインは、管理組合が適切な長期修繕計画を作成し、それに基づく修繕積立金の額を設定して、適切な計画修繕を可能とするためのものです。令和3年に次のような改正がなされています。

① **計画期間の見直し**
　・従来、既存マンションでは「25年以上」とされていた長期修繕計画期間を、新築・既存を問わず、「**計画期間30年以上**で、かつ**大規模修繕工事が2回含まれる期間以上**」に変更
② **大規模修繕工事の修繕周期の目安の見直し**
　・工事事例等を踏まえて「○年～○年」というように**一定の幅のある修繕周期**に変更
③ **社会的要請を踏まえた修繕工事の有効性などを追記**
　・マンションの省エネ性能を向上させる改修工事の有効性を明示
　・「昇降機の適切な維持管理に関する指針」（平成28年2月国土交通省策定）に沿って定期的にエレベーター点検を実施することの重要性を明示

2 修繕積立金ガイドライン

修繕積立金ガイドラインは、修繕積立金に関する基本的な知識や修繕積立金の額の目安を示したものです。令和3年に次のような改正がなされています。

① **修繕積立金額の目安の見直し**
　適切な長期修繕計画に基づく修繕積立金の事例を踏まえ、目安とする修繕積立金の㎡単価を次のように更新しました。

地上階/建築延床面積		月額の専有面積当たりの修繕積立金額	
		事例の3分の2が包含される幅	平均額
20階未満	5,000㎡未満	235円～430円／㎡・月	335円／㎡・月
	5,000㎡以上～10,000㎡未満	170円～320円／㎡・月	252円／㎡・月
	10,000㎡以上～20,000㎡未満	200円～330円／㎡・月	271円／㎡・月
	20,000㎡以上	190円～325円／㎡・月	255円／㎡・月
20階以上		240円～410円／㎡・月	338円／㎡・月

② 修繕積立金の目安に係る計算式の見直し

　ガイドラインのターゲットとして既存マンションも対象に追加し、修繕積立金額の目安に係る計算式を次のように見直しました。

> 計画期間全体における修繕積立金の平均額（円／㎡・月）
>
> $$Z = (A + B + C) \div X \div Y$$

- ・Z：計画期間全体における修繕積立金の平均額（円／㎡・月）
- ・A：計画期間当初における修繕積立金の残高（円）
- ・B：計画期間全体で集める修繕積立金の総額（円）
- ・C：計画期間全体における専用使用料等からの繰入額の総額（円）
- ・X：マンションの総専有床面積（㎡）
- ・Y：長期修繕計画の計画期間（ヵ月）

④ よく狙われる!! 項目間の「横断整理」

　管理業務主任者試験では、**複数の法律にまたがった論点**による出題がされることが多々あります。ここで、**知識の横断整理**をしておきましょう。

■一般の借家契約と定期建物賃貸借の違い

⚠ HINT 定期建物賃貸借は、期間満了で更新されることなく契約が終了する点で一般の借家契約よりも借主に不利であるため、厳格な手続が要求されています。

	一般の借家契約	定期建物賃貸借
書面の必要性	不要	公正証書等の書面による
1年未満の契約の場合	期間の定めのない契約とみなされる	定めた契約期間となる （例えば「6ヵ月」と定めた場合、6ヵ月の契約となる）
事前説明	不要	賃貸人が賃借人に対し、期間満了とともに契約は終了し更新しない旨を、あらかじめ書面等を交付して説明しなければならない
契約の終了	期間を定めた場合、期間満了の1年前から6ヵ月前までの間に更新拒絶の通知をすることで終了 （更新拒絶の通知がない場合は、更新となる）	期間満了で終了 ➡ただし、1年以上の期間を定めた場合、賃貸人は、期間満了の6ヵ月前～1年前の間に期間満了で終了する旨の通知をしないと、賃借人に、その終了を対抗できない
中途解約	特約で定めないと、賃借人からの中途解約も認められない	賃借人は、以下の要件をすべて満たす場合は、中途解約が可能 ① 居住用の建物であること ② 床面積が200㎡未満 ③ 転勤や療養看護等のやむを得ない事由による ➡解約の申入れから1ヵ月経過で終了

■管理業務主任者・マンション管理業者の有効期間と更新手続

> **HINT** それぞれの「何について」「どのような有効期間」が定められているのか、きちんと押さえておきましょう。

	有効期間	更新手続
管理業務主任者	① 登録：有効期間なし ② 主任者証：有効期間は5年	主任者証の更新の申請前 6ヵ月以内の講習を受講する
マンション管理業者	登録の有効期間は5年	登録の有効期間満了の 90〜30日前までに申請

5 「維持・保全」でよく出る「重要数字」

管理業務主任者試験では、「数字」自体の正誤に絡む出題が多く見られます。特に、維持・保全では、数字を正確に覚えておかなければなりません。過去に出題実績のある「重要数字」を、穴埋め形式のチェックシートで、本試験までに知識の確認をしておきましょう。

Check ☑		暗記ポイント
☐☐	建築基準法	① 敷地内には、屋外に設ける避難階段及び出口から道又は公園、広場その他の空地に通ずる幅員が □ m以上の通路を設けなければならない。
☐☐		② 特定行政庁が指定する幅員4m未満の道路の中心線から水平距離で □ m後退した線までの部分は、敷地面積に算入されない。
☐☐		③ 共同住宅における廊下の幅は、両側に居室がある場合は、□ m、その他の廊下における場合は、□ m以上としなければならない。
☐☐		④ 居室の天井の高さは、□ m以上でなければならない。
☐☐		⑤ 延焼のおそれがある部分とは、原則として、隣地境界線等から、1階にあっては □ m以下、2階以上にあっては □ m以下の建築物の部分をいう。
☐☐		⑥ 高さ □ mを超える建築物には、有効に避雷設備を設けなければならない。
☐☐		⑦ 回り階段における踏面の寸法は、狭い方の端から □ cmの位置で測定する。
☐☐		⑧ 高さ □ mを超える建築物には、非常用の昇降機の設置が原則として必要となる。
☐☐		⑨ 手すり及び階段の昇降を安全に行うための設備で高さが □ cm以下のもの（「手すり等」）が設けられた場合における階段及びその踊り場の幅は、□ cmを上限として、手すり等の幅をないものとみなして算定する。
☐☐		⑩ 乗用エレベーターでは、1人当たりの荷重を □ kgとして計算した最大定員を明示した標識をかご内の見やすい場所に掲示する。
☐☐		⑪ エレベーターの出入口の床先とかごの床先の水平距離は、□ cm以下としなければならない。
☐☐		⑫ 住宅の居室における換気に有効な部分の面積は、その居室の床面積に対して □ 分の □ 以上としなければならない。
☐☐		⑬ 地階とは、床が地盤面下にある階で、床から地盤面までの高さがその階の天井の高さの □ 分の □ 以上のものをいう。
☐☐		⑭ 地階で、地盤面上 □ m以下にある部分は、建築面積に算入されない。
☐☐		⑮ 階段に代わる傾斜路の勾配は、□ 分の □ を超えてはならない。

Check ☑		暗記ポイント
□□	建築基準法	⑯　建築物の屋上に設ける階段室等で、水平投影面積の合計が当該建築物の□□分の□□以内のものは、その高さが□□m（絶対高さ制限では□□m）までは、建築物の高さに算入しない。
□□		⑰　自動車車庫の床面積は、当該敷地内の建築物の各階の床面積の合計（同一敷地内に２以上の建築物がある場合においては、それらの建築物の各階の床面積の合計の和）に□□分の□□を乗じて得た面積を限度として、延べ面積には算入されない。
□□		⑱　吹付けロックウールで、その含有する石綿の重量が、建築材料の重量の□□％を超えるものをあらかじめ添加した建築材料を使用することはできない。
□□	消防法	⑲　一般の共同住宅は非特定防火対象物に該当し、収容人員が□□人以上の場合に防火管理者を選任する必要がある。
□□		⑳　消防用設備等については、□□ヵ月に１回の機器点検と、□□年に１回の総合点検を行うが、所轄の消防長又は消防署長に対するこれらの各点検結果の報告は、□□年に１回行う。
□□		㉑　高さ□□mを超える共同住宅で、その管理について権原が分かれているものの管理権原者は、当該建築物の全体について防火管理上必要な業務を統括する防火管理者を協議して定めなければならない。
□□	電気・ガス	㉒　一般住宅への配線方式には単相２線式と単相３線式があるが、200Ｖの電圧供給を可能とするためには単相□□線式を採用する必要がある。
□□		㉓　ガスの給湯能力における「１号」とは、入水温度を□□℃上昇させた湯を毎分□□ℓ出湯できる能力をいう。
□□	給水設備	㉔　給水栓における水の遊離残留塩素濃度は、平時において□□mg/ℓ以上でなければならない。
□□		㉕　受水槽の６面点検を行うため、天井からは□□cm以上、周壁と床には□□cm以上の距離を置いて受水槽を設置しなければならない。
□□		㉖　受水槽の容量は、一般的に、マンション全体の１日の使用水量の□□分の□□程度とされる。
□□		㉗　高置水槽の容量は、一般的に、マンション全体の１日の使用水量の□□分の□□程度とされる。
□□	排水設備	㉘　排水管の管径は、トラップの口径以上で、かつ□□mm以上とし、地中又は地階の床下に埋設される排水管の管径は、□□mm以上とする。
□□		㉙　トラップの封水深は、□□mm以上□□mm以下とされる。
□□		㉚　雨水排水ますに設けなければならない泥だまりの深さは、□□mm以上でなければならない。

解答・解説

【建築基準法】

① 1.5（m） ② 2（m） ③ 1.6（m）、1.2（m） ④ 2.1（m）

⑤ 3（m）、5（m） ⑥ 20（m） ⑦ 30（cm） ⑧ 31（m）

⑨ 50（cm）、10（cm） ⑩ 65（kg） ⑪ 4（cm） ⑫ 20（分の）1

⑬ 3（分の）1 ⑭ 1（m） ⑮ 8（分の）1 ⑯ 8（分の）1、12（m）、5（m）

⑰ 5（分の）1 ⑱ 0.1（％）

【消防法】 ⑲ 50（人） ⑳ 6（ヵ月）、1（年）、3（年） ㉑ 31（m）

【電気・ガス】 ㉒ 3（線式） ㉓ 25（℃）、1（ℓ）

【給水設備】

㉔ 0.1（mg/ℓ） ㉕ 100（cm）、60（cm） ㉖ 2（分の）1 ㉗ 10（分の）1

【排水設備】 ㉘ 30（㎜）、50（㎜） ㉙ 50（㎜）、100（㎜） ㉚ 150（㎜）

---

② 都市計画区域及び準都市計画区域内で特定行政庁が指定する**幅員4m未満**の道路に接する敷地では、道路の中心線から水平距離で2m後退した線までの部分は**算入されない**。

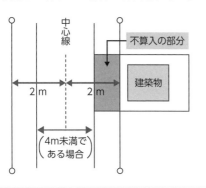

---

⑤ 延焼のおそれがある部分とは、隣地境界線等から、1階にあっては3m以下、2階以上にあっては5m以下の建築物の部分をいう。

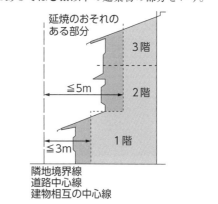

---

⑨ 手すり及び階段の昇降を安全に行うための設備で高さが50cm以下のもの（「手すり等」）が設けられた場合における階段及びその踊り場の幅は、10cmを上限として、手すり等の幅をないものとみなして算定する。

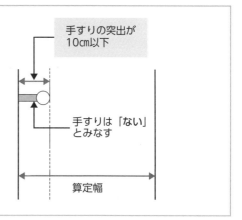

⑬　地階とは、床が地盤面下にある階で、床から地盤面までの高さがその階の天井の高さの3分の1以上のものをいう。

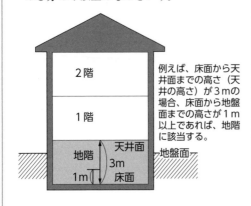

例えば、床面から天井面までの高さ（天井の高さ）が3mの場合、床面から地盤面までの高さが1m以上であれば、地階に該当する。

⑮　受水槽の6面点検を行うため、天井からは100cm以上、周壁と床には60cm以上の距離を置いて受水槽を設置しなければならない。

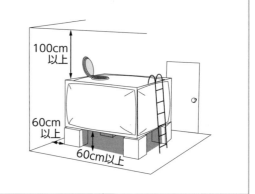

⑳　トラップの封水深は、50㎜以上100㎜以下とされる。

[Pトラップの例]

50mm以上100mm以下→封水の深さ

6 本試験当日を迎えるにあたって

最後に、本試験の前日及び当日に必ずやっておきたいことや、注意したいことに関するアドバイスをまとめました。参考にしてください。

① 前日夜には、必ず筆記用具・受験票等持ち物の確認を!!

持ち物の準備は、前日には必ずしておきましょう。特に注意すべきなのが、**時計**です。試験時間の管理は、通常、会場に設置されている壁掛け時計等によって行われますが、会場によってはその時計が見にくかったりする等のおそれがあります。自分のペース配分を確認するためにも、**必ず時計を持参するようにしましょう**。

【持ち物チェックリスト】

☐ 受験票　　☐ HBまたはBのエンピツ、シャープペンシル
☐ 消しゴム　☐ 時計・腕時計　　☐ お金
☐ めがね・コンタクトレンズの予備　　☐ ハンカチ・ティッシュ
☐ 飲み物　　　等

---

② 早めに会場入りする

当日は、早めに会場に入って、**最後の復習をしましょう**。当然ですが、**直前まで見ていたものが一番記憶に残ります**。このせっかくの時間をムダにせずに、最後まで1点でも多く得点できるように心がけましょう。また、万一、急遽何か必要となった場合にも、早めに会場入りをしておけば、コンビニに買いに行く等、スムーズな対応が可能です。

③ 問題・肢へのこだわりを捨て、まずは自分が解ける問題を確実に得点しよう!

本試験は、**総得点での勝負**です。そこでは、すべての問題・肢を「順番に」検討することも、すべての肢を「残さず」検討することも求められていません。

大切なのは、「難しい問題・肢では勝負しない。自分にとって解きやすい問題・肢で勝負する」ということです。合否は、難しい問題を解けるかどうかではなく、**基本的な問題を確実に取れるかどうかで決まる**ということを、決して忘れないでください。

合格は、皆さんの手が届くところに必ずあります。
TAC管理業務主任者講座の講師一同、皆さんの合格を心より祈念しております。

第1回　解答用紙

（切り取ってご利用ください）

解 答 欄

得点 ／50

問題番号	解 答 番 号			
第 1 問	①	②	③	④
第 2 問	①	②	③	④
第 3 問	①	②	③	④
第 4 問	①	②	③	④
第 5 問	①	②	③	④
第 6 問	①	②	③	④
第 7 問	①	②	③	④
第 8 問	①	②	③	④
第 9 問	①	②	③	④
第 10 問	①	②	③	④
第 11 問	①	②	③	④
第 12 問	①	②	③	④
第 13 問	①	②	③	④
第 14 問	①	②	③	④
第 15 問	①	②	③	④
第 16 問	①	②	③	④
第 17 問	①	②	③	④
第 18 問	①	②	③	④
第 19 問	①	②	③	④
第 20 問	①	②	③	④
第 21 問	①	②	③	④
第 22 問	①	②	③	④
第 23 問	①	②	③	④
第 24 問	①	②	③	④
第 25 問	①	②	③	④

問題番号	解 答 番 号			
第 26 問	①	②	③	④
第 27 問	①	②	③	④
第 28 問	①	②	③	④
第 29 問	①	②	③	④
第 30 問	①	②	③	④
第 31 問	①	②	③	④
第 32 問	①	②	③	④
第 33 問	①	②	③	④
第 34 問	①	②	③	④
第 35 問	①	②	③	④
第 36 問	①	②	③	④
第 37 問	①	②	③	④
第 38 問	①	②	③	④
第 39 問	①	②	③	④
第 40 問	①	②	③	④
第 41 問	①	②	③	④
第 42 問	①	②	③	④
第 43 問	①	②	③	④
第 44 問	①	②	③	④
第 45 問	①	②	③	④
第 46 問	①	②	③	④
第 47 問	①	②	③	④
第 48 問	①	②	③	④
第 49 問	①	②	③	④
第 50 問	①	②	③	④

第2回　解答用紙

解　答　欄

得点　／50

問題番号	解　答　番　号				問題番号	解　答　番　号			
第 1 問	①	②	③	④	第 26 問	①	②	③	④
第 2 問	①	②	③	④	第 27 問	①	②	③	④
第 3 問	①	②	③	④	第 28 問	①	②	③	④
第 4 問	①	②	③	④	第 29 問	①	②	③	④
第 5 問	①	②	③	④	第 30 問	①	②	③	④
第 6 問	①	②	③	④	第 31 問	①	②	③	④
第 7 問	①	②	③	④	第 32 問	①	②	③	④
第 8 問	①	②	③	④	第 33 問	①	②	③	④
第 9 問	①	②	③	④	第 34 問	①	②	③	④
第 10 問	①	②	③	④	第 35 問	①	②	③	④
第 11 問	①	②	③	④	第 36 問	①	②	③	④
第 12 問	①	②	③	④	第 37 問	①	②	③	④
第 13 問	①	②	③	④	第 38 問	①	②	③	④
第 14 問	①	②	③	④	第 39 問	①	②	③	④
第 15 問	①	②	③	④	第 40 問	①	②	③	④
第 16 問	①	②	③	④	第 41 問	①	②	③	④
第 17 問	①	②	③	④	第 42 問	①	②	③	④
第 18 問	①	②	③	④	第 43 問	①	②	③	④
第 19 問	①	②	③	④	第 44 問	①	②	③	④
第 20 問	①	②	③	④	第 45 問	①	②	③	④
第 21 問	①	②	③	④	第 46 問	①	②	③	④
第 22 問	①	②	③	④	第 47 問	①	②	③	④
第 23 問	①	②	③	④	第 48 問	①	②	③	④
第 24 問	①	②	③	④	第 49 問	①	②	③	④
第 25 問	①	②	③	④	第 50 問	①	②	③	④

第3回　解答用紙

解　答　欄

得点 ／50

問題番号	解　答　番　号			
第 1 問	①	②	③	④
第 2 問	①	②	③	④
第 3 問	①	②	③	④
第 4 問	①	②	③	④
第 5 問	①	②	③	④
第 6 問	①	②	③	④
第 7 問	①	②	③	④
第 8 問	①	②	③	④
第 9 問	①	②	③	④
第 10 問	①	②	③	④
第 11 問	①	②	③	④
第 12 問	①	②	③	④
第 13 問	①	②	③	④
第 14 問	①	②	③	④
第 15 問	①	②	③	④
第 16 問	①	②	③	④
第 17 問	①	②	③	④
第 18 問	①	②	③	④
第 19 問	①	②	③	④
第 20 問	①	②	③	④
第 21 問	①	②	③	④
第 22 問	①	②	③	④
第 23 問	①	②	③	④
第 24 問	①	②	③	④
第 25 問	①	②	③	④

問題番号	解　答　番　号			
第 26 問	①	②	③	④
第 27 問	①	②	③	④
第 28 問	①	②	③	④
第 29 問	①	②	③	④
第 30 問	①	②	③	④
第 31 問	①	②	③	④
第 32 問	①	②	③	④
第 33 問	①	②	③	④
第 34 問	①	②	③	④
第 35 問	①	②	③	④
第 36 問	①	②	③	④
第 37 問	①	②	③	④
第 38 問	①	②	③	④
第 39 問	①	②	③	④
第 40 問	①	②	③	④
第 41 問	①	②	③	④
第 42 問	①	②	③	④
第 43 問	①	②	③	④
第 44 問	①	②	③	④
第 45 問	①	②	③	④
第 46 問	①	②	③	④
第 47 問	①	②	③	④
第 48 問	①	②	③	④
第 49 問	①	②	③	④
第 50 問	①	②	③	④

令和6年度管理業務主任者模擬試験

解答・解説

第 **1** 回

 合格ライン **36**点

 レベル 易

＊正解・出題項目一覧＆あなたの成績診断
＊解答・解説

【第1回】
正解・出題項目一覧 ＆ あなたの成績診断

【難易度】　A…やや易 　　B…普通 　　C…難 難！問

問	項　目	正解	難易度	✓	問	項　目	正解	難易度	✓
1	民法（意思表示）	2	A	☐☐	26	区分所有法（集会）	4	A	☐☐
2	民法・判例（債務不履行）	3	B	☐☐	27	標準管理規約（専有部分・共用部分）	1	A	☐☐
3	民法（相隣関係）	2	B	☐☐	28	標準管理規約（議決権行使）	1	A	☐☐
4	民法・区分所有法（不法行為）	3	A	☐☐	29	民法・判例（対抗問題）	1	A	☐☐
5	標準管理委託契約書（維持修繕）	2	A	☐☐	30	民法・判例（相続）	1	A	☐☐
6	標準管理委託契約書（事件・事故等への対応）	2	A	☐☐	31	区分所有法・民法（先取特権）	3	B	☐☐
7	標準管理委託契約書（総合）	3	A	☐☐	32	区分所有法・標準管理規約（規約）	1	B	☐☐
8	標準管理委託契約書（管理事務）	3	A	☐☐	33	区分所有法（復旧・建替え）	1	A	☐☐
9	標準管理規約（会計）	3	A	☐☐	34	区分所有法（団地共用部分）	2	A	☐☐
10	標準管理規約（監事）	1	A	☐☐	35	標準管理規約（修繕積立金）	4	A	☐☐
11	管理組合の会計（貸借対照表）	4	A	☐☐	36	標準管理規約（団地型）	3	B	☐☐
12	管理組合の会計（仕訳）	3	A	☐☐	37	区分所有法（判例）	3	C	☐☐
13	管理組合の会計（仕訳）	3	B	☐☐	38	管理費の滞納処理	2	B	☐☐
14	建築基準法（用語の定義）	2	A	☐☐	39	民法・判例（消滅時効）	2	A	☐☐
15	建築基準法（単体規定）	2	B	☐☐	40	品確法	3	A	☐☐
16	消防法（防火管理者等）	3	A	☐☐	41	不動産登記法	4	C	☐☐
17	建築構造（耐震等）	1	B	☐☐	42	個人情報保護法	3	B	☐☐
18	防水工事	3	B	☐☐	43	建替え等円滑化法	4	C	☐☐
19	排水設備	3	B	☐☐	44	借地借家法（借家権）	2	A	☐☐
20	給水設備	3	A	☐☐	45	宅建業法（重要事項の説明）	4	A	☐☐
21	建築設備総合	4	B	☐☐	46	管理適正化基本方針	2	A	☐☐
22	長期修繕計画作成ガイドライン	1	B	☐☐	47	管理適正化法（管理業務主任者）	1	A	☐☐
23	長期修繕計画作成ガイドライン	2	C	☐☐	48	管理適正化法（管理業者の業務）	3	B	☐☐
24	長期修繕計画作成ガイドライン	3	B	☐☐	49	管理適正化法（管理業者の登録）	4	B	☐☐
25	修繕積立金ガイドライン	1	B	☐☐	50	管理適正化法（総合）	2	B	☐☐

■ 難易度別の成績

Aランク…	問／26問中
Bランク…	問／20問中
Cランク…	問／4問中

★A・Bランクの問題はできる限り得点しましょう！

■ 総合成績

合　計
50問中の正解
点

★この回の正答目標は
36点です!!

問1 正解 2 民法 （意思表示） 難易度 A 得点すべし!!

適切なものを○、最も不適切なものを✕とする。

1 ○ 相手方に対する意思表示について**第三者が強迫を行った**場合においては、相手方がその事実を過失なく知らなかったときでも、その意思表示を取り消すことができる（民法96条2項反対解釈）。したがって、Bが善意無過失でも、Aは売買契約を取り消すことができる。

2 ✕ 「**善意無過失のCが…対抗することができる**」 ➡ 「**対抗することはできない**」
詐欺による意思表示の取消しは、善意無過失の第三者に対抗することができない（96条3項）。しかし、強迫の場合には、その取消しは、善意無過失の第三者にも**対抗することができる**。したがって、善意無過失のCは不動産の所有権取得をAに対抗することができない。

3 ○ 相手方に対する意思表示について**第三者が詐欺を行った**場合においては、相手方がその事実を知っていたとき、又は知ることができたときに限り、その意思表示を取り消すことができる（96条2項）。したがって、Bが悪意又は善意有過失のときに限り、Aは売買契約を取り消すことができる。

4 ○ 詐欺による意思表示の取消しは、強迫の場合と異なって、取消前の善意無過失の第三者に対抗することができない（96条3項）。したがって、Cは善意無過失であるときに限り、Aに不動産の所有権取得を対抗できる。

> **取消後に第三者が生じた場合**は、取り消した者への権利の復帰と、第三者への権利の移転の対抗問題として考えて、**対抗要件を備えた方が権利を取得する**。

👉 講師からのアドバイス

詐欺・強迫に基づいた契約に**第三者が利害関係を持った場合**と、詐欺・強迫に**第三者が関与した場合**のそれぞれについて、**相違点**を意識しながら整理しておこう。

問2 正解 3 民法・判例 （債務不履行） 難易度 B

適切なものを○、不適切なものを✕とする。

ア ✕ 「**損害が不可抗力により発生した場合でも、損害賠償責任を負う**」
債務不履行に基づく損害賠償が認められるためには、原則として、債務者に帰責事由があることが必要であるが（民法415条1項）、金銭の給付を目的とする債務の不履行による損害賠償については、債務者は、不可抗力をもって抗弁とすることができないとされている（419条3項）。したがって、金銭の給付を目的とする

債務の不履行が不可抗力により発生した場合でも、債務者は、損害賠償責任を負う。

イ ✕ 「損害の発生は証明しなければならない」

金銭の給付を目的とする債務の不履行による損害賠償を請求するにあたり、債権者は、損害の証明をすることを要しない（419条2項）。しかし、**損害の発生**については、証明しなければならない。

ウ ✕ 「裁判所は、その額を減額することができない」 ➡ 「減額できる」

当事者は、債務の不履行について**損害賠償の額を予定**することができるが（420条1項）、その額が過大な場合には、裁判所は、公序良俗違反、信義則違反、過失相殺等により**減額**を認めており、法改正により、損害賠償額の予定について、裁判所は、その額を増減することはできないとする規定は削除されている。

エ ⭕ 金銭の給付を目的とする債務の不履行については、その損害賠償の額は、債務者が遅滞の責任を負った最初の時点における**法定利率**によって定められる（419条1項本文）。なお、約定利率が法定利率を超えるときは、約定利率による（同ただし書）。

当事者は、債務の不履行について**損害賠償の額を予定**することができるので（420条1項）、債務不履行後の利率について、**約定利息とは異なる利率を設定すること**もできる。

したがって、不適切なものは、**ア〜ウ**の三つであり、正解は肢**3**となる。

 講師からのアドバイス ••

金銭債務の特則については、**ア、イ、エ**の3つの内容をしっかり覚えておこう。

問3 **正解 2** **民法**（相隣関係） 難易度 Ⓑ

適切なものを⭕、最も不適切なものを✕とする。

1 ⭕ 竹木の所有者に枝を切除するよう催告したにもかかわらず、竹木の所有者が相当の期間内に切除しないときは、土地の所有者は、自らその枝を切除することができる（民法233条3項1号）。

2 ✕ 「切除するには共有者全員の同意が必要となる」
➡ 「各共有者がその枝を切除できる」

竹木の枝が境界線を越えている場合、その竹木が数人の共有に属するときは、各共有者は、その枝を切除することができる（233条2項）。

3 ⭕ 急迫の事情があるときは、土地の所有者は、自らその枝を切除することができ、

その目的に必要な範囲内で、隣地を使用することができる（209条1項）。

 プラスα 隣地が住家である場合には、その居住者の承諾がなければ立ち入ることができない（同ただし書）。

4 ○ 土地の所有者は、隣地の竹木の枝が境界線を越えるときは、その竹木の所有者に、その枝を切除させることができる（233条1項）。この場合、その竹木の所有者を知ることができず、又はその所在を知ることができないときは、土地の所有者は、自らその枝を切除することができる（同3項2号）。

👉 **講師からのアドバイス**

相隣関係については、**令和5年施行の民法改正**により**新設**された規定が多くあり、**出題の可能性が高い**ので、しっかり準備しておこう。

問4 **正解3** **民法・区分所有法**（不法行為） 難易度

最も適切なものを○、不適切なものを✗とする。

1 ✗ 「負わない」➡「負い、Cに対して求償権を行使できる」
土地の工作物の設置又は保存の瑕疵があることによって他人に損害を生じたときは、①その工作物の占有者は、被害者に対してその損害を賠償する責任を負うが、②占有者が損害の発生を防止するのに必要な注意をしたときは、所有者がその損害を賠償しなければならない（「土地工作物責任」民法717条1項）。Aは占有者、かつ所有者でもあるため、土地工作物責任に基づき、被害者Bに対して損害賠償責任を負う。そして、損害の原因について他にその責任を負う者があるときは、占有者又は所有者は、その者に対して求償権を行使することができる（717条3項）。したがって、AはBに対する土地工作物責任に基づく損害賠償責任は免れないが、これを果たした後は、Cに対して求償することができる。

2 ✗ 「損害賠償請求を管理組合又は組合員全員に対してはすることができないとはいえない」
土地工作物責任の規定は、竹木の植栽・支持に瑕疵がある場合に準用される（717条2項）。そして、マンションの敷地等の占有者かつ所有者は、原則として管理組合又は組合員であるので、Dは、管理組合又は組合員全員に対して、損害賠償請求ができないとはいえない。

3 ○ 土地工作物責任は、①占有者の責任を過失責任、②所有者の責任を無過失責任として、占有者又は所有者いずれかが責任を負うとすることで、被害者の救済を図っている。したがって、占有者Fが無過失で免責された場合を前提にすれば、所有者Eが損害賠償責任を負うこともあり得る。

4 ✗ 「みなされる」➡「推定される」

　　　建物の設置又は保存に瑕疵があることにより他人に損害を生じさせたときは、その瑕疵は、共用部分の設置又は保存にあるものと推定される（区分所有法9条）。

「推定する」とは、「みなす」と異なり、**反証を許す趣旨**である。

 講師からのアドバイス ••••••••••••••••••••••••••••••••••

　　不法行為の**土地工作物責任に関する基本知識**を整理する問題である。登場人物は多いが、落ち着いて問題文を読んでいけば正解できるはずである。

問5 **正解2** **標準管理委託契約書**（維持修繕）　難易度

適切なものを◯、最も不適切なものを✗とする。

1 ◯ **大規模修繕**とは、建物の全体又は複数の部位について、修繕積立金を充当して行う計画的な修繕又は特別な事情により必要となる修繕等をいう。（標準管理委託契約書別表1の1（3）関係コメント④）。

2 ✗ 「作業報告書等の確認をもって「実施の確認」とすることもできる」

　　「実施の確認」とは、管理員が外注業務の完了の立会いにより確認できる内容のもののほか、管理員業務に含まれていない場合又は管理員が配置されていない場合には、管理業者の使用人等が完了の立会いを行うことにより確認できる内容のものをいう。ただし、管理組合と管理業者の協議により、施工を行った者から提出された作業報告書等の確認をもって「実施の確認」とすることを妨げるものではない（別表第1（3）二）。

3 ◯ 見積書の受理には、見積書の提出を依頼する業者への現場説明や見積書の内容に対する管理組合への助言等（見積書の内容や依頼内容との整合性の確認の範囲を超えるもの）は含まれない（別表1の1（3）関係コメント⑤）。

4 ◯ 管理業者と受注業者との取次ぎには、工事の影響がある住戸や近隣との調整、苦情対応等、管理組合と受注業者の連絡調整の範囲を超えるものは含まれない（別表1の1（3）関係コメント⑤）。

 ただし、管理組合と管理業者の協議により、これらを**取次ぎに追記すること**は可能である。これらを追記する場合には、**費用負担を明確にする**必要がある（別表1の1(3)関係コメント⑤）。

講師からのアドバイス ....

本問を通じて、維持保全に関する**用語の意味**を確認しておこう。

問6 **正解 2** **標準管理委託契約書**（事件・事故等への対応） **難易度 A** 得点すべし!!

最も適切なものを**〇**、不適切なものを**✕**とする。

1 **✕** 「管理業者の責めによるものであったときは、支払う必要はない」

管理業者は、災害又は事故等の事由により、管理組合のために、緊急に行う必要がある業務で、管理組合の承認を受ける時間的な余裕のないものについては、管理組合の承認を受けないで実施することができる（標準管理委託契約書9条1項本文）。そして、管理組合は、管理業者が緊急時の業務を遂行する上でやむを得ず支出した費用については、速やかに管理業者に支払わなければならない（同2項本文）。ただし、**管理業者の責めによる事故等の場合は、支払う義務はない**（同項ただし書）。

> プラスα 災害・事故等の例として地震・台風・火災などがあるが、災害・事故等の例については、当該マンションの地域性、設備の状況等に応じて、適宜内容の追加・修正・削除を行うものとする（9条関係コメント②）。

2 **〇** 管理業者は、災害又は事故等の事由により、管理組合のために、管理事務を緊急に行う必要がある場合、専有部分又は専用使用部分に立ち入ることができる（14条3項）。この場合、組合員等の承諾を得る必要はない。

3 **✕** 「一切開示できない」
➡「該当事項ごとに管理組合に開示の可否を確認し承認を得て開示する」

管理業者が提供・開示できる範囲は、原則として管理委託契約書に定める範囲となる。そして、管理委託契約書に定める範囲内の事項であっても、「敷地及び共用部分における重大事故・事件」のように該当事項の個別性が高いと想定されるものについては、該当事項ごとに管理組合に開示の可否を確認し、承認を得て開示する事項とすることも考えられる（15条関係コメント②）。

4 **✕** 「管理費から充当」➡「原則として便益を受ける者が費用を負担する」

我が国の高齢化の進展に伴い、マンション管理の現場においても、身体の不自由や認知機能の低下により日常生活や社会生活での介護を必要とする管理組合の組合員及びその所有する専有部分の占有者が増加している。こうした状況を踏まえ、管理業者によって高齢者や認知症有病者等特定の組合員を対象とする業務が想定されるが、費用負担をめぐってトラブルにならないよう、原則として便益を受ける者が費用を負担することに留意した契約方法とする必要がある（3条関係コメント④）。

講師からのアドバイス ••

　【肢4について】高齢化の進展を踏まえ、**昨年の改正によりコメントの内容が補充され**ている。解説を一読しておこう。

問7 **正解 3** **標準管理委託契約書**（総合）　　難易度

最も適切なものを〇、不適切なものを✘とする。

1 ✘ 「そのまま流用」
　　➡「**個々の状況や必要性に応じて適宜内容の追加・修正・削除を行いつつ活用**」
　　標準管理委託契約書は、典型的な住居専用の単棟型マンションに共通する管理事務に関する標準的な契約内容を定めたものであり、実際の契約書作成に当たっては、個々の状況や必要性に応じて**適宜内容の追加・修正・削除を行いつつ活用**されるべきものである（標準管理委託契約書全般関係コメント②）。

2 ✘ 「いずれの場合も管理業者に通知しなければならない」
　　管理組合は、管理組合の組合員がその専有部分を「**第三者に貸与**」したときも、管理組合の役員又は組合員が変更したときも、速やかに、**書面をもって**、管理業者に**通知しなければならない**（13条2項1号・2号）。

3 〇 管理事務室等の資本的支出が必要となった場合の負担については、別途、**管理組合及び管理業者が協議して決定**することとなる（7条関係コメント③）。

4 ✘ 「立会業務」➡「報告連絡業務」
　　災害・事故等発生時の連絡・報告は、管理員事務のうち「**報告連絡業務**」に含まれる（別表第2の2(4)）。

 報告連絡業務には、**管理組合の文書の配布・掲示、各種届出や点検結果等の結果の報告も含まれる。**

 講師からのアドバイス ••

　【肢4について】管理事務の内容については、近年、**別表からの出題**が続いているので、注意しよう。

問8 **正解 3** **標準管理委託契約書**（管理事務）　　難易度

最も適切なものを〇、不適切なものを✘とする。

1 ✕ 「警備業務・防火管理者が行う業務は管理事務に含まれる」➡「含まれない」

警備業法に定める**警備業務**及び消防法に定める**防火管理者**が行う業務は、管理事務に「**含まれない**」。そのため、これらの業務に係る委託契約については、本契約と別個の契約にすることが望ましい（標準管理委託契約書全般関係コメント③）。

2 ✕ 「マンション管理業者の事務の便宜等を考慮し、管理委託契約の履行上」

➡「管理組合の総会の開催時期等を考慮し、管理組合の運営上」

管理事務に関する報告期限は、管理組合の総会の開催時期等を考慮し、管理組合の運営上支障がないように定めるものとする（10条関係コメント②）。

3 ○ マンションの管理事務における管理対象部分とは、管理規約により管理組合が管理すべき部分のうち、管理業者が受託して管理する部分をいい、組合員が管理すべき部分を「**含まない**」（2条関係コメント①）。

4 ✕ 「事務管理業務の全部の再委託はできない」

管理業者は、事務管理業務の「**一部**」又は管理員業務、清掃業務若しくは建物・設備等管理業務の「**全部若しくは一部**」を、第三者に再委託することができる（4条1項・3条1～4号）。したがって、**事務管理業務**については「**全部**」の再委託はできないので、管理業者は、管理事務の全部を第三者に再委託することはできない。

 管理事務を第三者に**再委託**した場合においては、管理業者は、再委託した管理事務の適正な処理について、管理組合に対して、**責任を負う**（4条2項）。

👆 **講師からのアドバイス** ....

【肢1～4について】ひっかけに使われる文言を事前に把握しておき、確実に正解できるように、覚えよう。

問9 **正解3** **標準管理規約**（会計） 難易度 Ⓐ

適切なものを**○**、最も不適切なものを**✕**とする。

1 ○ 管理組合は、特別の管理に要する経費に充当するため必要な範囲内において、借入れをすることができる（標準管理規約63条）。「**建物の建替えに係る合意形成に必要となる事項の調査**」は、特別の管理に要する経費である（28条1項4号）。したがって、管理組合は、建物の建替えに係る合意形成に必要となる事項の調査を行うため、必要な範囲内において借入れをすることができる。

特別の管理に要する経費としては、①一定年数の経過ごとに計画的に行う修繕、②不測の事故その他特別の事由により必要となる修繕、③敷地及び共用部分等の変更、等がある（28条1項1～3号）。

2 ◯ 管理費等に不足を生じた場合には、管理組合は組合員に対して、各区分所有者の共用部分の共有持分に応じて、「その都度」必要な金額の負担を求めることができる（61条2項、25条2項）。そして、「**管理費等及び使用料の額並びに賦課徴収方法**」は、**総会の決議事項**である（48条6号）。したがって、管理費等に不足が生じた場合には、総会の決議により、その都度必要な金額の負担を組合員に求めることができる。

3 ✕ 「**修繕積立金に充当することはできない**」
収支決算の結果、管理費に**余剰**を生じた場合には、その余剰は翌年度における「**管理費**」に充当する（61条1項）。したがって、修繕積立金に充当することはできない。

4 ◯ 駐車場使用料その他の敷地及び共用部分等に係る使用料は、「**それらの管理に要する費用**」に充てるほか、修繕積立金として積み立てる（29条）。

 講師からのアドバイス

本問は会計に関する**頻出論点**である。すべての肢について、正確に判断できるよう確認しておこう。

問10 **正解 1** **標準管理規約**（監事） **難易度 A**

最も適切なものを◯、不適切なものを✕とする。

1 ◯ 監事は、理事会に出席し、必要があると認めるときは、意見を述べなければならない（標準管理規約41条4項）。したがって、業務執行等について異論がない場合でも、理事会への出席義務があり、必要に応じて意見を述べる義務もある。

2 ✕ 「**監事**」➡「**副理事長**」
副理事長は、理事長を補佐し、理事長に事故があるときは、その職務を代理し、理事長が欠けたときは、その職務を行う。（39条）。したがって、代理は副理事長の職務である。

3 ✕ 「**監事**」➡「**理事長**」
理事長は、理事会の承認を得て、**職員を採用**し、又は**解雇**する（38条1項2号）。したがって、職員の採用・解雇は、理事長の職務である。

4 ✕ 「**理事長に対し、…請求することができる**」➡「**監事が招集できる**」

監事は、管理組合の業務の執行及び財産の状況について不正があると認めるときは、臨時総会を招集することができる。（41条3項）。したがって、理事長に請求せずとも、監事自身で臨時総会を招集できる。

 監事は、**理事が不正の行為**をし、若しくは当該行為をするおそれがあると認めるとき、又は**法令、規約、使用細則等、**総会の決議若しくは理事会の決議に違反する事実若しくは著しく不当な事実があると認めるときは、遅滞なく、その旨を**理事会に報告**しなければならない（41条5項）。この場合に監事は、**理事長に対し、理事会の招集を請求することができる**（同6項）。理事の不正等の場合は、理事会招集を理事長に請求する点に注意。

 講師からのアドバイス

監事の職務については、過去問を押さえておけば正解できる場合が多い。理事長など他の役員の職務との違いを整理しておくとよいだろう。

問11 正解**4** **管理組合の会計**（貸借対照表） 難易度**A**

まず、（A）は「資産の部」に計上される勘定科目であるから、資産科目である「未収入金」が該当する。

 「**資産の部**」は仕訳における「**借方**」、「**負債の部**」は仕訳における「**貸方**」に対応する。

そして、資産の部の合計が1,000,000であるから、この1,000,000から「現金預金700,000、前払金200,000」を減じた「100,000」が未収入金の額となる。

次に、（B）は「負債の部」に計上される勘定科目であるから、負債科目である「未払金」が該当する。

そして、負債の部及び繰越金の部の合計が1,000,000であるから、この1,000,000から「預り金100,000、前受金400,000、次期繰越剰余金300,000」を減じた「200,000」が未払金の額となる。

したがって、（A）には「未収入金 100,000」、（B）には「未払金 200,000」が入るので、正解は肢**4**となる。

講師からのアドバイス

管理業務主任者試験では、**3年連続して、貸借対照表の穴埋め問題**が出題されている。今後もこの傾向が続くことが予想されるため、仕訳と対応させて、貸借対照表の基本的な仕組みを理解しておこう。

管理組合の会計 (仕訳)

発生主義に基づき、以下、取引内容について検討する。

（1）まず、令和6年3月に、組合員から管理組合の普通預金口座に100万円の入金があったので、資産の増加として、「借方」に「普通預金」100万円を計上する。

（2）次に、入金の内訳に基づき貸方を検討する。

　①2月分の管理費4万円及び修繕積立金2万円については、3月になってから入金されている。そのため、2月時点においては、それぞれ未収であり、次の仕訳がされている。

（単位：円）

（借　方）		（貸　方）	
未収入金	60,000	管理費収入	40,000
		修繕積立金収入	20,000

　2月に計上した未収入金は3月に入金されたため、資産の減少として、「貸方」に「未収入金」6万円を計上して**取り崩す**。よって、3月には次の仕訳を行う。

（単位：円）

（借　方）		（貸　方）	
普通預金	60,000	未収入金	60,000

　②3月には、3月分の管理費6万円及び修繕積立金3万円の入金があったので、それぞれ「当月分」の収入として、3月には次の仕訳を行う。

（単位：円）

（借　方）		（貸　方）	
普通預金	90,000	管理費収入	60,000
		修繕積立金収入	30,000

　③4月分の管理費65万円及び修繕積立金25万円は、3月にはまだ発生していないため、それぞれ収入科目として**計上することはできない**。そこで、入金された85万円（65万円＋25万円）については、「**次期**」（令和6年4月）の収入であるから、収入科目として計上する4月までは負債の増加として、「**貸方**」に「**前受金**」85万円を計上する。よって、3月には次の仕訳を行う。

（単位：円）

（借　方）		（貸　方）	
普通預金	850,000	前受金	850,000

（3）以上を整理すると、次のような仕訳となる。

（単位：円）

（借　方）		（貸　方）	
普通預金	1,000,000	未収入金	60,000
		管理費収入	60,000
		修繕積立金収入	30,000
		前受金	850,000

したがって、最も適切なものは、**肢3**となる。

 講師からのアドバイス

　本試験では、組合員からの**入金に関する仕訳**をさせる問題が定番となっている。特に、**未収入金と前受金の処理**に慣れておこう。

問13 **正解3** **管理組合の会計**（仕訳）

最も適切なものを**〇**、適切でないものを**✕**とする。

発生主義に基づき、以下、取引内容について検討する。

1 **✕** 外階段塗装工事は2月1日に完了したので、2月時点において、「借方」に「修繕費」を計上する。しかし、代金50万円の支払は3月10日にされている。そこで、2月時点では代金未払であるため、「貸方」に「未払金」を計上する。よって、2月には次の仕訳がされている。

（単位：円）

（借　方）		（貸　方）	
修繕費	500,000	未払金	500,000

そして、代金50万円は3月10日に普通預金から支払われたため、2月に計上していた「未払金」50万円を「借方」に計上して取り崩し、「貸方」に「普通預金」を計上する。よって、3月には次の仕訳を行う。

（単位：円）

（借　方）		（貸　方）	
未払金	500,000	普通預金	500,000

したがって、本肢は適切でない。

2 **✕** 照明設備修繕工事は3月15日に完了したので、「借方」に「修繕費」を計上する。そして、代金30万円は3月20日に普通預金から支払われたため、「貸方」に「普通預金」を計上する。よって、3月には次の仕訳を行う。

（単位：円）

（借　方）		（貸　方）	
修繕費	300,000	普通預金	300,000

したがって、本肢は適切でない。

3 ○ 雑排水管清掃は3月20日に完了したので、3月の費用として、「借方」に「清掃費」20万円を計上する。そして、代金20万円は4月10日に支払の予定であることから、「貸方」に「未払金」20万円を計上する。よって、3月には次の仕訳を行う。

（単位：円）

（借　方）		（貸　方）	
清掃費	200,000	未払金	200,000

したがって、本肢は**最も適切**である。

4 ✕ 給水設備更新工事に関し、2月1日に前払金25万円を普通預金から支払っているので、2月時点において、「借方」に「前払金」を計上し、「貸方」に「普通預金」を計上する。よって、2月には次の仕訳がされている。

（単位：円）

（借　方）		（貸　方）	
前払金	250,000	普通預金	250,000

そして、本件工事は4月25日に**完了の予定**であり、残金75万円は5月20日に支払の予定とされている。そうすると、工事の完了と代金の支払は、いずれも「**次期**」（令和6年度）であるから、3月には、特に計上すべき項目はない。

 本肢4は**3月分の仕訳**が問われていることに注意。他の月になされた仕訳（本問では2月になされた仕訳）では正解にならない。

したがって、本肢は適切でない。

講師からのアドバイス

　近年の本試験では、管理組合の活動により発生した**支出について仕訳の作業を数多く要求する問題**が出題される傾向にある。ただし、各仕訳の内容は**過去問からの再出題が多い**ので、過去問の検討が不可欠である。

問14 **正解 2** **建築基準法**（用語の定義） 難易度

1 ○ 「構造耐力上主要な部分」とは、基礎、基礎ぐい、壁、柱、小屋組、土台、斜材

（筋かい、方づえ、火打材その他これらに類するものをいう）、**床版、屋根版又は横架材**（はり、けたその他これらに類するものをいう）で、建築物の自重又は積載荷重等を支えるものをいう（建築基準法施行令1条3号）。

2 ✕ 「基礎」➡「床」

「主要構造部」とは、壁、柱、床、はり、屋根又は階段をいい、建築物の構造上重要でない間仕切壁、間柱、付け柱、揚げ床、最下階の床、回り舞台の床、小ばり、ひさし、局部的な小階段、屋外階段その他これらに類する建築物の部分を除く（建築基準法2条5号）。**基礎は主要構造部には含まれない。**

 主要構造部は、**防火の視点から重要となる部分**で、**構造耐力上主要な部分**は、建物を支える上で重要となる部分という違いがある。

3 ◯ 「延焼のおそれのある部分」とは、①隣地境界線、②道路中心線又は③同一敷地内の2以上の建築物（延べ面積の合計が500㎡以内の建築物は、一の建築物とみなす）相互の外壁間の中心線から、1階にあっては3m以下、2階以上にあっては5m以下の距離にある建築物の部分をいう。ただし、防火上有効な公園、広場、川等の空地若しくは水面又は耐火構造の壁その他これらに類するものに面する部分を除く（建築基準法2条6号）。

4 ◯ 「居室」とは、居住、執務、作業、集会、娯楽その他これらに類する目的のために継続的に使用する室をいう（2条4号）。

 講師からのアドバイス

用語の定義は、繰り返し出題されている。得点源にできるようにしよう。

問15 **正解2** **建築基準法**（単体規定） **難易度B**

1 ✕ 「1.2m以上」➡「1.6m以上」

共同住宅の住戸の床面積の合計が100㎡を超える階において、両側に居室のある共用廊下の幅は、「1.6m以上」としなければならない（建築基準法施行令119条）。

 1.2m以上としなければならないのは、廊下の**片側**に居室がある場合である。

2 ◯ 回り階段の部分における踏面の寸法は、踏面の狭い方の端から30㎝の位置において測るものとする（23条2項）。

3 ✕ 「屋内避難階段も不燃材料で仕上げをし、かつ、その下地も不燃材料で造らなければならない」

屋内に設ける避難階段は、階段室の天井及び壁の室内に面する部分は、仕上げを不燃材料でし、かつ、その下地を不燃材料で造らなければならない（123条1項2号）。また、同様に特別避難階段は、階段室及び付室の天井及び壁の室内に面する部分は、仕上げを不燃材料でし、かつ、その下地を不燃材料で造らなければならない（123条3項4号）。

4 ✕ 「特定行政庁に交通上、安全上、防火上及び衛生上支障がないと認められていなくても」➡「認められている場合には」

住宅又は老人ホーム等に設ける機械室その他これに類する建築物の部分（給湯設備その他の国土交通省令で定める建築設備を設置するためのものであって、市街地の環境を害するおそれがないものとして国土交通省令で定める基準に適合するものに限る）で、**特定行政庁が交通上、安全上、防火上及び衛生上支障がないと認めるものの床面積は、建築物の容積率の算定の基礎となる延べ面積には、算入しない**（建築基準法52条6項3号）。

 令和5年の改正点である。まだ未出題であるから注意しておこう。

 講師からのアドバイス ••••••••••••••••••••••••••••••••••
階段や廊下については、**寸法**が問われている。**重要数字**なのでしっかり覚えよう。

問16 **正解3** **消防法**（防火管理者等） **難易度Ⓐ**

1 ◯ マンションの大規模の修繕、大規模の模様替え等で、建築基準法6条1項による確認を必要とする場合、当該マンションの所在地を管轄する**消防長又は消防署長による同意**が必要である（消防法7条1項）。

2 ◯ **高さ31mを超えるマンション**でその管理について権原が分かれているものの**管理権原者**は、政令で定める資格者のうちからこれらの防火対象物の全体について防火管理上必要な業務を統括する防火管理者（「**統括防火管理者**」という）を協議して定め、政令で定めるところにより、当該防火対象物の全体についての消防計画の作成、当該消防計画に基づく消火・通報・避難の訓練の実施、当該防火対象物の廊下・階段・避難口その他の避難上必要な施設の管理その他当該防火対象物の全体についての防火管理上必要な業務を行わせなければならない（8条の2第1項）。

 管理権原者は、**統括防火管理者**を定めたときは、遅滞なく、その旨を所轄**消防長又は消防署長に届け出**なければならない。

3 ✕ 「防火管理者」➡「消防設備士免状の交付を受けている者等」
延べ面積1,000㎡以上で消防長又は消防署長が火災予防上必要があると認めて指

定する共同住宅については、消防用設備等又は特殊消防用設備等について消防設備士免状の交付を受けている者又は総務省令で定める資格を有する者に点検をさせなければならない（消防法17条の3の3、同施行令第36条2項2号）。

4 ○ 管理権原者は、マンションの位置、構造及び設備の状況並びにその使用状況に応じ、防火管理者に消防計画を作成させ、当該消防計画に基づく消火、通報及び避難の訓練を行わせなければならない（8条1項）。

 講師からのアドバイス ┄┄┄┄┄┄┄┄┄┄┄┄┄┄┄┄┄┄┄┄┄┄┄┄┄┄┄┄┄┄┄┄

　防火管理者や統括防火管理者の**選任要件**やその**業務**については繰り返し問われているので、覚えておこう。

問17 **正解 1** **建築構造**（耐震等） 難易度 **B**

最も適切なものを○、不適切なものを✗とする。

1 ○ 免震構造は、建築物の基礎と上部構造との間などに免震装置を設置したもので、建物への外力による水平方向の震動を抑制（建物の曲げや変形を抑える）する構造である。マンションの新築時に免震装置を設置する方法のほか、既存マンションにおいて、免震改修工法によって事後的に免震構造化することもできる。

2 ✗ 「昭和56年1月1日以降」➡「昭和56年6月1日以降」
現行の耐震基準（新耐震基準）は、昭和56年（1981年）6月1日以降に建築確認を受けて着工した建築物に適用されている。

3 ✗ 「S波の方がP波より速く伝わる」➡「P波の方がS波より速く伝わる」
地震波には、第1波であるP波と第2波であるS波がある。P波の方がS波よりも伝播速度が速い。

4 ✗ 「地震対策として有効である」➡「有効とはいえない」
ピロティ構造は、壁量が少ないことから地震に脆弱な部分といえるが、耐震補強としては、耐震壁を増設したり、枠付き鉄骨ブレースを設置したりすることが有効である。開口部を軽量ブロックで塞いでも耐震補強として有効とはいえない。

> プラスα ピロティとは、壁がなく、柱だけで建物を支えているような**吹きさらしの空間**をいう。

 講師からのアドバイス ┄┄┄┄┄┄┄┄┄┄┄┄┄┄┄┄┄┄┄┄┄┄┄┄┄┄┄┄┄┄┄┄

　地震・マンションの耐震については、**免震構造の定義**や**地震に関する用語**等が問われている。繰り返し出題されているので、過去出題論点を中心に押さえておこう。

適切なものを◯、最も不適切なものを✕とする。

1 ◯ 「アスファルト防水熱工法」は、「改質アスファルトシート防水工法（トーチ工法）」に比べ、施工現場でアスファルトを溶融するため、施工現場周辺の環境に及ぼす影響が大きい。

 改質アスファルトとは、**合成高分子系材料**（合成ゴムやプラスチック）を混入することで、**性能を高めたもの**をいう。

2 ◯ ウレタンゴム系塗膜防水の中には、超速硬化ウレタンゴム系塗膜防水があり、硬化時間が短いため**施工期間を短縮**することができる。

3 ✕ 「塗膜防水を施工しなければならない」➡「工事を中止しなければならない」
防水層の施工の完成度は、施工時の気象条件に大きく左右されるため、冬期の工事において、外気温の著しい低下が予想されるときは、**工事を中止**しなければならない。

4 ◯ マンションの屋上の露出アスファルト防水層の改修工法として、断熱防水工法を選定した場合には、**積載荷重増加に対する構造的な検討が必要**である。

👉 **講師からのアドバイス**

マンションの防水工事は、やや難しい論点が**繰り返し出題**されている。過去出題された論点には触れておこう。

最も適切なものを◯、不適切なものを✕とする。

1 ✕ 「100mm以上」➡「150mm以上」
敷地雨水管の合流箇所、方向を変える箇所などに用いる雨水排水ますに設けなければならない泥だまりの深さは、**150mm以上**でなければならない。

2 ✕ 「トラップの口径以下、30mm以下、50mm以下」➡「すべて『以上』である」
排水管の管径は、トラップの口径「**以上**」で、かつ30mm「**以上**」とする。また、地中又は地階の床下に埋設される排水管の管径は、50mm「**以上**」とする。

3 ◯ 伸頂通気管とは、最上部の排水横枝管が排水立て管に接続した点よりも更に上方へ、その排水立て管を立ち上げて、これを通気管に使用する部分をいう。

伸頂通気管の**管径**は、排水立て管の管径より**小さくしてはならない**。

4 ✗ 「25%」➡「50%」

敷地に降る雨の排水設備を設計する場合には、その排水設備が排水すべき敷地面積に、当該敷地に接する**建物外壁面積の50%**を加えて計算する。

 **講師からのアドバイス**

排水設備に関するやや細かい論点からの出題である。**排水管の管径**等はなかなかイメージが難しいが、**繰り返し出題されている**ので注意しよう。

問20 **正解3** **給水設備**

難易度Ⓐ

最も適切なものを**〇**、不適切なものを**✗**とする。

1 ✗ 「床、壁及び天井面から45cm以上」

➡「床、壁から60cm以上、天井面から1m以上」

建築物の内部に設けられる飲料用水槽については、有効水量2㎥以下の取り外しができるものを除き、天井、底又は周壁の保守点検ができるよう、**床、壁から60cm以上、天井面から1m以上**離れるように設置しなければならない（昭和50年建設省告示1597号）。

2 ✗ 「0.4mg／ℓ以上」➡「0.1mg／ℓ以上」

水道事業者が講じなければならない衛生上必要な措置として、給水栓における水が、**遊離残留塩素を0.1mg／ℓ以上保持**するように塩素消毒をしなければならない（水道法施行規則17条1項3号）。

3 〇 給水タンク及び貯水タンクは、ほこりその他衛生上有害なものが入らない構造とし、金属性のものにあっては、衛生上支障のないように**有効なさび止めのための措置**を講じなければならない（建築基準法施行令129条の2の4第2項5号）。

4 ✗ 「直接連結しなければならない」➡「直接連結してはならない」

飲料水用の給水タンクの**水抜管及びオーバーフロー管**は、排水管に直接連結してはならない。

 水抜管・オーバーフロー管と排水管との間に**排水口空間**を設けなければならない。

講師からのアドバイス ••

　給水設備に関しては、過去出題された**重要数字等が繰り返し出題**されている。非常に得
点しやすい分野なので、重要論点を確実に覚えておこう。

問21 **正解 4** **建築設備総合** 　　　難易度 **B**

最も適切なものを◯、不適切なものを✖とする。

1 ✖ 「30倍」➡「40倍」
　　　換気設備を設けるべき調理室等に煙突、排気フードなどを設けず、排気口又は排
　　　気筒に換気扇を設ける場合にあっては、その有効換気量を、（燃料の単位燃焼量
　　　当たりの理論廃ガス量）×（火を使用する設備又は器具の実況に応じた燃料消費
　　　量）の40倍以上とする必要がある。

2 ✖ 「60kg」➡「65kg」
　　　エレベーターのかごは、乗用エレベーターの最大定員を、重力加速度を9.8m/s^2
　　　として、1人当たりの体重を65kgとして計算した定員としなければならない（建
　　　築基準法施行令129条の6第5号）。

3 ✖ 「電力会社の所有物」➡「消費者の所有物」
　　　分電盤内に設置されている漏電遮断器（漏電ブレーカー）及び配線用遮断器（安
　　　全ブレーカー）は、消費者の所有物である。

 住宅用分電盤内の**サービスブレーカー**（アンペアブレーカー）は、**電力会社の所有
物**である。

4 ◯ 家庭用燃料電池では、ガスや灯油等から**水素**を取り出し、空気中の**酸素**を利用し
　　　て電気を作るとともに、その反応時の排熱を利用して**給湯用の温水**を作ることが
　　　できる。

 講師からのアドバイス ••

　建築設備からは、**電気設備**や**ガス設備**等からも**繰り返し出題**されている。過去出題論点
は押さえておこう。

問22 **正解 1** **長期修繕計画作成ガイドライン** 　難易度 **B**

適切なものを◯、不適切なものを✖とする。

ア ○ 推定修繕工事の内容の設定、概算の費用の算出等は、**新築マンションの場合**、設計図書、工事請負契約書による**請負代金内訳書**及び**数量計算書等**を参考にして、また、**既存マンションの場合**、保管されている**設計図書**のほか、**修繕等の履歴、劣化状況等の調査・診断の結果**に基づいて行う（長期修繕計画作成ガイドライン2章1節2三）。

イ ○ 管理組合は、分譲会社から交付された**設計図書、数量計算書**等のほか、**計画修繕工事の設計図書、点検報告書**等の修繕等の履歴情報を整理し、区分所有者等の求めがあれば**閲覧できる状態で保管**することが必要である（2章1節3三）。なお、設計図書等は、紛失、損傷等を防ぐために、電子ファイルにより保管することが望まれる。

ウ ○ 長期修繕計画の見直しに当たっては、必要に応じて**専門委員会を設置**するなど、検討を行うために管理組合内の体制を整えることが必要である（2章2節2）。

エ ✗ 「店舗の部分も長期修繕計画作成ガイドラインの対象」 ➡ 「除外されている」
複合用途型マンションは、低層階に店舗や事務所などがあり、上層階に住宅があるマンションが一般的である。店舗等の部分には、様々な形態や仕様、設備等が考えられることから、長期修繕計画作成ガイドラインの対象からは除外されている（1章2）。

単棟型のマンションの場合、管理規約に定めた組合管理部分である**敷地**、建物の**共用部分**及び**附属施設**（共用部分の修繕工事又は改修工事に伴って修繕工事が必要となる**専有部分を含む**）を対象とする。また、**団地型**のマンションの場合は、一般的に、**団地全体の土地、附属施設**及び**団地共用部分**並びに**各棟の共用部分**を対象とする。

したがって、**不適切なものはエの1つ**であり、正解は**肢1**となる。

講師からのアドバイス

長期修繕計画作成ガイドラインは、昨年度4問も出題された。ここ数年複数問出題されるのが定石となっているので、過去問で出題された論点を中心に覚えておこう。

問23 正解2 長期修繕計画作成ガイドライン 難易度 C 難問

適切なものを○、不適切なものを✗とする。

ア ✗ 「有意義とはいえない」 ➡ 「有意義と考えられる」
築古のマンションは省エネ性能が低い水準にとどまっているものが多く存在していることから、大規模修繕工事の機会をとらえて、マンションの省エネ性能を向上させる改修工事（壁や屋上の外断熱改修工事や窓の断熱改修工事等）を実施することは脱炭素社会の実現のみならず、各区分所有者の光熱費負担を低下させる

観点からも**有意義**と考えられる（長期修繕計画作成ガイドライン１章１）。

イ ✕ 「直ちに耐震改修工事を実施しなければならない」
➡「段階的に改修を進めたりすることも考えられる」
耐震改修工事の費用が負担できない等の理由により、すぐに耐震改修工事を実施することが困難なときは、補助及び融資の活用を検討したり、推定修繕工事項目として設定した上で**段階的に改修を進めたりすることも考えられる**（２章２節５）。直ちに耐震改修工事をしなければならないとはされていない。

> 耐震性が不足するマンションは、区分所有者のみならず周辺住民等の生命・身体が脅かされる危険性があることから、**昭和56年５月31日以前に建築確認済証が交付**（いわゆる旧耐震基準）されたマンションにおいては、**耐震診断**を行うとともに、その結果により**耐震改修の実施**について検討を行うことが必要である。

ウ ◯ 推定修繕工事の内容は、新築マンションの場合は現状の仕様により、**既存マンション**の場合は**現状又は見直し時点での一般的な仕様**により設定するが、計画修繕工事の実施時には**技術開発等により異なる**ことがある（２章１節２三）。

エ ◯ マンション管理適正化推進計画を作成している地方公共団体の区域内にあるマンションにおいては、**マンションの管理計画の認定**を受けることで、優良な管理が行われるマンションとして**市場での評価が高まる**ことが期待される（２章３節３）。

したがって、不適切なものは**ア、イ**の２つであり、正解は肢**2**となる。

 講師からのアドバイス

長期修繕計画作成ガイドラインには、**省エネ性能向上**による脱炭素社会の実現といった近年のトレンドや**管理計画認定制度**等のマンション管理適正化法の最近の改正等が盛り込まれているので確認しておこう。

問24　正解3　長期修繕計画作成ガイドライン　難易度 Ｂ 合否の分かれ目

適切なものを**◯**、不適切なものを**✕**とする。

ア ◯ 長期修繕計画は、不確定な事項を含んでいるので、５年程度ごとに調査・診断を行い、その結果に基づいて**見直す**ことが必要だが、見直しには一定の期間（おおむね１〜２年）を要することから、見直しについても計画的に行う必要がある（長期修繕計画作成ガイドライン３章１節10）。

長期修繕計画の見直しは、大規模修繕工事と大規模修繕工事の**中間の時期**に**単独で**行う場合、**大規模修繕工事の直前**に基本計画の検討に併せて行う場合、又は、**大規模修繕工事の実施の直後**に修繕工事の結果を踏まえて行う場合がある。

イ ✕ 「全てを対象としている」 ➡ 「計画修繕工事を対象としている」

組合管理部分の修繕工事には、①経常的な補修工事（管理費から充当）、②計画修繕工事及び③災害や不測の事故に伴う特別修繕工事がある。このうち、長期修繕計画は、**計画修繕工事を対象としている**（2章1節2一）。

ウ ◯ 管理組合は、長期修繕計画の作成及び修繕積立金の額の設定に当たって、総会の開催に先立ち**説明会等を開催**し、その内容を区分所有者に説明するとともに、長期修繕計画について総会で決議することが必要である。また、決議後、総会議事録と併せて**長期修繕計画を区分所有者に配付**するなど、十分な周知を行うことが必要である（2章3節1）。

エ ◯ 長期修繕計画の見直しに当たっては、事前に専門家による設計図書、修繕等の履歴等の資料調査、現地調査、必要により区分所有者に対する**アンケート調査等の調査・診断**を行って、建物及び設備の劣化状況、区分所有者の要望等の現状を把握し、これらに基づいて作成することが必要である（2章2節4）。

したがって、適切なものは**ア、ウ、エ**の3つであり、正解は肢**3**となる。

 講師からのアドバイス

長期修繕計画作成ガイドラインは、未出題の論点からも出題されている。できれば、**長期修繕計画作成ガイドラインの原文**を読んで未出題論点にも対応できるようにしておこう。

問25 **正解 1** **修繕積立金ガイドライン** 難易度**B**

適切なものを◯、最も不適切なものを✕とする。

1 ✕ 「高くなる傾向がある」 ➡ 「安くなる傾向がある」

一般的に建物の規模が大きくまとまった工事量になるほど、施工性が向上し、修繕工事の単価が**安くなる傾向がある**（修繕積立金ガイドライン5）。

2 ◯ 建物が階段状になっているなど複雑な形状のマンションや超高層マンションでは、外壁等の修繕のために建物の周りに設置する仮設足場やゴンドラ等の設置費用が高くなるほか、施工期間が長引くなどして、修繕工事費が高くなる傾向がある（ガイドライン5）。

3 ◯ 機械式駐車場の1台あたり月額の修繕工事費は、エレベーター方式（垂直循環方

式）が4,645円/台・月で、2段（ピット1段）昇降式の6,450円/台・月よりも低額となる（ガイドライン3（2）③）。

 ピットは**地下のスペース**をいう。2段（ピット1段）昇降式は、地上1階＋地下1階で、パレット（駐車する部分）が昇降（上下）する型式である。

4 ○ 新築マンションの場合は、**段階増額積立方式**を採用している場合がほとんどで、あわせて、分譲時に**修繕積立基金**を徴収している場合も多くなっている。段階増額積立方式は、購入者の当初の月額負担を軽減できるため、広く採用されているといわれている。

 **講師からのアドバイス** ....

修繕積立金ガイドラインは、長期修繕計画作成ガイドラインほどではないが繰り返し問われている。費用が**増加**するのか**減少**するのか等に注意しよう。

問26 正解4 区分所有法（集会） 難易度A 得点すべし!!

最も適切なものを**○**、不適切なものを**✕**とする。

1 ✕ 「共有者間で議決権行使者を指定しない場合に、管理組合が指定することはできない」
専有部分を二人が共有し、その持分が等しい場合において、共有者間で議決権を行使する者についての協議が調わない場合、集会の招集通知は、共有者の一人に対してすれば足りるが（区分所有法35条2項）、この場合において、**管理組合が議決権を行使する者を定めることはできない**。

2 ✕ 「区分所有者でない管理所有者は議決権を行使できない」
議決権は、専有部分を所有する区分所有者に認められるものである（38条）。また、管理所有は、管理者に共用部分の管理を円滑に行わせるためのものであるから、管理者が共用部分について所有者となっても、共用部分の所有権は、なお区分所有者に属する。したがって、区分所有者が集会において決議に参加する権利である議決権は、区分所有者ではない管理者には認められない。

3 ✕ 「占有者は、議決権を行使できない」
区分所有者の承諾を得て専有部分を占有する占有者は、会議の目的である事項について利害関係を有する場合は、集会に出席して意見を述べることができる（44条1項）。しかし、意見を述べた場合でも、区分所有者の権利である議決権を行使することはできない。

4 ○ 区分所有者は、議決権を、書面で、又は代理人によって行使することができる（39条2項）。これは区分所有者の権利であり、規約によって、これを否定するこ

とはできない。しかし、代理人の資格について、他の区分所有者や同居人に限る等の制限を設けることはできる。

 区分所有法上、**代理人の資格**について特に**制限はない**。区分所有者の所有する専有部分の賃借人でもよいし、当該マンションにかかわりを持たない第三者であってもよい。

講師からのアドバイス

議決権は、区分所有者が有する権利であることから、本問では、各肢で問題となっている者が、**区分所有者であるかどうか**から検討していこう。

問27 **正解 1** **標準管理規約**（専有部分・共用部分） **難易度 A**

適切なものを〇、不適切なものを✕とする。

ア ✕ 「窓ガラスは専有部分に含まれない」

玄関扉は、「錠及び内部塗装部分」を専有部分とする（標準管理規約7条2項2号）。しかし、「窓枠及び窓ガラス」は、専有部分に含まれないものとされており、「共用部分」である（同3号）。

 窓枠や窓ガラスの他に、**網戸や雨戸も専有部分に含まれない**。

イ ✕ 「配管継手は専有部分に含まれない」

雑排水管及び汚水管について、「配管継手及び立て管」は、専有部分に属さない「建物の附属物」とされており、「共用部分」である（別表第2の2）。したがって、配管枝管は専有部分であるが、配管継手は「共用部分」である。

ウ 〇 給水管については、本管から各住戸メーターを含む部分までが、専有部分に属さない「建物の附属物」とされており、「共用部分」である（別表第2の2）。

エ ✕ 「給湯器ボイラーは共用部分に含まれない」

メーターボックスは、専有部分に属さない「建物の部分」とされており、「共用部分」である（別表第2の1）。しかし、メーターボックス内にある給湯器ボイラー等の設備は共用部分から除外されており、「専有部分」である。

したがって、適切なものは**ウ**の一つであり、正解は肢**1**となる。

講師からのアドバイス ･･･

　標準管理規約別表第2には「共用部分の範囲」として、①専有部分に属さない「建物の部分」、②専有部分に属さない「建物の付属物」、③規約共用部分について、それぞれ多数の設備や施設が挙げられている。さまざまな問題を通じて、どのような設備や施設があるのかを確認するとよいだろう。特に、【**ウ**】の住戸メーターと【**エ**】の給湯器ボイラーの扱いに注意しよう。

問28 **正解 1** **標準管理規約**（議決権行使）　　難易度 Ⓐ

最も適切なものを〇、不適切なものを✕とする。

1 〇 　住戸1戸が数人の共有に属する場合、その議決権行使については、これら共有者をあわせて一の組合員とみなす（標準管理規約46条2項）ため、各共有者は、持分割合に応じて議決権を行使できない。

2 ✕ 　「区分所有者の資産額の多寡」➡「共用部分の共有持分の割合」
　議決権については、共用部分の共有持分の割合、あるいはそれを基礎としつつ賛否を算定しやすい数字に直した割合によることが適当である（46条関係コメント①）。したがって、資産額の多寡ではなく、共用部分の共有持分の割合を基礎とするのが適当である。

 各住戸の面積があまり異ならない場合は、住戸1戸につき各1個の議決権により対応することも可能である（46条関係コメント②）。

3 ✕ 　「あくまで共用部分の共有持分の割合によって」
　　➡「専有部分の価値の違いによって」
　議決権については、住戸の価値に大きな差がある場合においては、単に共用部分の共有持分の割合によるのではなく、専有部分の階数（眺望、日照等）、方角（日照等）等を考慮した価値の違いに基づく価値割合を基礎として、議決権の割合を定めることも考えられる（46条関係コメント③）。したがって、住戸価値に大きな差がある場合には、専有部分の価値の違いを基礎とすることも考えられる。

4 ✕ 　「留意する必要はなく、専ら多数決に従うのが適当である」➡「留意する」
　特定の者について利害関係が及ぶような事項を決議する場合には、その特定の少数者の意見が反映されるよう留意する（46条関係コメント④）。したがって、少数者への配慮も必要である。

講師からのアドバイス

【肢3について】価値割合による議決権割合を設定する場合には、**敷地等の共有持分に**ついても**価値割合に連動**させることができることも確認しておこう。

問29 **正解 1** **民法・判例**（対抗問題） **難易度 A**

適切なものを**〇**、最も不適切なものを**✕**とする。

1 **✕** 「対抗することができない」➡「できる」
不動産が順次に譲渡された場合の前主・後主は対抗関係に立たず、後主は登記をしなくても所有権の取得を前主に対抗することができる（判例）。したがって、後主であるCは、登記をしなくても前主であるAに建物の所有権を対抗することができる。

2 **〇** 不動産がA・B・Cと順次に譲渡された後に、AB間の売買契約が解除されたときは、Cは、登記をしなければ所有権の取得を売主に対抗することができない（民法545条1項、判例）。したがって、Aが債務不履行を理由にAB間の契約を解除したときは、登記をしていないCは、建物の所有権をAに対抗することができない。

 売買契約が**解除された後に権利を取得した**Cも**登記をしなければ所有権の取得をA**に**対抗することができない**。

3 **〇** 不動産が二重に売買された場合、第一の買主はその登記をしなければ、当該不動産の所有権を取得したことを第二の買主に対抗することができない（177条）。したがって、Dが甲の登記を備えたときは、CがDよりも先に甲の引渡しを受けていても、Cは、甲の所有権をDに対抗することができない。

4 **〇** 強迫による意思表示は取り消すことができる（96条1項）。そして、この取消しは、取消前の善意無過失の第三者に対抗することができる（同3項反対解釈）。しかし、取消後の第三者との関係は対抗問題とされ（判例、177条）、登記を先に備えた者が優先する。この場合、第三者は悪意でも保護される。

講師からのアドバイス

第三者の登場が、**取消権行使の前**であるか、**後**であるか、**解除権行使の前**であるか、**後**であるかを意識しながら問題を解くようにしよう。

問30 正解 **1** **民法・判例**（相続） 難易度 Ⓐ

最も適切なものを〇、不適切なものを✕とする。

1 〇 相続開始時に存した金銭は、遺産分割の対象となり、相続により当然に分割される財産には当たらないから、相続人は遺産分割までの間、相続開始時に存した金銭を相続財産として保管している他の相続人に対して、自己の相続分に相当する金銭の支払いを求めることはできない（判例）。

> 被相続人が**滞納した管理費の支払債務**は、相続分に応じて**分割されて各相続人に帰属**する。

2 ✕ 「**3年間行使しないときは**」➡「**1年間行使しないときは**」
遺留分侵害額の請求権は、遺留分権利者が、相続の開始及び遺留分を侵害する贈与又は遺贈があったことを知った時から1年間行使しないときは、時効によって消滅する。また、相続開始の時から10年を経過したときも、同様である（民法1048条）。

3 ✕ 「**撤回することができる**」➡「**できない**」
相続人は、自己のために相続の開始があったことを知った時から3ヵ月以内に、相続について、単純若しくは限定の承認又は放棄をしなければならない（915条1項本文）。そして、一度した相続の承認及び放棄は、自己のために相続の開始があったことを知った時から3ヵ月以内であっても、**撤回することはできない**（919条1項、915条1項本文）。これは、軽率な相続人よりも、承認・放棄の効果を信頼した相続債権者等の取引の安全を保護する必要が大きいからである。

4 ✕ 「**家庭裁判所の許可があれば相続の開始前でも遺留分の放棄ができる**」
相続の開始前における遺留分の放棄は、家庭裁判所の許可を受けたときに限り、その効力を生ずる（1049条1項）。

👉 **講師からのアドバイス**

押さえておくべき基本的知識により、**消去法**で正解を発見するのがポイントである。

問31 正解 **3** **区分所有法・民法**（先取特権） 難易度 Ⓑ

適切なものを〇、不適切なものを✕とする。

ア 〇 管理者が債務者の区分所有権（共用部分に関する権利及び敷地利用権を含む）及び建物に備え付けた動産の上に有する先取特権は（区分所有法7条1項後段）、優先権の順位及び効力については、一般の先取特権のうちで第1順位にある共益

費用の先取特権とみなされる（同2項、民法306条、329条1項）。

イ ✗ 「**不足がある場合でも、区分所有者の総財産に対して先取特権は行使できない**」
管理者がその職務を行うにつき区分所有者に対して有する債権を被担保債権として先取特権を行使することができるのは、債務者の区分所有権（共用部分に関する権利及び敷地利用権を含む）及び建物に備え付けた動産であり（区分所有法7条1項後段）、先取特権を行使したが、なお不足がある場合でも、区分所有者の有する総財産に対して先取特権を行使することはできない。

ウ ◯ 管理者は、その職務を行うにつき区分所有者に対して有する債権について債務者の区分所有権（共用部分に関する権利及び敷地利用権を含む）及び建物に備え付けた動産の上に**先取特権を有する**（7条1項後段）。履行を確保する観点から、**被担保債権の金額を問わず**管理者に先取特権の行使が認められている。

エ ◯ 先取特権の対象となる建物に備え付けた動産は、区分所有者の所有物でなければならないが、区分所有者以外の第三者が建物に備え付けた動産であっても、平穏、かつ、公然とこの動産の占有を始めた管理者は、善意、かつ、無過失で区分所有者の所有物と誤信したときは、管理者の保護の観点から即時取得が成立し、なお先取特権を行使することができる（7条3項、民法319条、192条）。したがって、B以外の第三者が建物に備え付けた動産について**即時取得が成立**し、Aは、その動産についても先取特権を行使することができる。

 区分所有法7条の被担保債権となる債権は、債務者たる区分所有者の**特定承継人に対しても行使することができる**とされており（区分所有法8条）、さらに保護が図られている。

したがって、適切なものは、**ア・ウ・エ**の三つであり、正解は肢**3**となる。

講師からのアドバイス

区分所有法7条の先取特権によって**保護される債権**と、先取特権の**目的権**について確認しておこう。

問32 **正解 1** **区分所有法・標準管理規約**（規約） 難易度 **B**

適切なものを◯、不適切なものを✗とする。

ア ✗ 「**集会において報告をしなければならない**」
管理者は、集会において、毎年1回一定の時期に、その事務に関する報告をしなければならない（区分所有法43条）。これについては、規約で別段の定めができる旨の規定はない。

この事務の報告のための集会の開催により、「**管理者は、少なくとも毎年1回、集会を招集しなければならない**」とする区分所有法34条2項に規定されている**義務を履行**したことになる。

イ ✕ 「**全住戸均等に変更することができる**」➡「**できない**」

共用部分の持分割合とは異なり、区分所有法上、**敷地の共有持分割合を規約で定めることは認められていない**。敷地及び附属施設の共有持分は、規約で定めるものではなく、**分譲契約等によって定める**ものであり、標準管理規約の規定は、それを確認したものである（標準管理規約10条関係コメント②）。

ウ ○ 共用部分に対する各共有者の持分は、その有する専有部分の床面積の割合によるが、規約で別段の定めをすることができる（区分所有法14条1項・4項）。そして、規約は、専有部分若しくは共用部分又は建物の敷地若しくは附属施設（建物の敷地又は附属施設に関する権利を含む）につき、これらの形状、面積、位置関係、使用目的及び利用状況並びに区分所有者が支払った対価その他の事情を総合的に考慮して、**区分所有者間の利害の衡平が図られるように定めなければならない**とされている（30条3項）。したがって、各住戸の専有部分の床面積に差異が少ない場合に、共用部分に対する各区分所有者の共有持分の割合を、専有部分の床面積の割合から**全住戸均等に変更する規約を設定することは有効**である。

エ ✕ 「**敷地を管理所有することはできない**」

管理者は、規約に特別の定めがあるときは、共用部分を所有することができる（27条1項）。しかし、管理者である理事長は、「**敷地**」を管理所有することは**できない**。

したがって、適切なものは、**ウ**のみであり、正解は肢**1**となる。

 講師からのアドバイス •

「**理事長**」という言葉に混乱するかもしれないが、**基本的な内容**であるので、落ち着いて選択肢を読めたかどうかがポイントである。

問33 **正解 1** **区分所有法**（復旧・建替え） 難易度 **A**

適切なものを**○**、最も不適切なものを**✕**とする。

1 ✕ 「**規約に定めることはできない**」➡「**定めることができる**」

小規模滅失の場合、滅失した共用部分の復旧については、各区分所有者が行うことができるが、規約で別段の定めができる（区分所有法61条4項）。

2 ○ 大規模滅失の場合、復旧決議の日から2週間以内に、決議賛成者がその全員の合

意により建物及びその敷地に関する権利を買い取ることができる者（買取指定者）を指定することができる（61条8項）。

3 ○ 小規模滅失の場合、各区分所有者は、滅失した共用部分及び自己の専有部分を復旧することができる。ただし、復旧決議又は建物の建替え決議があった場合、共用部分については、自ら復旧することができない（61条1項）とされているが、この場合においても、自己の専有部分については復旧することができる。

 大規模滅失の場合においても、**専有部分の復旧**は、**専有部分の所有者の責任**において行うことができる。

4 ○ 正当な理由なしに、**建替え決議の日から2年以内に建物の取壊しの工事の着手が**ない場合、売渡請求権の行使により区分所有権又は**敷地利用権を売り渡した者**は、この期間の満了の日から**6ヵ月以内**に、買主が支払った代金に相当する金銭をその区分所有権又は敷地利用権を現在有する者に提供して、これらの権利を売り渡すべきことを請求することができる（63条7項）。

👉 講師からのアドバイス ┄┄┄┄┄┄┄┄┄┄┄┄┄┄┄┄┄┄┄┄┄

　復旧については、**滅失の程度により規定が変わる**部分があるので、各選択肢の場面設定を正確に分析しよう。また、復旧と建替えは、**それぞれの手続の流れ**をきちんと**整理しておく必要がある**。復旧の「買取請求」と建替えの「売渡請求」の違い等、混乱しやすい手続もあるので、正確に押さえておこう。

┄┄

問34 **正解 2** **区分所有法**（団地共用部分）　　難易度 **B**

適切なものを**○**、最も不適切なものを**✕**とする。

1 ○ 一団地内の附属施設たる建物（区分所有建物の部分も含む）を団地管理組合の規約により団地共用部分とした場合、各団地建物所有は、団地共用部分をその用方に従って使用することができる（区分所有法67条3項、13条）。

2 ✕ 「登記をしなくても…第三者に対抗できる」
　　➡「登記をしなければ第三者に対抗できない」
　　一団地内の附属施設たる建物（区分所有建物の部分も含む）を団地管理組合の**規約**によりこれを団地共用部分とすることができるが（67条1項前段）、その旨の**登記をしなければ**、これをもって**第三者に対抗することができない**（同後段）。

3 ○ 団地共用部分は、団地建物所有者全員の共有に属し（67条3項、11条1項本文）、その**持分**は、規約に別段の定めがないかぎり、団地建物所有者の有する**建物又は専有部分の床面積の割合による**（14条1項）。

4 ○ 一団地内の附属施設たる建物（区分所有建物の部分も含む）を団地管理組合の規約により団地共用部分とすることができる（67条1項前段）。この場合、団地建物所有者及び議決権の各4分の3以上の多数による集会の決議がなければならない（同66条、31条1項前段）。

 一団地内の数棟の建物の全部を所有する者は、公正証書によって、単独でこの規約を設定することができる。

 **講師からのアドバイス**

　規約により**団地共用部分**とすることができるのは、**団地内に存在**する**附属施設である独立した建物又は区分所有建物の専有部分たりうる部分**であり、ある棟内の部屋を集会室や、管理事務所として使用する場合をイメージするとよいだろう。

問35　正解 4　標準管理規約（修繕積立金）　難易度 Ⓐ　得点すべし!!

適切なものを○、最も不適切なものを✕とする。

1 ○ 「修繕積立金の保管及び運用方法」は、総会の決議事項である（標準管理規約48条7号）。したがって、修繕積立金の保管及び運用方法を決めるには、総会の決議によらなければならない。

2 ○ 「共用設備の保守維持費及び運転費」は、通常の管理に要する経費として、「管理費」から充当する（27条3号）。したがって、共用設備の保守維持費及び運転費については、修繕積立金を取り崩して充当してはならない。

3 ○ 「共用部分等に係る火災保険料、地震保険料その他の損害保険料」は、通常の管理に要する経費として、「管理費」から充当する（27条5号）。したがって、共用部分等に係る火災保険料については、修繕積立金を取り崩して充当してはならない。

4 ✕ 「管理費又は修繕積立金のどちらからでも充当できる」
「長期修繕計画の作成又は変更に要する経費及び長期修繕計画の作成等のための劣化診断（建物診断）に要する経費」については、管理組合の財産状態等に応じて管理費又は修繕積立金のどちらからでも充当できる（32条関係コメント④）。

 修繕工事の前提としての劣化診断（建物診断）に要する経費の充当については、修繕工事の一環としての経費であることから、原則として修繕積立金から取り崩すこととなる。

講師からのアドバイス

修繕積立金の**取崩し**は、総会の**普通決議**でできる（48条10号・15号）ことも確認しておこう。

問36 正解3 標準管理規約（団地型）

難易度 **B**

適切なものを**○**、最も不適切なものを**✕**とする。

1 ○ 各棟の階段及び廊下の補修工事は、団地総会の決議を経なければならない（標準管理規約団地型2条6号、21条1項、50条17号）。

2 ○ 区分所有法69条1項の場合の建替えの承認については、団地総会の決議を経なければならない（50条12号）。

3 ✕ 「団地総会の決議」➡「棟総会の決議」

マンション標準管理規約（団地型）によると、次の①～⑥に掲げる事項については、棟総会の決議を経なければならない（72条）。

> ① 区分所有法で団地関係に準用されていない規定に定める事項に係る規約の制定、変更又は廃止
> ② 区分所有法57条2項、58条1項、59条1項又は60条1項の訴えの提起及びこれらの訴えを提起すべき者の選任
> ③ 建物の一部が滅失した場合の**滅失した棟の共用部分の復旧**
> ④ 区分所有法62条1項の場合の建替え及び円滑化法108条1項の場合のマンション敷地売却
> ⑤ 区分所有法69条7項の建物の建替えを団地内の他の建物の建替えと一括して建替え承認決議に付すこと
> ⑥ 建替え等に係る合意形成に必要となる事項の調査の実施及びその経費に充当する場合の各棟修繕積立金の取崩し

本肢は、上記③に該当し、**棟総会の決議**が必要である。

プラスα 棟総会の議決事項については、団地総会の議決事項とすることはできない。

4 ○ 各棟修繕積立金の保管及び運営方法については、団地総会の決議を経なければならない（50条7号）。

講師からのアドバイス

団地型は団地内の**一括管理**を前提としているため、「**各棟**」という文言がついていても「**団地**」総会の決議事項とされているものがある。本問で確認しておこう。

適切なものを**〇**、最も不適切なものを**✕**とする。

1 〇 区分所有者の全員又は管理組合法人が、区分所有者の共同の利益に反する行為を
した賃借人に係る賃貸借契約を解除し、賃借人に対し、その専有部分の引渡しを
求める集会の決議をするには、あらかじめ賃借人に弁明の機会を与える必要があ
る（区分所有法60条、2項、58条3項）。この弁明の機会は、賃借人に対して与
えれば足り、賃貸人たる区分所有者に与える必要はないとするのが判例である
（最判昭和62年7月17日）。

2 〇 判例は、区分所有者が、業務の執行に当たっている管理組合の役員らをひぼう中
傷する内容の文書を配布し、マンションの防音工事等を受注した業者の業務を妨
害するなどする行為について、「それが単なる特定の個人に対するひぼう中傷等
の域を超えるもので、それにより管理組合の業務の遂行や運営に支障が生ずるな
どしてマンションの正常な管理又は使用が阻害される場合」には、「区分所有者
の共同の利益に反する行為」に当たるとみる余地があるとしている（最判平成24
年1月17日）。

3 ✕ 「承諾を得る必要はない」 ➡ 「承諾を得なければならない」
判例は、専有部分の用途を住居専用とする規約を新たに設定する集会の決議にお
いて（31条1項前段）、すでに店舗として専有部分を使用している区分所有者の
承諾（同1項後段）を要するかについて、「専有部分を専ら住宅として使用する
ものとし、店舗、事務所、倉庫等住宅以外の用途に供してはならない旨」を定め
る新規約の規定は、専有部分を店舗として使用している区分所有者がいる場合、
「一部の区分所有者の権利に特別の影響を及ぼすべきとき」（31条1項後段）に該
当するから、その区分所有者の承諾を得なければならないとしている（最判平成
9年3月27日）。

4 〇 判例は、管理人室の専有部分としての適格性について、次のように判断してい
る。比較的規模が大きく、居宅の多いマンションにおいて、管理人を常駐させ、
管理業務の遂行に当たらせることが必要である場合、「マンションの玄関に接す
る共用部分である管理事務室のみでは管理人を常駐させてその業務を円滑に遂行
させることが困難である」ときは、隣接する「本件管理人室は、管理事務室と合
わせて一体として利用することが予定されていたものというべきであり、両室は
機能的に分離することができないものといわなければならない。そうすると、本
件管理人室には、構造上の独立性があるとしても、利用上の独立性がないという
べきであり、本件管理人室は、区分所有権の目的とはならないと解すべきであ
る。」（最判平成5年2月12日）。

 管理人室の居室部分と事務所部分とが**構造上・利用上一体**となって当該建物全体の
管理機能を担っている限り、両部分は**一体として共用部分**となる。

講師からのアドバイス ･･･････････････････････････････････

　　判例問題は、**何が問題となっているかを把握**すれば正解することができるので、落ち着いて読んで、確実に得点するようにしよう。

問38 **正解 2** **管理費の滞納処理** **難易度 B**

　適切なものを◯、不適切なものを✕とする。

ア ✕ 「支払督促をしておかなければならない」➡「支払督促は不要」
　　　管理者が、滞納管理費に対する**支払請求訴訟**を提起するのに、あらかじめ**支払督促をしておくことは要件とはなっていない**。

イ ◯ 少額訴訟の当事者は、終局判決に不服があるときは、判決書又は判決書に代わる調書の送達を受けた日から**2週間以内**の不変期間内に、その判決をした簡易裁判所に**異議を申し立てることができる**（民事訴訟法378条1項）。

 少額訴訟の終局判決に対しては、**控訴**することは**できない**（377条）。

ウ ◯ 少額訴訟において、当事者は、第1回口頭弁論の期日前又はその期日において、**すべての攻撃又は防御の方法**（主張と証拠のこと）を提出しなければならない。ただし、口頭弁論が続行されたときは、この限りでない（370条2項）。

エ ✕ 「請求できない」➡「請求できる」
　　　破産の免責の場合と異なり、管理費を滞納している区分所有者は、民事再生手続開始の申立てをしただけでは、**滞納管理費の支払義務を免れることはできない**ので、管理組合は、この滞納区分所有者に対して、管理費を**請求することができる**。

　したがって、不適切なものは、**ア・エ**の二つであり、正解は肢**2**となる。

 講師からのアドバイス ･･････････････････････

　　管理費の滞納に関する問題は、**毎年必ず出題**され、しかも、**同じような論点が繰り返し出題**される。過去問を解いて基本的な出題点を押さえ、**得点源**となるようにしよう。

問39 **正解 2** **民法・判例**（消滅時効）　　　難易度 Ⓐ

最も適切なものを◯、不適切なものを✕とする。

1 ✕ 「時効の完成を知らなかった場合であっても、完成した時効を援用することはできない」

消滅時効が完成した後に債務者が債務の承認をした場合、当該債務者は、時効完成の事実を知らなかったとしても、完成した時効を援用することはできない（判例）。消滅時効が完成した後であっても、債務者が債務の承認をすれば、債権者は債務者が時効を援用することはないと考えるので、その信頼を保護するためである。

2 ◯ 時効の更新事由である権利の承認をするための能力については、相手方の権利についての処分につき行為能力の制限を受けていないこと又は権限があることを要しない（民法152条2項）。ただし、承認をするには管理（財産管理）の能力又は権限が必要である（判例）。そして、被保佐人又は被補助人には、管理の能力又は権限があるので、単独で承認することができる（判例）。

プラスα 被保佐人が単独でした承認によって債務の消滅時効が更新されたとしても、保佐人は、その承認を取り消すことができない。

3 ✕ 「破産手続開始決定の時に時効の完成が猶予される」
➡「破産債権者が破産手続に参加した時に」

管理費債権の債務者が破産手続の開始の決定を受けた場合、その破産手続が開始されることにより時効の完成が猶予されるのではなく、破産債権者である管理組合Aが破産手続に参加することにより、その手続が終了するまでの間、時効の完成が猶予される（147条1項4号）。

4 ✕ 「更新の効力が生ずる」➡「更新の効力は生じない」

裁判上の請求がなされ、確定判決又は確定判決と同一の効力を有するものによって権利が確定したときは、時効は更新されるが、訴えの却下又は取下げの場合には、時効の更新の効力を生じない（147条2項参照）。

👉 講師からのアドバイス

裁判上の請求の訴えの却下又は取下げの場合には、時効の更新の効力を生じないが、権利行使の意思が明らかになっているので、時効の完成は猶予される。混同しないようにしよう。

第1回 解答・解説

問40 正解 3 品確法 難易度 A 得点すべし!!

1 ✕ 「20年とすることができない」➡「できる」

品確法は、新築住宅の売買契約においては、売主に対し、**構造耐力上主要な部分及び雨の浸入を防止する部分**（構造耐力上主要な部分等）の瑕疵（欠陥）について、買主に引き渡した時から10年間の瑕疵担保責任を義務づけている（品確法94条1項）。ただし、**特約**により、構造耐力上主要な部分等だけでなく、「その他の住宅の瑕疵」についても、責任を負うべき期間を買主に「引き渡した時から**20年以内**」とすることができる（97条）。

2 ✕ 「瑕疵担保責任の対象となる」➡「ならない」

品確法の瑕疵担保責任は、「**新築住宅**」を対象としており、その新築住宅の要件は、①まだ人の居住の用に供したことのないものであり、②建設工事完了日から起算して**1年を経過していないもの**とされている（2条2項）。したがって、まだ人の居住の用に供したことのない住戸であっても、当該住戸の建設工事完了日から起算して1年を経過したものについては、瑕疵担保責任の対象ではない。

3 ◯ 肢1の解説参照。本肢は、**構造耐力上主要な部分「ではない」**フローリングに欠陥があるため、瑕疵担保責任の**対象とはならない**。したがって、欠陥が判明した時点から1年以内に、買主が売主にその旨を通知したとしても、瑕疵担保責任の追及はできない。

 この場合でも、**民法の契約不適合責任は適用**される。すなわち、売買の目的物に契約不適合があったときは、買主がその不適合を「**知った時から1年以内**」にその旨を売主に通知すれば、買主は売主に対して履行の追完請求等ができる（民法566条、562条～564条）。

4 ✕ 「住宅性能評価の制度は既存住宅も対象とする」

住宅性能評価の制度は、瑕疵担保責任とは異なり、新築住宅だけでなく**既存住宅も対象**としている（5条参照）。

講師からのアドバイス

　品確法の瑕疵担保責任は、民法の契約不適合責任の特則である。①責任を負う**期間**（肢1）、②責任の**対象**（肢1～3）を確認しておこう。一方、**住宅性能評価**の制度（肢4）は、**既存住宅も対象**とすることに注意しよう。

問41 正解 4 不動産登記法 難易度 C

適切なものを◯、最も不適切なものを✕とする。

1 ◯ 権利部のうち、乙区には所有権以外の権利に関する登記の登記事項が記録される（不動産登記法2条8号、規則4条4項）。したがって、**抵当権や地上権、先取特権や配偶者居住権**は、いずれも所有権以外の権利であり乙区に記録される。

2 ◯ 権利に関する登記を申請する場合には、申請人は、法令に別段の定めがある場合を除き、その申請情報と併せて**登記原因を証する情報**を提供しなければならない（不動産登記法61条）。

3 ◯ 区分建物である建物を新築した場合において、その所有者について相続があったときは、相続人も、被承継人（被相続人）を表題部所有者とする当該建物についての**表題登記**を申請することができる（47条2項）。

> 区分建物が属する一棟の建物が新築された場合における当該区分建物についての表題登記の申請は、当該**新築された一棟の建物**に属する他の区分建物についての**表題登記の申請と併せて**しなければならない。

4 ✕ 「建物の固定資産税評価額が記録される」➡「記録されない」
登記記録の建物の表題部には、所在地、家屋番号、種類、床面積、登記原因及びその日付は記録されるが、建物の固定資産税評価額は記録されない（2条7号、規則4条参照）。

講師からのアドバイス

登記記録の構成は、過去にも出題されている。**表題部と権利部について、それぞれ何が記録されるのか**を確認しておこう。また、固定資産税評価額は記録されないという点はひっかけ問題で出やすいので注意。

問42 **正解3** 個人情報保護法

1 ◯ 「個人情報」とは、生存する個人に関する情報であって、①当該情報に含まれる氏名、生年月日その他の記述等により特定の個人を識別することができるもの（他の情報と容易に照合することができ、それにより特定の個人を識別することができることとなるものを含む。）、または②個人識別符号が含まれるものをいう（個人情報保護法2条1項）。したがって、（ア）には「生存する個人」が入る。

2 ◯ 「個人データ」とは、個人情報データベース等を構成する個人情報をいう（16条3項）。したがって、（イ）には「個人情報データベース等」が入る。

3 ✕ 「含まれる」➡「含まれない」
「個人情報取扱事業者」とは、個人情報データベース等を事業の用に供している者をいい、国の機関・地方公共団体・独立行政法人等・地方独立行政法人は除かれる（16条2項）。したがって、（ウ）には「個人情報取扱事業者に含まれない」

が入り、「含まれる」とする本肢は誤りである。

4 ⭕ 肢**3**の解説参照。個人情報データベース等を事業の用に供している者は、原則として「個人情報取扱事業者」に含まれる。管理組合は組合員名簿などの個人情報を取り扱っているため、「個人情報取扱事業者」となる。したがって、（エ）には「含まれる」が入る。

 法改正により、取り扱う個人情報の数が5,000以下であっても個人情報取扱事業者に当たる。つまり、個人情報を扱う全ての事業者が個人情報保護法の対象になっている。

個人情報保護法では、本問で問われている**用語の定義**を正確に記憶しておこう。

問43　正解 **4**　建替え等円滑化法　難易度 **C**

適切なものを⭕、最も不適切なものを✖とする。

1 ⭕ 敷地分割組合の組合員数が**50人を超える**ときは、総会に代わってその権限を行わせるために**総代会を設ける**ことができる（建替え等円滑化法180条）。

2 ⭕ 分割実施敷地に現に存する一の建物（専有部分のある建物にあっては、一の専有部分）が数人の共有に属するときは、その数人は、**一人の組合員とみなされる**（174条2項）。

3 ⭕ 組合員は、書面又は代理人をもって**議決権及び選挙権を行使**することができるが、総代には、代理人による議決権及び選挙権の行使は認められていない。認められているのは書面による議決権及び選挙権の行使だけである（182条2項）。

4 ✖ 「特別の事情があるときは、組合員以外から選出できる」
理事及び監事は、組合員（法人にあっては、その役員）のうちから総会における選挙によって選任される（175条3項、21条1項本文）。ただし、**特別の事情があるときは、組合員以外の者**を理事又は監事に選任することが認められている（同ただし書）。

 分割実施敷地に現に存する団地内建物の**特定団地建物所有者**（その承継人（組合を除く）を含む）は、**全て組合の組合員となる**。

講師からのアドバイス
　近年、改正により**新設**された**敷地分割事業**に関する事項は、注目度が高く**出題の可能性**があるので、しっかり準備しておこう。

最も適切なものを⭕、不適切なものを❌とする。

1 ❌ 「１年の賃貸借とみなされる」➡「期間の定めのない賃貸借とみなされる」
　　　期間を１年未満とする建物の賃貸借は、期間の定めのない賃貸借契約となる（借地借家法29条１項）。

2 ⭕ 建物の借賃が、近傍同種の建物の借賃に比較して不相当となったときは、契約の条件にかかわらず、当事者は、将来に向かって建物の借賃の額の増減を請求することができる。ただし、一定の期間建物の借賃を増額しない旨の特約がある場合には、その定めに従う（32条１項）。したがって、一定期間、賃料を増額しない旨の特約をした場合は、増額請求をすることはできない。

3 ❌ 「無効である」➡「有効である」
　　　建物の賃貸人の同意を得て建物に付加した畳、建具その他の造作がある場合には、建物の賃借人は、建物の賃貸借が期間の満了又は解約の申入れによって終了するときに、建物の賃貸人に対し、その造作を時価で買い取るべきことを請求することができる（造作買取請求権・33条１項前段）。ただし、造作買取請求権を排除する旨の特約は有効である（37条参照）。

4 ❌ 「１ヵ月」➡「６ヵ月」
　　　建物の賃貸人が正当事由ある賃貸借の解約の申入れをした場合においては、建物の賃貸借は、解約の申入れの日から６ヵ月を経過することによって終了する（27条１項）。

 賃借人から解約申入れする場合、**正当事由は不要**であり、解約申入れから**３ヵ月経過**で終了する。

 講師からのアドバイス

【肢１・正解肢２について】「定期建物賃貸借」の規定（１年未満の期間の定めが可能である・増減額請求の規定は借賃の改定に関する特約があれば適用しない）と比較しておくとよいだろう。

最も適切なものを⭕、不適切なものを❌とする。

1 ⭕ 宅建業者は、建物の売買をする場合において、代金に関する金銭の貸借のあっせ

んの内容及び当該あっせんに係る金銭の貸借が成立しないときの措置について説明しなければならない（宅建業法35条1項12号）。

2 ✗ 「説明の必要はない」➡「説明する必要がある」

宅建業者は、区分所有建物の売買をする場合において、当該一棟の建物の計画的な維持修繕のための費用の積立てを行う旨の規約の定め（その案を含む）があるときは、その内容及び**既に積み立てられている額**を説明しなければならない（35条1項6号、施行規則16条の2第6号）。

 当該区分所有建物に関し修繕積立金等についての**滞納額**があるときはその額を告げる必要がある。

3 ✗ 「自ら調査しなければならない」➡「自ら調査する必要はない」

宅建業者は、石綿の使用の有無の調査の結果が記録されているときは、その内容について記載した書面で、買主に説明しなければならない（宅建業法35条1項14号、施行規則16条の4の3第4号）。しかし、**自ら調査する義務**までは課せられていない。

4 ✗ 「説明しなければならない」➡「説明する必要はない」

「台所、浴室、便所その他の当該マンションの設備の整備状況」については、建物の貸借の場合は説明を行わなければならないが（宅建業法35条1項14号ロ、施行規則16条の4の3第7号）、売買の場合は説明不要である。本問は、マンション売買を行う場合であるから、説明をする必要はない。

 講師からのアドバイス ・・・・・・・・・・・・・・・・・・・・・・・・・・・

区分所有建物の**追加説明事項**や、**貸借特有の説明事項**も確認しておこう。

問46 正解**2** 管理適正化基本方針　難易度**A**

適切なものを〇、不適切なものを✗とする。

ア 〇 管理組合は、マンションの管理の適正化を図るため、**必要に応じ、マンション管理士等専門的知識を有する者**の知見の活用を考慮することが重要である（管理適正化基本方針七1）。

 なお、マンション管理には専門的知識を要する事項が多いため、国・地方公共団体・マンション管理適正化推進センターは、マンション管理士に関する情報提供に努める必要がある。

イ ✗ 「契約内容を周知することまでは求められていない」
➡「契約内容を周知することも求められている」

管理委託契約先が選定されたときは、管理組合の管理者等は、説明会を通じて区分所有者等に対し、当該契約内容を周知するとともに、管理業者の行う管理事務の報告等を活用し、管理事務の適正化が図られるよう努める必要がある（基本方針三4）。

ウ ✕ 「この専門家と信頼関係を築き…ルールの整備に関する作成を任せる必要」
➡「区分所有者等から信頼される…ルールの整備が必要」
管理業務の委託や工事の発注等については、事業者の選定に係る意思決定の透明性確保や利益相反等に注意して、適正に行われる必要があるが、とりわけ外部の専門家が管理組合の管理者等又は役員に就任する場合においては、区分所有者等から信頼されるような発注等に係る「ルールの整備」が必要である（基本方針三2 (6)）。

エ ◯ 区分所有者等は、その居住形態が戸建てのものとは異なり、相隣関係等に配慮を要する住まい方であることを十分に認識し、その上で、マンションの快適かつ適正な利用と資産価値の維持を図るため、管理組合の一員として、進んで、集会その他の管理組合の管理運営に参加するとともに、定められた管理規約・集会の決議等を遵守する必要がある。そのためにも、マンションの区分所有者等は、マンションの管理に関する法律等についての理解を深めることが重要である（基本方針三3）。

したがって、不適切なものは**イ・ウ**の二つであり、正解は肢**2**となる。

 講師からのアドバイス ･･････････････････････････････････

【**ア〜エについて**】基本方針は近年全面的に改正されているので、細かな言い回し等、正確な表現を覚えておこう。

問47 **正解 1** **管理適正化法**（管理業務主任者） **難易度**

最も適切なものを◯、不適切なものを✕とする。

1 ◯ 管理業務主任者は、①登録が消除されたとき、又は②管理業務主任者証がその効力を失ったとき等は、速やかに、管理業務主任者証を国土交通大臣に返納しなければならない（マンション管理適正化法60条4項）。

2 ✕ 「1年以内の…事務を禁止できる」➡「登録を取り消さなければならない」
国土交通大臣は、管理業務主任者が「偽りその他不正の手段により管理業務主任者証の交付を受けた」ときは、その登録を取り消さなければならない（65条1項3号）。「事務禁止処分」ではない。

3 ✕ 「登録を取り消すことができる」➡「登録を取り消さなければならない」

管理業務主任者が、管理業者に自己が専任の管理業務主任者として従事している事務所以外の事務所の専任の管理業務主任者である旨の表示をすることを許し、当該管理業者がその旨の表示をし、その情状が特に重いときは、国土交通大臣は、当該管理業務主任者の登録を「取り消さなければならない」（64条1項1号、65条1項4号）。

4　✗　「記載事項にも変更が生じる…受けなければならない」
➡「記載事項には変更は生じない…受けなくてもよい」

管理業務主任者は、「本籍」に変更があった場合は、遅滞なく、その旨を国土交通大臣に「届け出」なければならない（62条1項、施行規則72条1項2号）。

また、**管理業務主任者証の記載事項（氏名）に変更があったとき**は、当該届出に**管理業務主任者証を添えて提出し、その訂正を受けなければならない**が（マンション管理適正化法62条2項、60条1項）、「**本籍**」に変更があっても、**管理業務主任者証の記載事項ではない**ので、提出して訂正を受ける必要はない（施行規則74条1項）。

👉　講師からのアドバイス

【正解肢1について】主任者証の効力失効の際の**返納**義務であるので、確認しよう。【肢2～4について】「不正手段で主任者証の交付を受けた主任者の**監督処分**」「兼任禁止の専任主任者への**監督処分**」「主任者証の記載事項**変更**手続」に関するひっかけ論点であるので、確認しよう。

問48　正解3　管理適正化法（管理業者の業務）　難易度 **B**

適切なものを⭕、不適切なものを✗とする。

ア　✗　「必ず罰金の対象」➡「告訴により公訴が提起された場合に罰金の対象」

管理業者の使用人その他の従業者は、正当な理由がなく、マンションの管理に関する事務を行ったことに関して、知り得た秘密を漏らしてはならない。管理業者の使用人その他の従業者でなくなった後も、同様である（マンション管理適正化法87条）。この罰則（30万円以下の罰金）は、親告罪なので、告訴がなければ公訴は提起されない（109条1項8号・2項）。

イ　⭕　「管理事務」とは、マンションの管理に関する事務であって、基幹事務（管理組合の会計の収入及び支出の調定及び出納並びにマンション（専有部分を除く）の維持又は修繕に関する企画又は実施の調整をいう）を含むものをいう（2条6号）。

ウ　✗　「記名をさせなければならない」➡「記名をさせる必要はない」

管理事務報告書には、そもそも管理業務主任者の記名は不要である（施行規則88

条参照）。

 管理業務主任者の記名が必要なのは、①重要事項説明書と②契約の成立時の書面であることに注意しよう。

エ ✗ 「掲示しなければならない」➡「そのような規定はない」

管理組合に管理者等が設置されていない場合、管理業者は、当該管理組合の事業年度終了後、一定の場合を除き、遅滞なく、区分所有者等に管理事務に関する報告をしなければならない（マンション管理適正化法77条2項、施行規則89条）。「管理事務報告書を区分所有者等の見やすい場所に掲示」する規定はない（89条3項参照）。

したがって、不適切なものは**ア・ウ・エ**の三つであり、正解は肢**3**となる。

 講師からのアドバイス ・・・・・・・・・・・・・・・・・・・・・・・・・・・・・・

【**ア**について】「管理業者の**秘密保持**義務」に関する**ひっかけ論点**である。【**ウ・エ**について】「主任者の**記名**が必要なケース」「管理事務の**報告**」に関する**ひっかけ論点**で、しばらく出題されていないので、整理しておこう。【**イ**について】「**管理事務**」の定義に関する論点であり、正確に覚えておこう。

問49 **正解 4** **管理適正化法**（管理業者の登録）　**難易度 B**

適切なものを◯、不適切なものを✗とする。

ア ◯ 更新の登録がされたときのその登録の有効期間は、従前の登録の有効期間の満了日の翌日から起算する（マンション管理適正化法44条5項）。

イ ◯ 国・地方公共団体（都道府県・市町村）には、マンション管理業に関する規定が適用されないので、管理業者登録簿に登録を受けることなく、マンション管理業を営むことができる（90条）。

ウ ◯ マンション管理業に関し、成年者と同一の行為能力を有しない未成年者で、その法定代理人が、禁錮以上の刑（本肢では懲役3年）に処せられ、その執行を終わり、又は執行を受けることがなくなった日から2年を経過しないものは、管理業の登録を受けることはできない（47条9号・5号）。

エ ◯ 管理業者が法人である場合、その「役員の氏名」は登録事項であるから、これに変更を生じたときは、管理業者は、その日（退任・選任）から30日以内に、国土交通大臣に変更の届出をしなければならない（48条1項、45条1項3号）。

「役員の住所」は登録事項ではないので、変更を生じたときでも、変更の届出は不要である。

したがって、適切なものは**ア〜エ**の四つであり、正解は肢**4**となる。

講師からのアドバイス

【**ア**について】管理業者の**登録の有効期間**は継続していなければ不都合なので、従前の登録の有効期間の満了日の翌日から起算する。【**イ・ウ**について】「管理業に関する**適用除外**」「管理業の**登録欠格事項**」に関する論点である。【**エ**について】登録事項の**変更届出**に関する論点で、**定期的に出題**されるので、整理しておこう。

問50 正解 **2** 管理適正化法（総合） 難易度 **B**

適切なものを◯、不適切なものを✕とする。

ア ✕ 「10万円以下の罰金に処せられる」➡「罰則の対象外である」

管理業務主任者は、管理業務主任者証の亡失によりその再交付を受けた後において、亡失した管理業務主任者証を発見したときは、速やかに、発見した管理業務主任者証を国土交通大臣に返納しなければならない（マンション管理適正化法施行規則77条4項）。この返納義務に違反したときでも、罰金等の対象外である。

 管理業務主任者は、その**登録を消除**されたとき、又は**管理業務主任者証がその効力を失った**ときに返納する必要があるが、その義務に違反したときは、**10万円以下の過料**に処せられる（マンション管理適正化法113条2号、60条4項）。

イ ◯ 未成年者が登録の申請をするときは、その**法定代理人の氏名及び住所**（法定代理人が法人である場合、その商号又は名称及び住所並びにその役員の氏名）を記載した申請書を提出しなければならない（45条1項4号）。

ウ ◯ 2以上の区分所有者が存する建物で、人の居住の用に供する専有部分のあるものであれば、本肢のような**木造平屋建て**であっても**マンションに該当する**（2条1号イ）。したがって、本肢の場合、登録を受けた管理業者は、信義を旨とし、誠実にその業務を行わなければならない（2条8号、70条）。

エ ✕ 「罰則の対象となる」➡「努力義務であり、罰則の対象とはならない」

区分所有者等（マンションの定義に該当する建物の区分所有者並びに土地及び附属施設の所有者をいう）は、マンションの管理に関し、管理組合の一員としての役割を適切に果たすよう「**努めなければならない**」（5条2項、2条2号）。

したがって、不適切なものは**ア・エ**の二つであり、正解は肢**2**となる。

講師からのアドバイス ・・・

【**ア**について】管理業務主任者証の**返納**義務で、**10万円以下の過料**の対象となるケースを整理しておこう。【**エ**について】区分所有者等の努力義務であり、**近年の改正論点**であるので、確認しておこう。

令和6年度管理業務主任者模擬試験

解答・解説

第 2 回

 合格ライン **35**点

 レベル （標準）

＊正解・出題項目一覧＆あなたの成績診断

＊解答・解説

【第2回】
正解・出題項目一覧 & あなたの成績診断

【難易度】 A…やや易 得点かせぎ B…普通 合否の分かれ目 C…難 難問

問	項　目	正解	難易度	☑	問	項　目	正解	難易度	☑
1	民法・判例（共有）	3	C	☐☐	26	区分所有法（共用部分）	1	B	☐☐
2	民法（契約総合）	4	C	☐☐	27	標準管理規約（共用部分に係る工事）	3	A	☐☐
3	民法（代理）	3	A	☐☐	28	標準管理規約（役員）	3	A	☐☐
4	民法（連帯債務）	3	A	☐☐	29	民法（賃貸借）	3	B	☐☐
5	標準管理委託契約書（宅建業者への情報開示）	1	A	☐☐	30	民法（相続）	1	A	☐☐
6	標準管理委託契約書（解約等）	1	B	☐☐	31	区分所有法・標準管理規約（集会）	4	A	☐☐
7	標準管理委託契約書（管理組合の職務）	3	A	☐☐	32	区分所有法（敷地・規約敷地）	3	A	☐☐
8	標準管理委託契約書（管理業者の報告等）	2	B	☐☐	33	区分所有法（規約）	1	B	☐☐
9	標準管理規約（駐車場）	4	A	☐☐	34	区分所有法（管理組合法人）	2	A	☐☐
10	標準管理規約（会計）	1	A	☐☐	35	標準管理規約（理事会）	2	A	☐☐
11	管理組合の会計（貸借対照表）	3	A	☐☐	36	標準管理規約（閲覧請求）	4	B	☐☐
12	管理組合の会計（仕訳）	4	A	☐☐	37	区分所有法（判例文）	1	B	☐☐
13	管理組合の会計（仕訳）	3	B	☐☐	38	管理費の滞納処理（少額訴訟）	2	B	☐☐
14	建築基準法（単体規定）	1	A	☐☐	39	管理費の滞納	2	A	☐☐
15	消防法（消防用設備等）	3	B	☐☐	40	品確法	4	A	☐☐
16	鉄筋コンクリート造	1	B	☐☐	41	消費者契約法	1	B	☐☐
17	バリアフリー法	3	B	☐☐	42	アフターサービス	1	A	☐☐
18	各種の法令	3	B	☐☐	43	民法・宅建業法（契約不適合責任）	4	B	☐☐
19	建築設備総合	2	B	☐☐	44	借地借家法（定期借家権）	1	B	☐☐
20	給水設備	4	A	☐☐	45	宅建業法（重要事項の説明）	4	A	☐☐
21	給排水設備	1	B	☐☐	46	管理適正化基本方針	2	B	☐☐
22	長期修繕計画作成ガイドライン	2	B	☐☐	47	管理適正化法（管理業務主任者）	2	A	☐☐
23	長期修繕計画作成ガイドライン	4	B	☐☐	48	管理適正化法（管理業者の登録等）	4	B	☐☐
24	長期修繕計画作成ガイドライン	3	C	☐☐	49	管理適正化法（定義）	1	A	☐☐
25	修繕積立金ガイドライン	2	B	☐☐	50	管理適正化法（総合）	3	B	☐☐

■ 難易度別の成績

A ランク…　　　　問／23問中

B ランク…　　　　問／24問中

C ランク…　　　　問／3問中

★**A・B**ランクの問題はできる限り得点しましょう！

■ 総合成績

合　計
50問中の正解
点

★この回の正答目標は
35点です!!

問1　正解 3　民法・判例（共有）　難易度 C 難！問

適切なものを〇、不適切なものを✕とする。

ア ✕　「Cの承諾は不要」

共有物の管理に関する事項は、各共有者の持分の価格に従い、その過半数で決する（民法252条1項前段）。この共有物の管理に関する事項の決定は、共有物を使用する共有者があるときでも行うことができる（同後段）。したがって、ＡＢ間で甲の管理に関する事項として、その使用者をＡと決定した場合、Ａは、甲の明渡しをＣに請求することができる。そして、Ｃは、甲をＡ及びＢに無断で使用しているので、Ａ及びＢの決定は、Ｃに「特別の影響を及ぼすべきとき」には該当しないので、その承諾は不要である（同3項）。

 各共有者の持分割合は、共有が当事者の意思に基づいて発生する場合には、当事者の合意によって決定されるが、持分の割合が明らかとならないときは、持分は等しいものと推定される（250条）。

イ 〇　各共有者は、共有目的物の不法占有者に対して、保存行為として、単独で共有物全部の返還を請求することができる（252条4項・判例）。

ウ 〇　各共有者の持分の価格に従い、その過半数の決定により、共有物に関する管理を行う管理者を選任することができる（252条1項かっこ書）。

エ 〇　共有者が他の共有者を知ることができず、又はその所在を知ることができないときは、裁判所は、共有者の請求により、当該他の共有者以外の他の共有者の同意を得て共有物に変更を加えることができる旨の裁判をすることができる（251条2項）。

したがって、適切なものは、**イ〜エ**の三つであり、正解は肢**3**となる。

 講師からのアドバイス

令和5年施行の民法改正により、共有に関する規定には、多くの変更点がある。**改正された部分は出題の確率が高い**ので、しっかり準備しておこう。

問2　正解 4　民法（契約総合）　難易度 C 難！問

最も適切なものを〇、不適切なものを✕とする。

1 ✕　「Bは、…契約の解除をすることができる」➡「できない」

債務者に帰責事由がない場合でも、債権者は契約を解除することができるが（民

法541条、542条）、債権者に帰責事由がある場合には、契約の解除をすることはできない（543条）。

 債権者が受領を**遅滞している間**に生じた**履行不能**は、当事者双方に帰責事由がない場合でも、**債権者の帰責事由**に基づくものとみなされる（413条の２第１項）。

2　✕　「**契約をした目的を達することができない期日の徒過**は、**無催告解除できる**」

契約の性質又は当事者の意思表示により、特定の日時又は一定の期間内に履行をしなければ契約をした目的を達することができない場合において、債務者が履行をしないでその時期を経過したときは、債権者は、履行の催告をすることなく、直ちにその契約の解除をすることができる（542条１項４号）。

3　✕　「**債務者が履行を拒絶する意思を明確に表示した場合**、**無催告で解除できる**」

債務者がその債務の全部の履行を拒絶する意思を明確に表示した場合には、債権者は、催告をすることなく、直ちに契約を解除できる（524条１項２号）。

4　◯　契約の目的物が当事者双方の責めに帰することができない事由によって滅失し、債務を履行することができなくなったときは、債権者は、反対給付の履行を拒むことができる（536条１項）。本肢の場合、債権者は代金の支払いを拒むことができる。

講師からのアドバイス

債務者に帰責事由がなくても、債権者は、契約を解除することにより、代金債務を確定的に消滅させることもできるが、**債権者に帰責事由がある場合**には、**解除できないこと**を覚えておこう（543条）。

問3 **正解3** **民法**（代理）　　　　　　難易度 Ⓐ

適切なものを◯、最も不適切なものを✕とする。

1　◯　代理人が自己又は第三者の利益を図る目的で代理権の範囲内の行為をした場合において、相手方がその目的を知っていたか、又は知ることができたときは、代理人のした行為は、無権代理行為となる（民法107条）。そして、無権代理行為の相手方は、悪意であっても、本人に対して、追認するかどうかを確答すべき旨の催告をすることができる（114条）。

 無権代理人がした契約は、**本人が追認しない間**は、**相手方が取り消すことができる**が、契約の時において無権代理であることを**知っていたとき**は、取り消すことが**できない**（115条）。

2　◯　復代理人は、その権限の範囲内において、本人に対して、代理人と同一の権利を

有し、義務を負うが（106条2項）、**復代理人の代理権は、代理人の代理権を基礎としているので、代理人の代理権が消滅すると復代理人の代理権も消滅する**。

3 ✗ 「被保佐人も任意代理人となることができる」

代理行為の効果はすべて本人に帰属し、代理人に何ら不利益を及ぼすものではなく、また、本人も代理人が制限行為能力者であることを知って代理権を授与しているのであるから、**代理人は、行為能力者であることを要しないとされている**（102条本文）。したがって、被保佐人であっても、代理人に選任することができる。

4 ○ 任意代理人は、①本人の許諾を得た場合、又は②やむを得ない事由がある場合に**復代理人を選任することができる**（104条）。任意代理人と本人との関係が信頼関係で成り立っていること、受任者はいつでも辞任できることから（651条1項）、任意代理においては、復代理人を選任できる場合は限定されている。

> **学習の指針**
>
> 代理に関しては、本人、代理人、相手方の**権利**や**義務**について、整理しておこう。

問4 **正解 3** **民法（連帯債務）** 難易度 **Ⓐ** 得点すべし!!

最も適切なものを**○**、不適切なものを**✗**とする。

1 ✗ 「法定利息を請求できない」➡「請求できる」

連帯債務者の一人が弁済をし、その他自己の財産をもって共同の免責を得たときは、その連帯債務者は、その免責を得た額が自己の負担部分を超えるかどうかにかかわらず、他の連帯債務者に対し、その免責を得るために支出した財産の額（その財産の額が共同の免責を得た額を超える場合にあっては、その免責を得た額）のうち各自の**負担部分に応じた額の求償権を有する**（民法442条1項）。したがって、Aは、支出した30万円について、B及びCに対して負担部分に応じて10万ずつ請求することができる。そして、この求償は、弁済の日以後の**法定利息及び避けることのできなかった費用その他の損害の賠償を包含する**（同2項）。したがって、Aは、B及びCに対して法定利息を請求することもできる。

2 ✗ 「B及びCの債務は完全に有効に成立する」

連帯債務者の一人について法律行為の無効又は取消しの原因があっても、他の連帯債務者の債務は、その効力を妨げられない（437条）。連帯債務は本来別個独立の債務であり、その成立原因も個別的に扱うのが当事者の意思に合致するからである。したがって、Aが錯誤によりDに対する連帯債務を負担していた場合、Aの債務は取り消しうるものとなるが（95条1項）、BおよびCの債務は完全に有効に成立し、影響を受けない。

3 ◯ 連帯債務者の中に**償還をする資力のない者があるとき**は、その償還をすることができない部分は、求償者及び他の資力のある者の間で、**各自の負担部分に応じて分割して負担**する（444条1項）。したがって、Bが無資力であるときは、Bが償還できない50万円をAとCで25万円ずつ分割して負担することになる。したがって、Aは、Cに対して、本来の負担部分50万円に25万円を加えた75万円の限度で求償することができる。

 償還を受けることができないことについて**求償者に過失があるとき**は、他の連帯債務者に対して**分担を請求できない**（444条3項）。

4 ✕ 「Dは、150万円全額の支払を請求できる」
債務の目的がその性質上可分である場合において、法令の規定又は当事者の意思表示によって数人が連帯して債務を負担するときは、**債権者は、その連帯債務者の一人に対し、又は同時に若しくは順次に全ての連帯債務者に対し、全部又は一部の履行を請求することができる**（436条）。したがって、Dは、Aに対して、50万円の限度ではなく、150万円全額の支払を請求することができる。

👉 **講師からのアドバイス**

連帯債務は手薄になりがちな分野であるが、**連帯保証に関連してその知識が問われる**ことがあるので、一緒に整理しておくようにしよう。

問5 **正解 1** **標準管理委託契約書**
（宅建業者への情報開示） 難易度 **A**

最も適切なものを◯、不適切なものを✕とする。

1 ◯ 「当該組合員の負担に係る**管理費・修繕積立金等の月額・滞納額**」は、書面をもって、又は電磁的方法により開示する事項である（標準管理委託契約書15条1項、別表第5の5①②）。

2 ✕ 「専有部分も含めて」➡「専有部分は除かれる」
「共用部分の修繕の実施状況」は、書面をもって、又は電磁的方法により開示する事項である（15条1項、別表第5の8②）。

3 ✕ 「含まれない」➡「含まれる」
「管理費等の改定の予定・修繕一時金の徴収の予定・大規模修繕の実施予定」は、開示する情報に含まれる（15条1項、別表第5の6（3）①～③、8③）。

4 ✕ 「すべての範囲」➡「管理委託契約書に定める範囲」
管理業者が提供・開示できる範囲は、原則として**管理委託契約書に定める範囲**となる（15条関係コメント②）。

本契約書に定める**範囲外の事項**については、組合員又は管理組合に**確認するよう求めるべきである**（同コメント②）。

 講師からのアドバイス ‥‥‥‥‥‥‥‥‥‥‥‥‥‥‥‥‥‥‥‥‥‥

宅建業者への情報開示は、実務においてもよく出る内容である。本問をきっかけとして、**開示できる事項**を確認しておこう。

問6 **正解1** **標準管理委託契約書**（解約等）　難易度 **B**

適切なものを◯、不適切なものを✕とする。

ア ✕　「損害賠償を請求することはできない」➡「損害賠償を請求することができる」
管理組合及び管理業者は、その相手方が、管理委託契約に定められた義務の履行を怠った場合は、相当の期間を定めてその履行を催告し、相手方が当該期間内に、その義務を履行しないときは、契約を解除することができる。この場合、管理組合及び管理業者は、その相手方に対し、損害賠償を請求することができる（標準管理委託契約書20条1項）。

イ ✕　「催告を行った上で」➡「催告を要せずに」
管理業者が、マンション管理業の登録取消しの処分を受けた場合は、管理組合は催告を要せずに、管理委託契約を解除できる（20条4号）。

 管理業者が**銀行取引を停止されたとき**・**法的倒産手続等を開始したとき**・**合併等で解散したとき**も、管理組合は**催告を要せずに解除**できる（同1～3号）。

ウ ◯　管理組合又は管理業者は、その相手方に対し、少なくとも3ヵ月前に書面で解約の申入れを行うことにより、管理委託契約を終了させることができる（21条）。

エ ✕　「会社更生、民事再生の申立てをしたときも解除することができる」
管理組合又は管理業者の一方について、破産手続、会社更生手続、民事再生手続その他法的倒産手続開始の申立て、若しくは私的整理の開始があったときは、その相手方は、何らの催告を要せずして、本契約を解除することができる（20条2項2号）。

したがって、適切なものは**ウ**の一つであり、正解は肢**1**となる。

【**イ**と**ウ**について】無催告で解除できる場合（**イ**）と、解約申し入れの３ヵ月という数字（**ウ**）を確実に押さえておこう。

問7 **正解 3** **標準管理委託契約書**（管理組合の職務） 難易度

適切なものを**○**、最も不適切なものを**✕**とする。

1 ○ 管理組合は、管理業者に管理事務を行わせるために不可欠な**管理事務室、管理用倉庫、清掃員控室、器具、備品等**を**無償で使用させる**ものとする（標準管理委託契約書７条１項）。

 管理事務室等の**資本的支出**が必要となった場合の負担については、別途、管理組合及び管理業者が**協議して決定**することになる（７条関係コメント③）。

2 ○ 管理委託契約に基づく管理組合の管理業者に対する**管理事務に関する指示**については、法令の定めに基づく場合を除き、**管理組合の管理者等又は管理組合の指定する管理組合の役員**が管理業者の使用人その他の従業者のうち、管理業者が指定した者に対して行うものとする（８条）。

3 ✕ 「書面をもって」 ➡ 「書面による必要はない」
管理組合又は管理業者は、マンションにおいて滅失、き損、瑕疵等の事実を知った場合においては、**速やかに**、その状況を相手方に**通知**しなければならない（13条１項）。したがって、この場合の通知においては、**書面によることは要求されていない**。

4 ○ 組合員等で生じたトラブルについては、組合員等で解決することが原則であるが、管理組合が**マンションの共同利益を害する**と判断した場合、管理組合で対応することとなる（９条関係コメント⑤）。

 講師からのアドバイス

【肢**2・4**について】これらの肢の内容は令和５年の**改正**により追加されたので、本問を通じて確実に押さえておこう。

問8 **正解 2** **標準管理委託契約書**（管理業者の報告等） 難易度

適切なものを**○**、不適切なものを**✕**とする。

ア ○ 管理業者は、災害又は事故等の事由により、管理組合のために、**緊急に行う必要がある業務**で、**管理組合の承認を受ける時間的な余裕がないもの**については、管理組合の承認を受けないで実施することができる。この場合、管理業者は、速やかに、**書面**をもって、その業務の内容及びその実施に要した費用の額を管理組合に**通知**しなければならない（標準管理委託契約書9条1項）。

イ ✕ 「管理業務主任者をして報告をさせる必要はない」

管理業者は、管理組合の組合員が管理費等を滞納したときは、電話もしくは自宅訪問又は督促状の方法により、その支払の督促を行い、毎月、管理組合の組合員の管理費等の**滞納状況**を、管理組合に**報告**する（別表第1の1（2）②一・二）。したがって、滞納状況を管理組合に報告を行うのは管理業者であり、管理業務主任者に行わせる必要はない。

ウ ○ 管理業者は、管理組合の事業年度終了後、管理組合と合意した期限内に、当該年度における**管理事務の処理状況及び管理組合の会計の収支の結果を記載した書面**を管理組合に交付し、**管理業務主任者をして、報告をさせなければならない**（10条1項、同関係コメント①）。

エ ✕ 「管理業務主任者をして、報告をさせなければならない」
➡ 「管理業者が報告を行い、管理業務主任者に報告をさせる必要はない」

管理業者は、管理組合から請求があるときは、**管理事務の処理状況及び管理組合の会計の収支状況**について、報告を行わなければならない（10条3項）。この報告は、**管理業務主任者にさせる必要はない**。

 この報告を行う場合、管理組合は管理業者に対し、管理事務の処理状況及び管理組合の会計の収支に係る**関係書類の提示**を求めることができる（同4項）。

したがって、適切なものは**ア・ウ**であり、正解は肢**2**となる。

 講師からのアドバイス

【**イ～エについて**】報告義務については、**管理業務主任者に報告させなければならないかどうか**という違いを確実に押さえておこう。

問9 **正解 4** **標準管理規約**（駐車場） 難易度 **A**

最も適切なものを○、不適切なものを✕とする。

1 ✕ 「必ず車両の保管責任を負わなければならない」 ➡ 「負うわけではない」

車両の保管責任については、管理組合が「負わない」旨を駐車場使用契約又は駐車場使用細則に規定することが望ましい（標準管理規約15条関係コメント⑥）。

2 ✕ 「効力を失わない」 ➡ 「失う」

区分所有者がその所有する専有部分を、他の区分所有者又は第三者に譲渡又は貸与したときは、その区分所有者の駐車場使用契約は効力を「失う」（15条3項）。

3 ✕ 「明文規定がなければ解除することはできない」

駐車場使用細則、駐車場使用契約等に、管理費、修繕積立金の滞納等の規約違反の場合は、契約を解除できるか又は次回の選定時の参加資格をはく奪することができる旨の「規定を定めることもできる」（15条関係コメント⑦）。したがって、上記のような明文規定がない場合には、管理組合は駐車場使用契約を解除することはできない。

4 ◯ 管理組合は、駐車場について、特定の「区分所有者」に駐車場使用契約により**使用させる**ことができるが（15条1項）、区分所有者がその所有する専有部分を、他の区分所有者又は第三者に譲渡又は**貸与**したときは、その区分所有者の駐車場使用契約は効力を「失う」（同3項）。結果として、**賃借人等の占有者**は駐車場を**使用することができない**ため、使用できるようにするためには、上記規定を**改正**する必要がある。

講師からのアドバイス

　【肢1～3について】駐車場に関する**頻出論点**である。**【正解肢4について】**規約の改正の要否を問う問題については、**標準管理規約とコメントの文言に反するか否か**で判断することがポイントである。

問10 **正解 1** **標準管理規約（会計）** 難易度 **A** 得点すべし!!

最も適切なものを◯、不適切なものを✕とする。

1 ◯ 理事長は、毎会計年度の収支決算案を監事の会計監査を経て、通常総会に報告し、その承認を得なければならない（標準管理規約59条）。

2 ✕ 「請求することができる」 ➡ 「請求することはできない」

組合員は、納付した管理費等及び使用料について、その返還請求又は分割請求をすることができない（60条6項）。

3 ✕ 「理事会の決議」 ➡ 「総会の普通決議」

使用細則等の設定・変更・廃止を行う場合には、総会の普通決議を得なければならない（48条1号、47条2項）。

 使用細則については、総会の普通決議で設定等が可能だが、**規約の場合は特別多数決議**が必要になる点に注意しよう（47条3項1号）。

4 ✕ 「管理費の借入れを認める規定は存在しない」

標準管理規約には、**管理費**が不足した場合に借入れを認める規定は存在しない。この場合は、管理組合が組合員に対して、管理費等の負担割合により、その都度必要な金額の負担を求めることができる（61条2項）。

 上記に対して、**修繕積立金**の業務を行うため必要な範囲においては、その都度**総会の決議**を得て、**借入れができる**（63条）。

 **講師からのアドバイス** ・・・・・・・・・・・・・・・・・・・・・・・・・・・・・・・・・・・・・・・

【正解肢1・肢4について】毎会計年度の**収支決算案**を監事が**会計監査**すること（会計担当理事が会計監査をするわけではない点に注意）、**管理費の借入れを認める規定は存在しない**（修繕積立金の場合には63条に規定がある）ことは、それぞれ混乱しやすい事項であるので注意しよう。

問11 **正解3** **管理組合の会計**（貸借対照表） 難易度

まず、（A）は「資産の部」に計上される勘定科目であるから、将来的に役務を受ける権利を表す「**前払金**」が該当する。

そして、**資産の部**の合計が1,000,000であるので、1,000,000から現金預金500,000、未収入金300,000を減じる。よって、「**200,000**」が前払金の額となる。

 貸借対照表の空白と選択肢の各科目を**見比べながら**検討していこう。

次に、（B）は「負債の部」に計上される勘定科目であるから、将来的に返還すべき義務のある金銭を表す「**預り金**」が該当する。

そして、**負債の部**及び**繰越金の部**の合計が1,000,000であるので、1,000,000から未払金200,000、仮受金100,000、次期繰越剰余金400,000を減じる。よって、「**300,000**」が未払金の額となる。

したがって、（A）には「**前払金 200,000**」、（B）には「**預り金 300,000**」が入るので、最も適切なものは、肢**3**となる。

 講師からのアドバイス ・・・・・・・・・・・・・・・・・・・・・・・・・・・・・・・・・・・・・・・

「**預り金**」は「**敷金**」が典型例である。預かった敷金は**後で返還する義務**があるので、**負債の勘定科目**となる。また、本試験では、駐車場使用者から交付された「**敷金**」を「**預り金**」として仕訳させるのが定番である。昨年度の仕訳の問題（令和5年度問13）でも同様の出題がされている。

発生主義に基づき、以下、取引内容について検討する。

①エレベーター修繕工事は3月1日に完了したので、「修繕費」を「借方」に計上する。そして、3月31日には、代金の半額100万円を普通預金から支払ったため、「貸方」に「普通預金」100万円を計上する。また、残額100万円については、4月末日に支払う予定としたので、負債科目である「未払金」を「貸方」に計上する。よって、3月には次の仕訳を行う。

（単位：円）

（借　方）		（貸　方）	
修繕費	2,000,000	未払金	1,000,000
		普通預金	1,000,000

②大規模修繕工事の代金総額300万円のうち200万円を3月31日に支払っているため、前年度（令和4年度）に前払いした額は100万円である。この100万円については、前年度において「借方」に「前払金」として計上し、「貸方」には、資産の減少として、「普通預金」100万円を計上している。よって、前年度には次の仕訳がされている。

（単位：円）

（借　方）		（貸　方）	
前払金	1,000,000	普通預金	1,000,000

その後、大規模修繕工事は3月1日に完了したので、3月には、「修繕費」300万円を「借方」に計上する。そして、3月31日に工事代金の残額200万円を普通預金から支払っていることから、「貸方」には、資産の減少として、「普通預金」200万円を計上する。さらに、前年度に借方に計上していた「前払金」を「貸方」に計上して取り崩す。よって、3月には次の仕訳を行う。

（単位：円）

（借　方）		（貸　方）	
修繕費	3,000,000	普通預金	2,000,000
		前払金	1,000,000

③3月中には、まだ防犯カメラの設置工事は完了していないため、什器備品を計上することはできない。一方、3月1日に、代金の一部20万円を普通預金から支払っているため、「借方」に「前払金」20万円を計上し、「貸方」に「普通預金」20万円を計上する。よって、3月には次の仕訳を行う。

なお、本件工事は4月1日に開始される予定であるから、3月には他に計上すべき項目はない。

（単位：円）

（借　方）		（貸　方）	
前払金	200,000	普通預金	200,000

以上の①～③をまとめると、次のような仕訳となる。

（単位：円）

（借　方）		（貸　方）	
修繕費	5,000,000	未払金	1,000,000
前払金	200,000	普通預金	3,200,000
		前払金	1,000,000

したがって、最も適切なものは、肢**4**となる。

 講師からのアドバイス

　本問は出金に関して複数の仕訳が必要であり、時間不足に陥るおそれがある。**仕訳ごとに頭を切り換えてテキパキと処理する**ことを心掛けていただきたい。

問13　**正解 3**　**管理組合の会計**（仕訳）　難易度 **B**

発生主義に基づき、以下、取引内容について検討する。

（1）まず、令和6年3月に、組合員から管理組合の普通預金に300万円の入金があったので、資産の増加として、借方に「**普通預金**」300万円を計上する。

（2）次に、入金の内訳に基づき貸方を検討する。

　①2月以前分については、**管理費28万円及び修繕積立金15万円**が、それぞれ未収であったので、2月の時点においては次の仕訳がされている。

（単位：円）

（借　方）		（貸　方）	
未収入金	430,000	管理費収入	280,000
		修繕積立金収入	150,000

　その後、3月になって、この未収分が入金されたため、資産の減少として、貸方に「**未収入金**」43万円を計上して取り崩す。よって、3月には次の仕訳を行う。

（単位：円）

（借　方）		（貸　方）	
普通預金	430,000	未収入金	430,000

 2月以前分については、2月に計上されていた**未収入金を取り崩す**のがポイントである。

　②3月には、3月分の管理費60万円が入金されているが、20万円の未収分があるため、**入金分と未収分の合計80万円を貸方に「管理費収入」**(収入科目）として計上する。

一方、入金された3月分の修繕積立金（40万円）と未収分（10万円）については、あわせて貸方に「修繕積立金収入」（収入科目）として50万円を計上する。

さらに、未収分の管理費（20万円）と修繕積立金（10万円）の合計額30万円を、あわせて「未収入金」（資産科目）として借方に計上する。

③4月分の管理費収入は、3月にはまだ発生していないため、「管理費収入」（収入科目）として計上できない。同様に、4月分の修繕積立金は、3月にはまだ発生していないため、「修繕積立金収入」（収入科目）として計上できない。よって、受け取った157万円（92万円＋65万円）については、収入科目として計上する4月までは「負債の増加」として、貸方に「前受金」157万円を計上する。

（単位：円）

（借　方）		（貸　方）	
普通預金	1,570,000	前受金	1,570,000

 4月分については、**3月の時点ではまだ発生していないため、前受金として計上する。**

（3）以上を整理すると、次の仕訳となる。

（単位：円）

（借　方）		（貸　方）	
普通預金	3,000,000	未収入金	430,000
未収入金	300,000	管理費収入	800,000
		修繕積立金収入	500,000
		前受金	1,570,000

したがって、**最も適切なものは、肢3**となる。

 講師からのアドバイス

　本問の正解肢においては、**借方と貸方の両方に未収入金を計上している。**管理業務主任者試験では共通の項目を**相殺しないまま**出題することがあるので、混乱しないように留意しておこう。

問14 **正解 1** **建築基準法**（単体規定）　　難易度 Ⓐ

1 ✕ 「壁、天井及び床」➡「壁及び天井」

一定の特殊建築物（共同住宅）、階数が3以上である建築物、政令で定める窓その他の開口部を有しない居室を有する建築物、延べ面積が1,000㎡をこえる建築物又は建築物の調理室、浴室その他の室でかまど、こんろその他火を使用する設備若しくは器具を設けたものは、政令で定めるものを除き、政令で定める技術的基準に従って、その**壁及び天井**（天井のない場合においては、屋根）の室内に面する部分の仕上げを防火上支障がないようにしなければならない（建築基準法35

条の２）。しかし、この規制の対象に「床」は含まれない。

2 ○ 長屋又は共同住宅の各戸の界壁は、**小屋裏又は天井裏に達するもの**としなければならないが、天井の構造が、隣接する住戸からの**日常生活に伴い生ずる音を衛生上支障がないように低減する**ために天井に必要とされる性能に関して政令で定める技術的基準に適合するもの等の一定の要件を満たすもので、国土交通大臣が定めた構造方法を用いるもの又は国土交通大臣の認定を受けたものである場合においては、**小屋裏又は天井裏に達する必要がない**（30条）。

3 ○ 共同住宅の居室には、原則として、**採光のための窓その他の開口部**を設け、その採光に有効な部分の面積は、その居室の床面積に対して**7分の1以上**としなければならない（28条1項）。そして、**照明設備の設置**等の措置が講じられている場合、**7分の1から10分の1の範囲内**で国土交通大臣が定める割合以上としなければならない（施行令19条3項）。したがって、**7分の1未満**とすることも認められる。

> **令和5年の改正点**である。**照明設備等**の設置等の要件を満たすことで、採光に有効な部分の面積は、その居室の床面積に対して**10分の1以上**とすることが認められた。まだ出題されていない論点なので注意しよう。

4 ○ 住宅の居室、学校の教室、病院の病室又は寄宿舎の寝室で地階に設けるものは、壁及び床の**防湿の措置**その他の事項について衛生上必要な政令で定める技術的基準に適合するものとしなければならない（建築基準法29条）。その技術的基準の1つとして、「国土交通大臣が定めるところにより、**からぼり**その他の空地に面する開口部が設けられていること」及び「直接土に接する外壁、床及び屋根又はこれらの部分に水の浸透を防止するための**防水層を設けること**」がある（施行令22条の2第1号イ、2号イ（1））。

👉 **講師からのアドバイス**
建築基準法のやや細かい論点からの出題である。**繰り返し出題されている論点**なので、**重要な数字等**は注意しよう。

問15 **正解3** **消防法**（消防用設備等） 難易度 **B**

1 ✕ 「従前の規定が適用される」 ➡ 「新しい規定が適用される」
消防用設備等の技術上の基準に関する政令等の規定の施行又は適用の際、現に存する消防用設備等がこれらの規定に適合しないときは、従前の規定が適用されるのが原則であるが、**消火器、避難器具**その他政令で定めるものについては、従前の規定ではなく、**新しい規定が適用される**（消防法17条の2の5第1項）。

2 ✕ 「空気吹出し口から0.5m」 ➡ 「1.5m」

住宅用防災警報器等は、壁又ははりから0.6m以上離れた天井の屋内に面する部分、又は、天井から下方0.15m以上0.5m以内の位置にある壁の屋内に面する部分で、かつ、換気口等の空気吹出し口から、1.5m以上離れた位置も設ける必要がある（施行令5条の7第2項、住宅用防災機器の設置及び維持に関する条例の制定に関する基準を定める省令7条2号・3号）。

 住宅用防災警報器及び住宅用防災報知設備は以下の住宅の部分に設置が必要となる。①就寝の用に供する**居室** ②就寝の用に供する**居室が存する階**（避難階を除く）から**直下階に通ずる階段**（屋外に設けられたものを除く） ③上記①②に掲げるもののほか、居室が存する階において火災の発生を未然に又は早期に、かつ、有効に感知することが住宅における火災予防上特に必要であると認められる住宅の部分として総務省令で定める部分

3 ○ 停電時の非常電源として**自家発電設備**を用いる**屋内消火栓設備**は、有効に**30分間以上作動**できるものでなければならない（施行規則12条1項4号ロ（イ））。

4 ✕ 「設置しなければならない」 ➡ 「設置しないことができる」
住宅用防災警報器又は住宅用防災報知設備の設置が必要な住宅の部分にスプリンクラー設備又は自動火災報知設備を、一定の技術上の基準に従い設置したときは、当該設備の有効範囲内の住宅の部分について住宅用防災警報器又は住宅用防災報知設備を**設置しないことができる**（施行令5条の7第1項3号）。

👉 講師からのアドバイス ・・・・・・・・・・・・・・・・・・・・・・・・・・・・
住宅用防災警報器はマイナーな論点であるが、過去繰り返し出題された実績があるものなので、**数字や消防法の規制内容**等は押さえておこう。

問16 **正解 1** **鉄筋コンクリート造** **難易度 B**

最も適切なものを**○**、不適切なものを**✕**とする。

1 ○ コンクリート打込み中及び打込み後**5日間**は、原則として、コンクリートの温度が**2度を下らない**ようにし、かつ、乾燥、震動等によってコンクリートの凝結及び硬化が妨げられないように養生しなければならない（建築基準法施行令75条）。

2 ✕ 「5cm以上」 ➡ 「3cm以上」
鉄筋に対するコンクリートのかぶり厚さは、耐力壁、柱又ははりにあっては3cm以上としなければならない（79条1項）。

 かぶり厚さとは、**コンクリート面**から**鉄筋**までの**最小距離**をいう。

3 ✕ 「10倍以上」 ➡ 「40倍以上」

主筋又は耐力壁の**鉄筋の継手の重ね長さ**は、継手を構造部材における引張力の最も小さい部分以外の部分に設ける場合にあっては、原則として、**主筋等の径の「40倍」**以上としなければならない（73条2項）。

4 ✕ 「気温の低下が原因」➡「打ち継ぐ時間の間隔が過ぎたことが原因」

コールドジョイントは、コンクリートを打ち継ぐ時間の間隔が過ぎたことによって、前に打ち込まれたコンクリートの上に後から重ねて打ち込まれたコンクリートが**一体化せず**、打ち継いだ部分に**不連続な面が生じる**ことをいう。

👉 **講師からのアドバイス**

鉄筋コンクリート造の特徴は**頻出論点**である。確実に得点できるようにしよう。

問17 正解 **3** バリアフリー法 難易度 **B**

1 ✕ 「踊場を含め」➡「踊場を除き」

高齢者、障害者等に配慮するため、階段には、**踊場を除き**、手すりを設ける必要がある（バリアフリー法施行令12条1号）。

2 ✕ 「講じなければならない」➡「講ずるよう努めなければならない」

建築主等は、特定建築物（特別特定建築物を除く）の建築（用途の変更をして特定建築物にすることを含む）をしようとする場合、当該特定建築物を建築物移動等円滑化基準に適合させるために必要な措置を**講ずるよう努めなければならない**（バリアフリー法16条1項）。

3 ◯ 階段の表面は、**粗面**とし、又は**滑りにくい材料**で仕上げる必要がある（施行令12条2号）。

4 ✕ 「駐車施設を3以上設けなければならない」➡「1以上設けなければならない」

不特定かつ多数の者が利用し、又は主として高齢者、障害者等が利用する駐車場を設ける場合には、そのうち**1以上**に、車椅子使用者が円滑に利用することができる駐車施設を**1以上設けなければならない**（施行令17条）。

> **プラスα** バリアフリー法に規定する**駐車場の幅**は、**3.5m以上**としなければならないとしている。

 講師からのアドバイス

バリアフリー法は、**細かい数字**や**規制**から出題されることがある。**規制の趣旨**等を把握して理解できるようにしておこう。

適切なものを**〇**、最も不適切なものを**✕**とする。

1 〇 ①特殊建築物で安全上、防火上又は衛生上特に重要であるものとして政令で定めるもの又は②前記①の特殊建築物以外の特殊建築物その他政令で定める建築物で、特定行政庁が指定するものの**所有者又は管理者**は、その建築物の敷地、構造及び建築設備を常時適法な状態に維持するため、必要に応じ、その建築物の維持保全に関する準則又は計画を作成し、その他適切な措置を講じなければならない（建築基準法8条2項）。占有者は含まれていない。

 準則又は計画の作成が必要な共同住宅には、その用途に供する部分の床面積の合計が**100㎡を超える**もの（**200㎡以下**のものにあっては、**階数が3以上**のものに限る）が該当する。

2 〇 警備業者は、18歳未満の者を警備業務に従事させてはならない（警備業法14条2項）。

3 ✕ 「300人以上」➡「501人以上」
処理対象人員が**501人以上**の規模の浄化槽管理者は、その浄化槽の保守点検及び清掃に関する技術上の業務を担当させるため、原則として、**浄化槽管理士の資格を有する技術管理者**を置かなければならない（浄化槽法10条2項、施行令1条）。

4 〇 動物の所有者は、その所有する動物が自己の所有に係るものであることを明らかにするための措置として環境大臣が定めるものを講ずるように**努めなければならない**（動物の愛護及び管理に関する法律7条6項）。

👉 講師からのアドバイス

マイナー法令からの出題である。**マンションの管理に関係する法令**には目を通しておこう。

適切なものを**〇**、最も不適切なものを**✕**とする。

1 〇 受水槽方式の一つである**ポンプ直送方式**とは、タンクレスブースター方式ともいい、水道本管から分岐して引き込んだ水をいったん受水槽へ貯水した後、加圧（給水）ポンプで加圧して各住戸に給水する方式である。この方式では、流量が少ない時にポンプに負荷がかかりすぎて焼き切れるのを回避するため、一般に、小流量時用の圧力タンクが設けられる。

2 ✕ 「非常用の照明装置の設置義務がある」➡「設置は不要である」

一定の特殊建築物の居室、階数が3以上で延べ面積が500㎡を超える建築物の居室、窓その他の開口部を有しない居室又は延べ面積が1,000㎡を超える建築物の居室及びこれらの居室から地上に通ずる廊下、階段その他の通路（採光上有効に直接外気に開放された通路を「除く」）並びにこれらに類する建築物の部分で照明装置の設置を通常要する部分には、非常用の照明装置を設けなければならない（建築基準法施行令126条の4）。したがって、採光上有効に直接外気に開放された廊下等には非常用の照明装置は不要である。

 共同住宅の居室には非常用の照明装置の設置は**不要**である。

3 ◯ 一般住宅への配線方式には、**単相2線式**（電圧線と中性線の2本の線を利用するため、100Vのみ使用可）と**単相3線式**（3本の電線のうち、真ん中の中性線と上又は下の電圧線を利用すれば100V、中性線以外の上・下両方の電圧線を利用すれば200Vが利用可）がある。そして、近年の共同住宅では、200Vの電圧を供給できることから**単相3線式**が主流となっている。なお、この方式は、断線した場合の過電圧を防止するため、**中性線欠相保護機能付にすべき**とされている。

4 ◯ 給水立て主管から各階への分岐管には、**分岐点に近接した部分**で、かつ、**操作を容易にできる部分に止水弁を設けなければならない**。

マンションの設備については、繰り返し出題されている。どのような**仕組み**になっているか、**どこに用いられるものなのか**をイメージできるようにしよう。

問20 **正解 4** **給水設備** 難易度

最も適切なものを◯、不適切なものを✕とする。

1 ✕ 「70cm以上」➡「60cm以上」

飲料水用の受水槽を建築物の内部、屋上又は最下階の床下に設ける場合、原則として、**直径60cm以上**の円が内接することができるマンホールを設ける必要がある。

2 ✕ 「10分の1」➡「100分の1」

飲料用水槽底部には、**100分の1程度の勾配**を設け、最低部に設けたピット又は溝に水抜管を設置する必要がある。

 排水槽の底の勾配は、吸い込みピットに向かって**15分の1以上10分の1以下**としなければならない。

65

3 ✕ 「2.0〜3.0」 ➡ 「1.5〜2.0」

給水管でのウォーターハンマーを防止するために、管内流速が過大とならないように流速は**毎秒1.5〜2.0m以下**が標準とされている。

4 ◯ 飲料水の給水系統が他の系統と「**直接接続**」されることを「**クロスコネクション**」という。このような配管を行うと、逆流作用や逆サイホン作用を生じるおそれがあるので、汚染防止のため**禁止**されている。

> **講師からのアドバイス**
>
> マンホールの直径やウォーターハンマーを防止するための流速等、重要な数字が繰り返し出題されているので押さえておこう。

問21 **正解 1** **給排水設備** 難易度

適切なものを◯、不適切なものを✕とする。

ア ✕ 「10mm以上15mm以下」 ➡ 「50mm以上100mm以下」

封水深は、**50mm以上100mm以下**（阻集器を兼ねる排水トラップについては50mm以上）でなければならない（昭和50年告示1597号）。

> **プラスα** **封水深**とは、トラップの水底面頂部（**ディップ**）からあふれ面（**ウェア**）までの**深さ**のことをいう。

イ ◯ 破封とは、トラップ内の封水が破れる現象をいう。その原因は、排水立て管の通気性能不足に起因する**吸い出し・はね出し現象**や**自己サイホン・毛管現象**（毛細管現象）・蒸発などである。

ウ ◯ 通気管は、配管内の空気が屋内に漏れることを防止する装置（通気弁）を設けた場合を除き、**直接外気に衛生上有効に開放**しなければならない。

エ ◯ 「水質基準に関する省令（平成15年厚生労働省令101号）」では、水道水の水質基準として、**51の検査項目**が示されている。

したがって、**不適切なものはア**の一つであり、**正解は肢1**となる。

> **講師からのアドバイス**
>
> トラップ封水の論点は**頻出**である。重要数字は確実に覚えよう。【**エ**について】水質基準に関する省令は、過去**繰り返し出題**されている。非常に細かい内容が問われているが、基本的な論点は覚えておこう。

問22 正解 **2** 長期修繕計画作成ガイドライン 難易度 **B**

適切なものを〇、不適切なものを✕とする。

ア ✕ 「経常的な補修工事を適切に盛り込む」➡「経常的に行う補修工事を除く」
　　　推定修繕工事は、長期修繕計画において、計画期間内に見込まれる修繕工事及び
　　　改修工事をいう。補修工事は修繕工事に含まれるが、経常的に行う補修工事は除
　　　かれている。また、法定点検等の点検は、推定修繕工事に含まれない（長期修繕
　　　計画作成ガイドライン1章4第13号）。

イ ✕ 「棟の共用部分は対象とされない」➡「棟の共用部分も対象とされる」
　　　長期修繕計画の対象の範囲について、団地型のマンションの場合は、多様な所
　　　有・管理形態（管理組合、管理規約、会計等）があるが、一般的に、団地全体の
　　　土地、附属施設及び団地共用部分並びに各棟の共用部分を対象とする（2章1節
　　　2一）。

ウ 〇 修繕周期は、経済性等を考慮し、推定修繕工事の集約等を検討して設定する。し
　　　たがって、修繕周期の近い工事項目は、経済性等を考慮し、なるべくまとめて実
　　　施するように計画する（3章1節7）。

> 集約を**過剰**に行うと、修繕積立金が**一時的に不足する**ことにもつながるので、注意
> が必要である。

エ 〇 新築マンションの場合においては、分譲事業者が提示した長期修繕計画（案）と
　　　修繕積立金の額について、購入契約時の書面合意により分譲事業者からの引渡し
　　　が完了した時点で**決議したものとする**ことができる（2章2節1）。

　したがって、適切なものは、**ウ、エ**の二つであり、正解は肢**2**となる。

👆 講師からのアドバイス
　長期修繕計画作成ガイドラインの基本的な内容からの出題である。**用語の定義は正確に
覚えよう**。

問23 正解 **4** 長期修繕計画作成ガイドライン 難易度 **B**

適切なものを〇、最も不適切なものを✕とする。

1 〇 大規模修繕工事とは、建物の全体又は複数の部位について行う**大規模な計画修繕
　　　工事**（全面的な外壁塗装等を伴う工事）をいう（長期修繕計画作成ガイドライン
　　　1章4第15号）。

2 ◯ 長期修繕計画の作成に当たって、**推定修繕工事**は、建物及び設備の性能・機能を新築時と同等水準に維持、回復させる修繕工事を基本とする（2章1節2二①）。

3 ◯ 長期修繕計画の見直しを大規模修繕工事の中間の時期に単独で行う場合は、目視等による簡易な調査・診断を行うが、大規模修繕工事の直前又は直後に行う場合は、その基本計画を作成するために行う**詳細な調査・診断の結果による**（2章2節1）。

4 ✕ **「経済性は考慮しない」** ➡ **「経済性等を考慮する」**

修繕周期は、新築マンションの場合、推定修繕工事項目ごとに、マンションの仕様、立地条件等を考慮して設定する。また、既存マンションの場合、さらに建物及び設備の劣化状況等の調査・診断の結果等に基づいて設定する。設定に当たっては、**「経済性等を考慮し」**、推定修繕工事の集約等を検討する（3章1節7）。

長期修繕計画は、①建物及び設備の劣化の状況、②社会的環境及び生活様式の変化、③新たな材料、工法等の開発及びそれによる修繕周期、単価等の変動、④修繕積立金の運用益、借入金の金利、物価、工事費価格、消費税率等の変動等の不確定な事項を含んでいるので、**5年程度ごとに調査・診断を行い**、その結果に基づいて見直すことが必要である。

👉 **講師からのアドバイス** ･････････････････････････

長期修繕計画作成ガイドラインでは、**長期修繕計画の作成方法**やその**見直しの時期・見直しの内容**等に注意しよう。

問24 **正解 3** 長期修繕計画作成ガイドライン 難易度 **C**

適切なものを◯、不適切なものを✕とする。

ア ◯ 修繕工事を集約すると、**直接仮設や共通仮設の設置費用が軽減できる**などの経済的なメリットがあるが、集約を過剰に行うと、修繕積立金が一時的に不足することにもつながるので、注意が必要である（長期修繕計画作成ガイドライン3章第1節7）。

イ ◯ 長期修繕計画の作成に当たっては、その**目的、計画の前提**等、計画期間の設定、推定修繕工事項目の設定、修繕周期の設定、推定修繕工事費の算定、収支計画の検討、計画の見直し及び**修繕積立金の額の設定**に関する**考え方を示す**ことが必要である（3章1節4）。

ウ ◯ 長期修繕計画の見直しに当たっては、必要に応じて**専門委員会を設置**するなど、検討を行うために**管理組合内の体制を整える**ことが必要である（2章2節2）。

長期修繕計画の見直しや大規模修繕工事を成功させるためには、**理事会の諮問機関**として、維持管理に関する検討や実施のための継続性のある**専門委員会**を設けて、**経験や知識のある区分所有者**の参加を求めることが必要である。

エ ✕ 「材料費や仮設材のリース費等は、地域差が大きい」➡「小さい」

単価の地域差について、材料費や仮設材のリース費等については地域差がほとんどない。一方、労務費は一定の地域差がある（3章1節8二）。

したがって、適切なものは、**ア〜ウ**の三つであり、正解は肢**3**となる。

 講師からのアドバイス ••••••••••••••••••••••••••••••••••

【ウについて】長期修繕計画は、①建物及び設備の劣化の状況、②社会的環境及び生活様式の変化、③新たな材料、工法等の開発及びそれによる修繕周期、単価等の変動、④修繕積立金の運用益、借入金の金利、物価、工事費価格、消費税率等の変動等**不確定な事項**を含んでいるので、**見直しが必要**となる。

問25 **正解2** 修繕積立金ガイドライン **難易度Ⓑ**

最も適切なものを◯、不適切なものを✕とする。

1 ✕ 「管理組合は参考にすることができない」➡「管理組合も対象である」

ガイドラインは、主として新築マンションの購入予定者及びマンションの区分所有者・**管理組合向け**に、修繕積立金に関する基本的な知識や修繕積立金の額の目安を示し、修繕積立金に関する理解を深めてもらうとともに、修繕積立金の水準について判断する際の**参考資料として活用**してもらうことを目的に作成したものである（修繕積立金ガイドライン1）。

2 ◯ 近年の新築マンションでは、**錆びにくい材料**が多く使用されるようになってきており、金属部分の塗装に要する**修繕工事費は少なくて済むようになる傾向**がある（ガイドライン5）。

3 ✕ 「均等積立方式の方が望ましい」

段階増額積立方式など、将来の負担増を前提とする積立方式は、増額しようとする際に区分所有者間の合意形成ができず修繕積立金が不足する事例も生じていることから、将来にわたって安定的な修繕積立金の積立てを確保する観点からは、**均等積立方式が望ましい方式**といえる（ガイドライン4(1)）。

4 ✕ 「高くなる傾向にある」➡「低くなる傾向にある」

「修繕積立金の額の目安」において、専有床面積当たりの修繕積立金の額の平均値が記載されており、20階未満のマンションについての平均値は、建築延床面

積が5,000㎡未満のマンションより、20,000㎡以上のマンションの方が低くなる傾向にある（ガイドライン3（2）②）。

 プラスα 超高層マンション（一般に地上20階以上）は、外壁等の修繕のための特殊な足場が必要となるほか、**共用部分の占める割合が高くなる**。

 **講師からのアドバイス** ••••••••••••••••••••••••••••••••••••

　修繕積立金ガイドラインでは、**均等積立方式**と**段階増額方式**の特徴等を押さえておこう。

問26　正解1　区分所有法（共用部分）　　難易度

　規定されているものを◯、規定されていないものを✕とする。

ア ◯ 共用部分は、区分所有者全員の共有に属する（区分所有法11条1項本文）。ただし、これについては、規約で別段の定めをすることができる（同2項本文）。

 プラスα 規約による別段の定めとして、①共用部分又は一部共用部分を特定の区分所有者の所有とする旨の定め、②一部共用部分を区分所有者全員の共有とする旨の定め等が考えられる。

イ ✕ 「規約で別段の定めをすることができるとの規定はない」
各共有者は、共用部分をその**用方に従って使用することができる**（13条）。これについては、規約で別段の定めをすることを妨げない旨の規定はない。

ウ ◯ 共用部分の各共有者の持分は、その有する**専有部分の床面積の割合**による（14条1項）。ただし、これについては、規約で別段の定めをすることができる（同4項）。

 プラスα 規約による別段の定めとして、①床面積を**壁芯計算によるとする旨の定め**、②各区分所有者の**共有持分の割合自体を定める**等が考えられる。

エ ◯ 共用部分の管理に関する事項は、共用部分の重大変更の場合を除いて、集会の決議で決する（18条1項本文）。ただし、これについては、規約で別段の定めをすることができる（同2項）。

 プラスα 規約による別段の定めとして、①共用部分の狭義の管理については**管理者が決定する旨の定め**、②保存行為を各共用部分は**管理者を通じて行うとする旨の定め**等が考えられる。

　したがって、区分所有法に「規約で別段の定めをすることを妨げない」と規定されていないものは、**イ**のみであり、正解は肢**1**となる。

講師からのアドバイス ‥‥‥‥‥‥‥‥‥‥‥‥‥‥‥‥‥‥‥‥‥‥

設問自体は見慣れない形式であるが、内容は**基本的な区分所有法の条文**に関するものであるので、確実に正解できるようにしよう。

問27 **正解 3** **標準管理規約**（共用部分に係る工事）　難易度

総会の普通決議で実施できるものを**○**、総会の普通決議で実施できないものを**✕**とする。

ア ○ 実施できる（普通決議）

総会の議事は、出席組合員の議決権の過半数で決するのが原則である（「普通決議」標準管理規約47条2項）。しかし、敷地及び共用部分等の変更（その形状又は効用の著しい変更を伴わないもの及び建築物の耐震改修の促進に関する法律第25条第2項に基づく認定を受けた建物の耐震改修を除く）については、組合員総数の4分の3以上及び議決権総数の4分の3以上で決する（「特別多数決議」47条3項2号）。そして、**高置水槽等の撤去工事**は「**普通決議**」により、実施可能と考えられる（47条関係コメント⑥カ）。

イ ✕ 実施できない（特別多数決議）

集会室、駐車場、駐輪場の増改築工事などで、大規模なものや著しい加工を伴うものは「特別多数決議」により、実施可能と考えられる（47条関係コメント⑥カ）。**機械式駐車場を平置き駐車場にする工事**は、大規模で著しい加工を伴うため、「**特別多数決議**」が必要である。

ウ ○ 実施できる（普通決議）

防犯カメラ、防犯灯の設置工事は「**普通決議**」により、実施可能と考えられる（47条関係コメント⑥ウ）。

 防犯化工事に関し、オートロック設備を設置する際、配線を、空き管路内に通したり、建物の外周に敷設したりするなど共用部分の加工の程度が小さい工事も「**普通決議**」により、実施可能と考えられる。

エ ○ 実施できる（普通決議）

計画修繕工事に関し、鉄部塗装工事、外壁補修工事、屋上等防水工事、給水管更生・更新工事、照明設備、共聴設備、消防用設備、エレベーター設備の更新工事は「**普通決議**」で実施可能と考えられる（47条関係コメント⑥オ）。

したがって、普通決議で実施できるものは、**ア・ウ・エ**の三つであり、正解は肢**3**となる。

講師からのアドバイス •••

　本問のような問題は、**形状又は効用の著しい変更**を伴うかどうか、**大規模**なものや**著しい加工**を伴うものかどうかについて、**具体的に考える**のがポイントである。

問28 **正解 3** **標準管理規約**（役員） 難易度 **A**

最も適切なものを**○**、適切でないものを**✗**とする。

1 ✗ 「総会の決議によって解任された役員」
　　➡「任期の満了又は辞任によって退任する役員」
　　任期の満了又は辞任によって退任する役員は、後任の役員が就任するまでの間引き続きその職務を行う（標準管理規約36条3項）。

2 ✗ 「総会」➡「理事会」
　　役員が利益相反取引を行う場合には、**理事会**において、当該取引につき重要な事実を開示し、その承認を受けなければならない。（37条の2柱書）。したがって、総会ではなく、理事会で開示・承認が必要である。

　管理組合と理事長との利益が相反する事項については、理事長は、代表権を有しない。この場合、**監事又は理事長以外の理事**が管理組合を**代表**する（38条6項）。

3 ○ 理事は、管理組合に著しい損害を及ぼすおそれのある事実があることを発見したときは、直ちに、当該事実を監事に報告しなければならない（40条2項）。

　報告先が理事長や理事会ではなく、監事という点に注意。

4 ✗ 「役員の報酬は、特約がなければ無報酬である」
　　役員は、別に定めるところにより、役員としての活動に応ずる必要経費の支払と報酬を受けることができる（37条2項）。つまり、特約がなければ、役員は無報酬である。

 講師からのアドバイス •••••••••••••••••••••••••••••••••••••

　役員の職務については、**理事**が「**業務執行**」機関、**監事**が「**監督**」機関であることを念頭に整理しておくとよいだろう。

問29 正解 **3** **民法** (賃貸借)　難易度 **B** 合否の分かれ目

適切なものを○、最も不適切なものを✕とする。

1 ○ 賃借物の一部が滅失その他の事由により使用及び収益をすることができなくなった場合において、それが賃借人の責めに帰することができない事由によるものであるときは、賃料は、その使用及び収益をすることができなくなった部分の割合に応じて、当然に減額される（民法611条1項）。

2 ○ 賃借物が修繕を要し、又は賃借物について権利を主張する者があるときは、賃借人は、遅滞なくその旨を賃貸人に通知しなければならない（615条本文）。ただし、賃貸人がすでにこれを知っているときは、通知をしなくてもよい（同ただし書）。

3 ✕ 「通常の使用及び収益によって生じた賃借物の損耗について、賃借人に原状回復義務はない」
賃借人は、賃借物を受け取った後にこれに生じた損傷がある場合において、賃貸借が終了したときは、その損傷を原状に復する義務を負うが（621条1項本文）、通常の使用及び収益によって生じた賃借物の損耗並びに賃借物の経年変化（以下、「通常損耗」という）については、この義務を負わない（同かっこ書）。通常損耗の発生は、賃借物の使用・収益を内容とする賃貸借契約の本質上、当然に予定されているため、通常損耗に係る投下資本の減価は、通常、必要となる経費分を賃料の中に含ませて、その回収が図られているからである。

4 ○ 賃借人は、賃借物について賃貸人の負担に属する必要費を支出したときは、賃貸人に対し、直ちにその償還を請求することができる（608条1項）。

プラスα 有益費は、賃貸借終了の時に償還請求できる（同2項）。

👆 **講師からのアドバイス** ••••••••••••••••••••••••••••••

　賃貸借については、まず民法の規定の内容を整理したうえで、**借地借家法による修正点**を押さえていくようにしよう。

問30 正解 **1** **民法** (相続)　難易度 **A** 得点すべし!!

適切なものを○、最も不適切なものを✕とする。

1 ✕ 「相続が開始した時から」
➡「自己のために相続の開始があったことを知った時から」

相続人は、自己のために相続の開始があったことを知った時から3ヵ月以内（以下、「熟慮期間」という）に、相続の承認又は放棄をしなければならない（民法915条1項本文）。

 「自己のために相続の開始があったことを知った時」とは、①相続開始の原因たる事実、及び②それによって自己が相続人となったことを知った時をいう（判例）。

2 ○ 相続の承認及び放棄は、熟慮期間中であっても、撤回することができない（919条1項）。しかし、相続の承認及び放棄の意思表示は、総則編および親族編の規定によって取り消すことができる（同2項）。したがって、Bは、Aの相続につき単純承認をしたときでも、錯誤を理由として、これを取り消すことができる（95条1項）。

3 ○ 相続人が数人あるときは、限定承認は、共同相続人の全員が共同してのみこれをすることができる（923条）。共同相続の場合において、一部の相続人が相続の放棄をした場合でも、相続の放棄をした者は、その相続に関しては、初めから相続人とはならなかったものとみなされるから（939条）、他の共同相続人は共同して限定承認をすることができる（923条）。したがって、Bは、CがAの相続につき放棄をした場合、C以外の残りの相続人と共同して限定承認をすることができる。

4 ○ 法律上当然に単純承認をしたものとみなされる事由として、①相続財産の処分、②熟慮期間の徒過、③相続財産の全部若しくは一部を隠匿し、私にこれを消費し、又は悪意で相続財産の目録中に記載しなかったことが規定されている（921条）。相続人が限定承認又は相続の放棄をした後でも③の行為をしたときは、原則として、相続人は単純承認したものとみなされる（921条3号）。

👆 講師からのアドバイス ••
相続の承認・放棄について、それらをするための**要件**と**効力**について**整理**しておこう。

問31 正解4 区分所有法・標準管理規約（集会） 難易度 **A**

最も適切なものを○、不適切なものを✕とする。

1 ✕ 「管理組合法人の設立の際は、議案の要領の通知は必要ない」
特別決議事項のうち、会議の目的たる事項が管理組合法人の設立・解散と、義務違反者に対する競売請求等の場合は、議案の要領の通知は不要である（区分所有法35条5項）。

2 ✕ 「占有者には招集通知を発する必要はない」
専有部分の占有者が利害関係を有する場合には、占有者にも総会があることを知

らせる必要があるが、招集通知の内容を所定の掲示場所に掲示すれば足りる（44条2項、標準管理規約43条8項）。したがって、賃借人には招集通知を発する必要はない。

3 ✗ 「増減することができる」➡「減ずることができる」

区分所有者の5分の1以上で議決権の5分の1以上を有するものは、管理者に対し、会議の目的たる事項を示して、**集会の招集を請求**することができる（区分所有法34条3項本文）。ただし、この定数は、**規約で減ずることができる**のみであり、増加させることはできない（同ただし書）。

集会の招集請求の定数は、「区分所有者の5分の1」と「議決権の5分の1」を指すので、**規約によって、両者の割合とも減ずることもできるし、一方のみを減ずることもできる。**

4 ◯ 集会の招集の通知は、会日より少なくとも**1週間前**に、会議の目的たる事項を示して、各区分所有者に発しなければならない（35条1項本文）。ただし、この期間は、**規約で伸縮**することができる（同ただし書）。そして、標準管理規約においては、総会の招集通知は**2週間前**に発することとされているが（標準管理規約43条1項）、緊急を要する場合には、理事長は、理事会の承認を得て、**5日間を下回らない範囲**において期間を短縮することができるとされている（同9項）。

講師からのアドバイス

規約による定数の変更については、その**増減**がポイントである。また、専有部分の**占有者は区分所有者ではない**ために、**区分所有者とは異なる扱い**がされるところがあるので、そこを覚えよう。

問32 **正解 3** **区分所有法**（敷地・規約敷地） **難易度 Ⓐ**

適切なものを◯、最も不適切なものを✗とする。

1 ◯ 建物が所在する土地に隣接する土地を当該建物の区分所有者が全員で取得した場合でも、その土地は、**規約で定めなければ**建物の敷地とすることができない（区分所有法5条1項）。

2 ◯ 区分所有者が建物及び建物が所在する土地と一体として管理又は使用する庭、通路その他の土地は、**規約により建物の敷地**とすることができる（同1項）。

規約敷地は、区分所有建物及び**法定敷地と隣接している必要はない**が、区分所有建物及び法定敷地と一体的に管理・使用することができないほど遠方にある場合には、規約敷地とすることはできない。

3 ✕ 「規約で定めなくても、建物の敷地とみなされる」

建物が所在する土地が分割により建物が所在する土地以外の土地となった場合、その土地は、規約により建物の敷地と定められたものとみなされるので（同2項後段）、改めて規約を設定する必要はない。

4 ◯ 建物が所在する土地が建物の一部滅失により、建物が所在する土地以外の土地となった場合、その土地は、規約により建物の敷地と定められたものとみなされる（同2項前段）。

 講師からのアドバイス ・・・

規約により敷地と定められたものとみなされる場合を**具体例によって理解**しておこう。

問33 **正解 1** **区分所有法**（規約） 難易度

適切なものを◯、不適切なものを✕とする。

ア ◯ 建物内に住所を有する区分所有者又は管理者に対して通知を受けるべき場所を通知しない区分所有者に対する集会の招集通知は、規約に特別の定めがあるときは、建物内の見やすい場所に掲示してすることができる（区分所有法35条4項）。したがって、管理者に対して集会の招集通知を受けるべき場所を通知しない区分所有者が建物内に住所を有していない場合でも、建物内の見やすい場所に掲示して招集通知をする旨の規約の定めは適切である。

イ ✕ 「全員の承諾の要件は規約により変更できない」

区分所有法又は規約により集会において決議をすべき場合において、区分所有者全員の承諾があるときは、書面又は電磁的方法（電子情報処理組織を使用する方法その他の情報通信の技術を利用する方法であって法務省令で定めるものをいう）による決議をすることができるが（45条1項本文）、この区分所有者全員の承諾の要件を、規約により変更することはできない。

> プラスα 集会を召集すべき者は、電磁的方法による決議をしようとするときは、あらかじめ、区分所有者に対し、その**用いる電磁的方法の種類及び内容を示し**、書面又は電磁的方法による**承諾を得なければならない**。

ウ ◯ 区分所有者は、規約又は集会の決議により、書面による議決権の行使に代えて、電磁的方法によって議決権を行使することができる（39条3項）。したがって、本肢の規約の定めは適切である。

エ ◯ 集会においては、あらかじめ通知した事項についてのみ、決議をすることができるのが原則であるが（37条1項）、区分所有法に集会の決議につき特別の定数が定められている事項を除いて、規約で別段の定めをすることができる（同2項）。

したがって、集会の決議事項のうち、普通決議事項については、あらかじめ通知していない事項であっても決議できるとする規約の定めは適切である。

したがって、**不適切なものはイのみ**であり、**正解は肢1**となる。

 講師からのアドバイス ••••••••••••••••••••••••••••••••••

　規約に関連する知識は多岐にわたるので、**テキストの一覧表等を活用**して整理していくと、インプット・アウトプットしやすくなるので、試してみてほしい。

問34 正解 2 区分所有法 （管理組合法人） 難易度 A

適切なものを**○**、最も不適切なものを**✗**とする。

1 ○ 管理組合法人は、①建物（一部共用部分を共用すべき区分所有者で構成する管理組合法人にあっては、その共用部分）の**全部の滅失**、②建物に**専有部分がなくなった**こと、③**集会の決議**によって解散する（区分所有法55条1項）。

> 管理組合法人を**解散する旨の決議**は、法人格を取得する場合と同じく、**区分所有者及び議決権の各4分の3以上の多数**によって決する（55条2項）。

2 ✗ 「理事」➡「管理組合法人」
　「**管理組合法人**」は、規約又は集会の決議により、その**事務**に関し、区分所有者のために、**原告又は被告**となることができる（47条8項）。つまり「**法人自身**」が原告又は被告となるのであり、理事が原告又は被告となるのではない。なお、（管理組合法人が）「**原告又は被告となった旨を区分所有者に通知しなければならない**」とする点は正しい（同9項）。

3 ○ 理事が数人ある場合において、規約に別段の定めがないときは、管理組合法人の事務は、**理事の過半数**で決する（49条2項）。

4 ○ 管理組合法人は、その事務に関し、区分所有者を**代理**する。そして、**損害保険契約に基づく保険金額**並びに共用部分等について生じた**損害賠償金及び不当利得による返還金の請求及び受領**についても、同様である（47条6項）。

 講師からのアドバイス ••••••••••••••••••••••••••••••••

　管理組合法人については、本問のような**基本事項**を確実に正解できるようにしておこう。

適切なものを〇、最も不適切なものを✕とする。

1 〇　理事会は、災害等により総会の開催が困難である場合における応急的な修繕工事の実施等について、決議する（標準管理規約54条1項10号）。

2 ✕　「適当である」➡「適当でない」
理事会には本人が出席して、議論に参加し、議決権を行使することが求められる。したがって、理事の代理出席（議決権の代理行使を含む。）を、規約において認める旨の明文の規定がない場合に認めることは適当でない（53条関係コメント①②）。

3 〇　理事会は、収支決算案、事業報告案、収支予算案及び事業計画案について、決議する（54条1項1号）。

 規約及び使用細則等の制定・変更・廃止に関する案、長期修繕計画の作成・変更に関する案なども、理事会の決議事項である（同2・3号）。いずれも、「案」という点に注意。

4 〇　理事会は、その責任と権限の範囲内において、**専門委員会**を設置し、特定の課題を**調査**又は**検討**させることができる（55条1項）。また専門委員会は、調査又は検討した結果を**理事会に具申**する（同2項）。

 専門委員会の検討対象が理事会の責任と権限を越える事項である場合や、理事会活動に認められている経費以上の費用が専門委員会の検討に必要となる場合、運営細則の制定が必要な場合等は、**専門委員会の設置に総会の決議**が必要となる（55条関係コメント①）。

👉 **講師からのアドバイス**

【正解肢2について】代理出席の可否について、**理事会**（各理事）と**総会**（各組合員）を**比較**して理解しよう。

適切なものを〇、最も不適切なものを✕とする。

1 〇　区分所有者又は利害関係人の書面による請求があったときは、理事長は、規約原本、規約変更を決議した総会の議事録及び現に有効な規約の内容を記載した書面（規約原本等）並びに現に有効な使用細則等の閲覧をさせなければならない。この場合、理由を付した書面で請求する必要はない（標準管理規約72条4項）。

2 ○ 理事長は、**会計帳簿**、什器備品台帳、組合員名簿及びその他の帳票類を作成して保管し、組合員又は利害関係人の**理由を付した書面**による請求があったときは、これらを**閲覧**させなければならない（64条1項）。そして、この会計帳簿等の保管すべき書面には、**領収書や請求書**、管理委託契約書、修繕工事請負契約書、駐車場使用契約書、保険証券などがある（同関係コメント②）。

3 ○ 理事長は、**長期修繕計画書**、設計図書及び修繕等の履歴情報を保管し、組合員又は利害関係人の**理由を付した書面**による請求があったときは、これらを**閲覧**させなければならない（64条2項）。

 理事長は、理事長の責めに帰すべき事由により帳票類又は長期修繕契約書などの書類が適切に保管されなかったため、当該**帳票類又は書類を再作成**することを要した場合には、その**費用を負担する等の責任を負う**（同関係コメント④）。

4 ✕ 「閲覧請求に応じなければならない」➡「閲覧請求に応じる必要はない」
各組合員の総会における**議決権行使書及び委任状**について、組合員又は利害関係人の理由を付した書面による請求があったときに、理事長がこれらを**閲覧させなければならない旨の規定は存在しない**（64条参照）。したがって、これらの閲覧請求については、理事長は応じる必要がない

👉 講師からのアドバイス

帳票類等の閲覧請求について、**理由を付した書面**が必要か否かを確認しておこう。

問37 **正解1** **区分所有法**（判例文） 難易度**B**

問題文の空欄を補充し、完成した文章は、次の通りである。

法人の意思決定のための内部的会議体における出席及び（**ア　議決権の行使**）が代理に親しむかどうかについては、当該法人において当該会議体が設置された趣旨、当該会議体に委任された事務の内容に照らして、その代理が法人の理事に対する委任の本旨に背馳するものでないかどうかによって決すべきものである。
これを、管理組合法人についてみるに、…（中略）…理事会を設けた場合の出席の要否及び（**ア　議決権の行使**）の方法について、法は、これを（**イ　自治的規範**）である規約に委ねているものと解するのが相当である。
すなわち、規約において、…（中略）…理事会における出席及び（**ア　議決権の行使**）について代理の可否、その要件及び被選任者の範囲を定めることも、可能というべきである。そして、本件条項は、理事会への出席のみならず、理事会での（**ア　議決権の行使**）の代理を許すことを定めたものと解されるが、理事に事故がある場合に限定して、被選任者の範囲を理事の配偶者又は一親等の親族に限って、当該（**ウ　理事の選任**）に基づいて、理事会への代理出席を認めるものであるから、この条項が管理組合法人の理事への

（**エ　信任関係**）を害するものということはできない。

管理組合法人の事務は、区分所有法に定めるもののほか、すべて**集会の決議によって行う**のが原則である。そして、特別決議事項及び義務違反者に対する行為の停止等の請求訴訟の提起を除いて、**規約を設定する**ことにより、管理組合法人の**理事その他の役員が決定できる**ようになるということが前提にある（52条1項）。

　したがって、語句の組合せとして、最も適切なものは、「**ア　議決権の行使**」、「**イ　自治的規範**」、「**ウ　理事の選任**」、「**エ　信任関係**」であり、正解は肢**1**となる。

講師からのアドバイス・・
　判決文の空欄補充問題は、判決内容を知らなくても、落ち着いて文章を読んでいけば、**正解に辿り着くことができる**ので、落ち着いて取り組み、必ず得点するようにしよう。

問38　正解2　管理費の滞納処理（少額訴訟）　難易度

　適切なものを〇、不適切なものを✕とする。

ア　✕　「140万円以下」➡「60万円以下」
　　　少額訴訟制度を利用するには、訴訟の目的の価額が60万円以下の金銭の支払請求を目的とする訴えでなければならない（民事訴訟法68条1項本文）。

　簡易裁判所は、訴訟の目的の価額が**140万円を超えない請求**について、第1審の**裁判権**を有する。

イ　〇　同一の簡易裁判所において同一の年に年10回を超えて少額訴訟による審理及び裁判を求めることはできない（368条1項ただし書、民事訴訟規則223条）。

ウ　✕　「いつでも」➡「**被告が最初にすべき口頭弁論の期日において弁論をし、又はその期日が終了するまで**」
　　　少額訴訟の被告は、訴訟を通常の手続に移行させる旨の申述をすることができる（民事訴訟法373条1項本文）。ただし、被告が最初にすべき口頭弁論の期日において弁論をし、又はその期日が終了した後は、この申述をすることができない（同ただし書）。

エ　〇　少額訴訟の終局判決に対しては控訴することはできない（377条）。なお、一定の期間内であれば、その判決をした裁判所（簡易裁判所）に対して、異議を申し立てることができる（378条1項本文）。

　少額訴訟においては、**反訴を提起する**ことは**できない**（369条）。

したがって、不適切なものは、**ア・ウ**の二つであり、正解は肢**2**となる。

 **講師からのアドバイス** ‥‥‥‥‥‥‥‥‥‥‥‥‥‥‥‥‥‥‥‥‥‥‥
　少額訴訟については、**同じような論点が繰り返し出題**されているので、過去問をしっかり検討して、得点源とできるようにしよう。

問39 **正解 2** **管理費の滞納** 難易度 **A**

適切なものを**○**、最も不適切なものを**✕**とする。

1 ○ 管理費の遅延損害金については、金銭の給付を目的とする債務の不履行として法定利率（年3％、3年に一度の見直しあり）によって定められるが、約定利率が法定利率を超える場合には、約定利率によるとされている（民法419条1項、404条2項・3項）。

2 ✕ 管理費を滞納している区分所有者が、滞納している管理費の一部であることを明示してその支払いをした場合、債務の承認に該当し、滞納額全額について消滅時効が更新される（152条1項、判例）。

3 ○ 時効の利益はあらかじめ放棄することはできないので（146条）、管理規約の定めは無効であり、滞納管理費の消滅時効が完成した場合には、区分所有者は消滅時効の主張をすることができる。

 債務者が時効を援用した場合には、債務者が同一内容の債務を当然に負担する旨の特約や、時効期間を延長する旨の特約等、時効の完成を困難にする**特約も無効となる**。

4 ○ 管理者の病気による**長期入院**は、時効の完成猶予事由にあてはまらないので、そのことにより消滅時効の完成は猶予されない（147条～161条参照）。

 **講師からのアドバイス** ‥‥‥‥‥‥‥‥‥‥‥‥‥‥‥‥‥‥‥‥‥‥‥
　管理費の滞納処理・支払義務の出題は、**消滅時効に関するもの**と**それ以外のもの**とを整理して覚えるとよいだろう。

問40 **正解 4** **民法・品確法** 難易度 **A**

適切なものを**○**、最も不適切なものを**✕**とする。

1 ◯ 新築住宅の建設工事の完了前に当該新築住宅の売買契約を締結した**売主**は、設計住宅性能評価書若しくはその写しを売買契約書に添付し、又は買主に対し当該設計住宅性能評価書若しくはその写しを交付した場合においては、売主が、請負契約書又は売買契約書において反対の意思を表示しているときを除き、当該設計住宅性能評価書又はその写しに表示された性能を有する新築住宅を引き渡すことを契約したものとみなす（品確法6条2項・4項）。

住宅性能評価書には、①**設計住宅性能評価書**（設計図書の段階の評価結果をまとめたもの）、②**建設住宅性能評価書**（施工・完成段階の検査を経た評価結果をまとめたもの）の2種類がある。なお、新築住宅の請負契約書や売買契約書には、住宅性能評価書やその写しの添付等が**義務づけられているわけではない**。

2 ◯ 品確法は、**住宅性能表示制度**を設けているが、この住宅性能表示制度は、**任意の制度**であり、これを利用するか否かは当事者の判断に委ねられている（5条・6条参照）。したがって、請負人又は売主が注文者又は買主と、これを**適用しない旨の合意**をした場合、その合意は**有効**である。

3 ◯ 品確法の規定する新築住宅の瑕疵担保責任の責任期間は、買主又は注文者に引き渡した時から10年間である（94条1項、95条1項）。ただし、新築住宅が住宅新築請負契約に基づき請負人（建築請負会社）から売主へ引き渡されたものである場合は、「売主」への引渡しの時から10年間とされている（95条1項かっこ書）。

4 ✕ 「裁判上で権利行使をする必要はない」
売買の目的物に契約不適合があったときは、買主がその不適合を「知った時」から1年以内にその旨を売主に通知すれば、買主は売主に対して損害賠償請求をすることができる（民法566条）。しかし、裁判上で権利行使をする必要はない。

> **講師からのアドバイス** ••••••••••••••••••••••••••••
> 品確法は**民法との複合問題**が考えられるので、民法の**契約不適合責任**についてもしっかり整理しておこう。

問41 | **正解 1** | **消費者契約法** | 難易度

適切なものを◯、最も不適切なものを✕とする。

1 ✕ 「損害賠償請求権」➡「差止請求権」
適格消費者団体とは、不特定かつ多数の消費者の利益のためにこの法律の規定による**差止請求権**を行使するのに必要な適格性を有する法人である消費者団体として内閣総理大臣の認定を受けた者をいう（消費者契約法2条4項）。したがって、損害賠償請求権ではなく、差止請求権（12条、1条参照）を行使する。

2 ○ 消費者契約法の適用があるのは、消費者・事業者間の取引であるので、**消費者間の取引には適用がない**（2条3項）。宅建業者が当該売買契約を媒介したとしても、宅建業者が当該契約の当事者となるわけではなく、あくまで消費者間の取引には変わりがないので、**消費者契約法は適用されない**（5条参照）。

3 ○ 消費者とは、個人（事業として又は事業のために契約の当事者となる場合におけるものを除く）をいう（2条1項）。事業者とは、法人その他の団体及び事業として又は事業のために契約の当事者となる場合における個人（2条2項）をいう。本肢では、**賃貸用共同住宅を経営する個人Bは、事業のために契約の当事者となる場合における個人**といえ、**事業者に当たる**。また、宅建業者である個人Aは自らの居住用として物件を賃貸借していることから、事業として又は事業のために契約の当事者となる場合ではない個人であり、**消費者に当たる**。したがって、本肢は、事業者と消費者との間の取引であるため、消費者契約となり、消費者契約法が適用される。

4 ○ 肢3の解説参照。Cは宅建業者でない「**株式会社**」、Dは宅建業者である「**株式会社**」であり、いずれも「**法人**」であるから「**事業者**」である。したがって、本肢は**事業者間の契約**となるため、消費者契約法は適用されない。

 法人その他の**団体**はすべて**事業者**に当たる点に注意。そのため、株式会社であれば事業者となる。

講師からのアドバイス

　いかなる場合に事業者又は消費者に当たるのかについて、**事業者及び消費者の定義を正確**に押さえておこう。

問42 **正解 1** **アフターサービス** 難易度

適切なものを○、最も不適切なものを✕とする。

1 ✕ 「直ちに消費者契約法に違反する」➡「違反するわけではない」
　アフターサービスは、売買契約締結後、契約で定めた一定の期間内に生じた一定の部位の契約不適合について、売主が無償で補修するという内容のサービスである。これは、当事者の契約に基づく責任であるため、アフターサービスの内容について、売主が遵守しなかった場合は、**契約違反**となるが、直ちに消費者契約法に違反することにはならない。

2 ○ アフターサービスは、地震や台風等の**不可抗力による損壊**については、**適用除外**とすることが多い。

3 ○ アフターサービスは、建物の構造耐力上主要な部分及び雨水の浸入を防止する部

分を対象とするだけでなく、**専有部分内にある内装や建具、電気設備や給排水設備等も対象とすることが多い。**

4 ◯ 肢**1**の解説参照。アフターサービスは、一定の期間内に生じた一定の部位の契約不適合について、売主が**無償で補修**するという内容のサービスである。そのため、損害賠償請求や契約の解除については定めないことが多い。

👆 **講師からのアドバイス**

アフターサービスは**近年出題されていない。**電化製品と同じように、新築住宅にも**保証期間**を設けて**無償修理**などの**カスタマーサポート**を行うというイメージで内容を確認しておこう。

問43 **正解 4** **民法・宅建業法（契約不適合責任）** 難易度 **B** 合否の分かれ目

　民法上、売買契約において引き渡された目的物が、種類・品質に関して契約の内容に適合しないもの（契約内容不適合）である場合、買主は、追完請求（民法562条）、代金減額請求（563条）、損害賠償請求・解除権の行使（564条）をすることができる。この権利を行使するには、買主は、契約内容不適合を知ったときから**1年以内**に売主にその旨を**通知**しなければならない。また、この点について宅建業法は、宅建業者が**自ら売主**となり、宅建業者でない者が買主となる売買契約においては、その目的物が種類又は品質に関して契約の内容に適合しない場合におけるその不適合を担保すべき責任に関し、民法566条に定める期間についてその目的物の引渡しの日から**2年以上**となる特約をする場合を除き、民法の規定より、買主に不利となる特約をすることはできないと規定している（宅建業法40条1項・2項）。

上記より、次のように検討する。
最も適切なものを◯、不適切なものを✕とする。

1 ✕ 「有効」➡「無効」
　　　本肢の「売主は、契約不適合を原因とする損害賠償の責任を負わない代わりに、甲の引渡しの日から3年間、履行の追完を行う」旨の定めは、買主の**損害賠償請求権を認めない**こととなるので、買主に不利な特約として、**無効**である。

2 ✕ 「違反する」➡「違反しない」
　　　契約不適合責任に関する民法の規定は**任意規定**であり、特約を定めるか否かは当事者の自由である。したがって、契約不適合責任の内容について何ら特約をしなかったとしても宅建業法に違反することにはならない。

3 ✕ 「買主が不適合を知った時から1年間以内に売主に通知した場合に責任を負う」
　　　責任期間を引渡しの日から1年間とすることは買主に不利となる特約であり無効となる（宅建業法40条1項・2項）。したがって、民法の原則に戻り、買主がそ

の不適合を知った日から1年以内に、売主に通知しないときは、その不適合を理由として責任追及をすることはできない（民法562〜564条、566条）。

 特約の内容が買主に不利であるため当該特約が無効となる場合、民法の原則に戻り、買主は不適合を知った日から1年以内にその旨を売主に通知しなければならないが、**売主が引渡しの時にその不適合を知り、又は重大な過失によって知らなかったときは、この期間制限は適用されない。**

4 ○ 本肢では、売主が契約不適合による責任を負う期間を「契約締結の日から2年間」としており、民法の規定より買主に不利となるので、この特約は無効となる。なお、民法上、売主が責任を負う期間については肢**3**の解説参照。

 講師からのアドバイス

宅建業法の8種規制のうち**契約不適合責任**に関する問題は、**民法の契約不適合責任と比較**しながら学習をすすめよう。

問44 **正解 1** **借地借家法**（定期借家権） 難易度 **B**

最も適切なものを**○**、不適切なものを**✕**とする。

1 ○ 定期建物賃貸借契約においては、賃料の改定に係る特約がある場合には、賃料増減額請求権の規定は適用されない（借地借家法38条9項、32条）。したがって、相互に賃料の増減額請求はできない旨の特約は有効となる。

2 ✕ 「契約目的が事業用である場合に限り」➡「契約目的が事業用かどうかを問わず」
定期建物賃貸借契約は、公正証書による等書面によって契約をしなければならない（38条1項）。同条項は、契約内容で書面の有無を区別していないので、契約目的にかかわらず書面が必要である。

3 ✕ 「契約期間は1年以上」➡「期間制限はない」
定期建物賃貸借契約においては、契約期間の制限はなく、1年未満とする契約も可能である（38条1項、29条1項）。

4 ✕ 「定期建物賃貸借契約全体が無効となる」
➡「契約の更新がないこととする旨の定めが無効となる」
定期建物賃貸借契約においては、賃貸人は、あらかじめ、建物の賃借人に対し、同項の規定による建物の賃貸借は契約の更新がなく、期間の満了により当該建物の賃貸借は終了することについて、その旨を記載した書面を交付又は賃借人の承諾を得て、電磁的方法により提供をして説明しなければならない。この書面等による説明がなかった場合には、契約の更新がないこととする旨の定めが無効となる（同3項）。したがって、契約全体が無効になるわけではない。

肢2の契約書面等に契約の更新がない等の旨が明確に記載され、賃借人がその内容を認識しているときでも、肢4の書面等を独立して交付（提供）し、説明する必要がある（判例）。

 講師からのアドバイス ••••••••••••••••••••••

　本問は定期借家権の**頻出論点**である。①契約前に**書面を交付又は電磁的方法による提供**をして**説明**する必要があること（肢4）、②契約は**書面又は電磁的記録で締結**すること（肢2）、③契約期間は**1年未満の具体的な期間**を定められること（肢3）④**賃料の改定に関する特約**がある場合は**賃料増減額請求権が排除**されること（肢1）については、**普通借家権にはない特徴**である。

問45 **正解4** **宅建業法（重要事項の説明）** 難易度Ⓐ

最も適切なものを◯、不適切なものを✕とする。

1　✕　「買主の承諾がなくても」➡「買主の承諾を得れば」
　　　　宅地建物取引業者は、買主になろうとする者に対して、契約が成立するまでの間に、宅地建物取引士をして、一定事項を記載した書面（重要事項説明書）を交付して重要事項を説明させなければならない（宅建業法35条1項）。なお、重要事項説明書の交付に代えて、**買主の承諾を得て**、重要事項説明書に記載すべき事項を電磁的方法により提供させることもできる（同8・9項）。

2　✕　「必ずAの専任の宅建士による必要がある」➡「専任でなくともよい」
　　　　重要事項説明書の交付に当たっては、宅建士が記名をする必要があるが（35条1・5項）、この宅建士は**専任でなくともよい**。

宅地建物業者間の取引においても、重要事項説明書の交付と宅建士による記名は省略できない（35条5・6項参照）。

3　✕　「説明する必要はない」➡「説明しなければならない」
　　　　宅地建物取引業者は、建物の売買を行う場合、私道に関する負担に関する事項を重要事項として説明しなければならない（35条1項3号）。この場合、**負担がないのであればその旨を説明する必要**があり、負担がないからといって、説明自体を省略することはできない。

4　◯　建物の売買の場合、「当該建物が住宅の品質確保の促進等に関する法律5条1項に規定する住宅性能評価を受けた新築住宅であるときは、その旨」は、重要事項として説明しなければならない（35条1項14号、施行規則16条の4の3第6号）。本説明義務は、住宅の品質確保の促進等に関する法律の住宅性能評価制度を利用した新築住宅であるか否かについて消費者に確認せしめるものであり、当該**評価**

の具体的内容の説明義務まで負うものではない（国土交通省「宅建業法の解釈・運用の考え方」）。

 講師からのアドバイス

重要事項については**37条書面の記載事項との違い**が問われることもある。37条書面は**契約締結「後」**に交付する書面又は電磁的記録であるので、その記載事項は当事者**「双方が合意」**した事項であるとの観点で考えるとよいだろう。

問46 正解 2 管理適正化基本方針

難易度 B

《長期修繕計画の作成及び見直し等》

マンション管理適正化法5条の4に基づく管理計画の認定の基準は、少なくても次の基準のいずれにも適合することとする（マンション管理適正化基本方針 別紙二 4）。

（1）長期修繕計画の作成又は見直しが（**ア 7**）年以内に行われていること

（2）長期修繕計画の実効性を確保するため、計画期間が（**イ 30**）年以上で、かつ、残存期間内に大規模修繕工事が（**ウ 2**）回以上含まれるように設定されていること

（3）長期修繕計画の計画期間全体での修繕積立金の総額から算定された修繕積立金の（**エ 平均**）額が著しく低額でないこと

 上記以外にも、次の基準のいずれにも適合する必要がある。

（4）長期修繕計画が「長期修繕計画標準様式」に準拠し作成され、長期修繕計画の内容及びこれに基づき算定された修繕積立金額について集会にて決議されていること

（5）長期修繕計画において将来の一時的な修繕積立金の徴収を予定していないこと

（6）長期修繕計画の計画期間の最終年度において、借入金の残高のない長期修繕計画となっていること

したがって、語句の組合せとして最も適切なものは、「**ア 7**」「**イ 30**」「**ウ 2**」「**エ 平均**」であり、正解は肢**2**となる。

 講師からのアドバイス

基本方針の 別紙二 **管理計画の認定の基準**に関する語句の組合せ問題である。近年の改正論点であるので、注意しておこう。

適切なものを〇、不適切なものを✘とする。

ア ✘ 「成年被後見人」➡「心身の故障により管理業務主任者の事務を適正に行うことができない一定の者」

「心身の故障により管理業務主任者の事務を適正に行うことができない者として国土交通省令で定めるもの」は、**登録を受けることはできない**（マンション管理適正化法59条1項7号）。なお「国土交通省令で定める者」とは、精神の機能の障害により管理業務主任者の事務を適正に行うに当たって必要な認知、判断及び意思疎通を適切に行うことができない者である（施行規則69条の18）。「成年被後見人」というだけで、登録拒否事由に該当するとはいえない。

イ 〇 管理業務主任者は、その事務を行うに際し、区分所有者等その他の関係者から**請求があったときは**、管理業務主任者証を提示しなければならない（マンション管理適正化法63条）。**請求がなくとも**管理業務主任者証を提示しなければならないのは、①重要事項説明時（72条4項）と②管理事務報告時（77条3項）の場合である。

ウ ✘ 「同時に、管理業務主任者証を提出し、その訂正を受けなければならない」
➡「提出・訂正の対象ではない」

管理業務主任者の登録を受けた者は、登録を受けた事項（本肢では「住所」）に**変更があったときは**、遅滞なく、その旨を国土交通大臣に届け出なければならない（59条1項本文・2項、62条1項、施行規則72条1項1号）。しかし、「住所」は管理業務主任者証の記載事項ではないので、提出・訂正の対象ではない。

 なお、「氏名」に変更があった場合であれば，管理業務主任者は、当該届出に管理業務主任者証を添えて提出し、その訂正を受けなければならないので（マンション管理適正化法62条2項）、比較しておこう。

エ 〇 国土交通大臣は、マンション管理業の適正な運営を確保するため必要があると認めるときは、その必要な限度で、その職員に、マンション管理業を営む者の事務所その他その業務を行う場所に立ち入り、帳簿、書類その他必要な物件を検査させ、又は関係者に質問させることができる（86条1項）。

したがって、不適切な記述のみを全て含むものは**ア・ウ**であり、正解は肢**2**となる。

 **講師からのアドバイス**

【**ア**について】主任者の**登録拒否事由**である。「管理業者」の登録拒否事由も整理しておこう。【**ウ**について】主任者証の訂正対象は「**氏名**」のみであるので、ひっかからないよう覚えよう。

適切なものを**○**、不適切なものを**✕**とする。

ア ✕　「例外なく」 ➡ 「例外を除き」

管理業者の登録を受けない者は、原則として、マンション管理業を営んではならないが（マンション管理適正化法53条）、国及び地方公共団体には、適用されない（90条）。

イ ✕　「管理業務主任者をして説明」 ➡ 「管理業務主任者による説明は不要」

管理業者は、毎月、管理事務の委託を受けた管理組合の対象月における「会計の収入・支出の状況に関する書面（5項書面)」を作成し、翌月末日までに、当該書面を当該管理組合の管理者等に交付（電磁的方法によるものも含む）しなければならない（施行規則87条5項前段、民間事業者等が行う書面の保存等における情報通信の技術の利用に関する法律6条1項、「国土交通省の所管する法令に係る民間事業者等が行う書面の保存等における情報通信の技術の利用に関する法律施行規則10条、別表第4」)。

 事業年度に係る「管理組合の会計の収入・支出の状況」の報告（マンション管理適正化法77条）とは別扱いである。

ウ ✕　「締結した事業年度末にまとめて」 ➡ 「締結したつど」

管理業者は、管理受託契約を「締結したつど」、帳簿に次の各事項を記載し、その事務所ごとに、その業務に関する帳簿を備えなければならない（施行規則86条1項）。

> ① 管理受託契約を締結した年月日
> ② 管理受託契約を締結した管理組合の名称
> ③ 契約の対象となるマンションの所在地及び管理事務の対象となるマンションの部分に関する事項
> ④ **受託した管理事務の内容**
> ⑤ 管理事務に係る受託料の額
> ⑥ 管理受託契約における特約その他参考となる事項

エ ✕　「有効期間満了の日後30日以内」
➡ 「**有効期間満了の日の90日前から30日前までの間**」

管理業者の登録の有効期間は5年間であり、この有効期間の満了後引き続きマンション管理業を営もうとする者は、更新の登録を受けなければならない（マンション管理適正化法44条2項・3項）。そして、更新の登録を受けようとする者は、登録の有効期間満了の日の「90日前から30日前まで」の間に登録申請書を提出しなければならない（施行規則50条）。

したがって、**不適切なもの**は**ア〜エの四つ**であり、正解は**肢4**となる。

 **講師からのアドバイス** ・・・

　【**ア・エについて**】はいずれも**基本論点**なので、確認しておこう。【**イ・ウについて**】詳細な内容まで求めているので迷うかもしれないが、覚えておこう。

問49 **正解 1** **管理適正化法**（定義）　　　難易度

最も適切なものを**〇**、不適切なものを**✕**とする。

1 〇 「マンション」とは、次のものをいう（マンション管理適正化法2条1号）。
　　　① 　2以上の区分所有者が存する建物で、人の居住の用に供する専有部分のあるもの並びにその「**敷地**」及び附属施設（同1号イ）
　　　② 　一団地内の土地又は附属施設（これらに関する権利を含む）が当該団地内にある①の建物を含む数棟の建物の所有者（専有部分のある建物にあっては、区分所有者）の共有に属する場合における当該土地及び「**附属施設**」（同1号ロ）
　　　本肢は、上記①を満たすので、「専有部分のある建物の敷地」は、マンションに当たる。

2 ✕ 「戸建て住宅も、マンションに当たる」
　　➡「戸建て住宅は、マンションに当たらない」
　　　「数棟の建物の所有者（専有部分のある建物については区分所有者）の共有に属するごみ集積所等の附属施設」は、肢**1**の解説②を満たすので、マンションに当たる。しかし、戸建て住宅は、マンションに「当たらない」。

3 ✕ 「登録を受けた者」➡「登録を受け、管理業務主任者証の交付を受けた者」
　　　「管理業務主任者」とは、①試験合格者で、②管理事務に関し、2年以上の実務の経験を有するもの又は国土交通大臣がその実務の経験を有するものと同等以上の能力を有すると認めたもので、国土交通大臣の登録を受け（59条1項）、③60条1項に規定する「管理業務主任者証の交付」を受けた者をいう（2条9号）。

4 ✕ 「理事及び監事」➡「理事」
　　　「管理者等」とは、区分所有法25条1項の規定により選任された「**管理者**」又は区分所有法49条1項の規定により置かれた「**理事**」をいう（2条4号）。「**監事**」は、管理者等には含まれない。

 監事とは、管理組合の業務の執行及び財産の状況を監査し、その監査の結果を集会に報告する者として規約で定めるものをいう（施行規則1条の2第1項6号）。

講師からのアドバイス

　マンション等の定義についての基本論点である。いずれも重要な論点であるので、確認しておこう。

問50 **正解3** **管理適正化法**（総合）

難易度**B**

適切なものを〇、不適切なものを✕とする。

ア 〇 管理業務主任者は、重要事項の説明をする場合、説明の相手方に対し、（必ず）管理業務主任者証を提示しなければならない（マンション管理適正化法72条4項）。

イ ✕ 「1年以下の懲役又は30万円以下の罰金」
➡「（懲役はなく）30万円以下の罰金」
　管理業者は、正当な理由なくして、その業務に関して知り得た秘密を他に漏らしてはならない（80条）。もし、これに違反した場合には、「30万円」以下の罰金に処される（109条1項8号）。

ウ 〇 管理業者は、当該管理業者の住所に変更があった場合、30日以内に、その旨を国土交通大臣に届け出なければならない（48条1項、45条1項1号）。本肢では20日後なので、問題はない。

エ 〇 管理業者は、管理組合との間で管理受託契約を締結した場合、当該管理組合に管理者等が置かれていないときは、区分所有者等全員に対し、遅滞なく、「73条書面」を交付又は電子情報処理組織を使用する一定方法等により提供（管理業務主任者の「説明は不要」）しなければならない（73条1項・3項）。内容の説明は不要である。

 「73条書面」の交付に代えて、区分所有者等の承諾を得て、電子情報処理組織を使用する方法等により提供できる。

　したがって、適切なものは**ア・ウ・エ**の三つであり、正解は肢**3**となる。

 講師からのアドバイス

　【**ア〜ウについて**】定番の基本論点であるので、覚えておこう。【**エについて**】近年の改正点が関連しているので、確認しておこう。

令和6年度管理業務主任者模擬試験

解答・解説

第  回

 合格ライン **34**点

 レベル 難

＊正解・出題項目一覧＆あなたの成績診断

＊解答・解説

【第3回】
正解・出題項目一覧 & あなたの成績診断

【難易度】 A…やや易 得点ちゃんす!! B…普通 合否の分かれ目 C…難 難問

問	項　　目	正解	難易度	☑	問	項　　目	正解	難易度	☑
1	民法（無権代理）	2	B	☐☐	26	区分所有法（管理者）	1	B	☐☐
2	民法（連帯保証）	3	B	☐☐	27	標準管理規約（議決権）	2	A	☐☐
3	民法（債務不履行）	1	B	☐☐	28	標準管理規約（委任状の取扱い）	3	A	☐☐
4	民法（相続）	2	A	☐☐	29	民法（弁済）	4	B	☐☐
5	標準管理委託契約書（緊急時における管理事務）	2	A	☐☐	30	民法・判例（手付）	1	B	☐☐
6	標準管理委託契約書（出納業務）	2	A	☐☐	31	区分所有法・民法（敷地利用権）	2	A	☐☐
7	標準管理委託契約書（契約の締結・更新等）	3	A	☐☐	32	区分所有法（共用部分）	2	A	☐☐
8	標準管理委託契約書（個人情報の取扱い）	3	A	☐☐	33	区分所有法（規約）	3	A	☐☐
9	標準管理委託契約書（カスタマーハラスメント）	2	A	☐☐	34	区分所有法（義務違反者）	4	A	☐☐
10	標準管理規約（会計）	4	B	☐☐	35	標準管理規約（理事会全般）	1	A	☐☐
11	管理組合の会計（貸借対照表）	2	A	☐☐	36	標準管理規約（団地型・複合用途型）	2	B	☐☐
12	管理組合の会計（仕訳）	3	B	☐☐	37	区分所有法（判例文）	2	B	☐☐
13	管理組合の会計（仕訳）	3	B	☐☐	38	管理費の滞納処理	2	B	☐☐
14	建築基準法（石綿・シックハウス）	4	A	☐☐	39	管理費の滞納	3	A	☐☐
15	消防法（特定共同住宅等）	1	B	☐☐	40	賃貸住宅管理業法	2	B	☐☐
16	建築法令	4	B	☐☐	41	各種の法令	4	B	☐☐
17	建築構造（鉄筋コンクリート造）	2	B	☐☐	42	不動産登記法	1	C	☐☐
18	排水設備	1	B	☐☐	43	統計	4	C	☐☐
19	建築設備総合	3	A	☐☐	44	民法・借地借家法（借家権）	2	A	☐☐
20	建築設備	4	B	☐☐	45	宅建業法（重要事項の説明）	2	A	☐☐
21	長期修繕計画作成ガイドライン	2	A	☐☐	46	管理適正化基本方針	1	A	☐☐
22	長期修繕計画作成ガイドライン	2	B	☐☐	47	管理適正化法（管理業者・主任者）	4	B	☐☐
23	長期修繕計画作成ガイドライン	3	C	☐☐	48	管理適正化法（管理業者の業務）	2	A	☐☐
24	長期修繕計画作成ガイドライン	1	C	☐☐	49	管理適正化法（管理業者の登録等）	2	B	☐☐
25	修繕積立金ガイドライン	4	B	☐☐	50	管理適正化法（総合）	3	B	☐☐

■ 難易度別の成績

Aランク…	問／22問中
Bランク…	問／24問中
Cランク…	問／4問中

★A・Bランクの問題はできる限り得点しましょう！

■ 総合成績

合　計
50問中の正解
点

★この回の正答目標は **34点**です!!

1 ○ 悪意による不法行為に基づく損害賠償の債務の債務者は、相殺をもって債権者に対抗することができない（民法509条1号）。一方、債務不履行については、悪意による債務不履行に基づく損害賠償請求権を受働債権とする相殺を禁止する規定は存在しない。しかし、人の生命・身体の侵害については、侵害の原因が不法行為であるか債務不履行であるかを問わず、その損害賠償請求権を受働債権とする相殺は禁止されている（509条2号）。

2 ✕ 「自己の財産に対するのと同一の注意をもって保存すれば足りる」

債権者の受領遅滞によって、債務者の保管義務は軽減される。すなわち、債権者が債務の履行を受けることを拒み、又は受けることができない場合において、その債務の目的が特定物の引渡しであるときは、債務者は、履行の提供をした時からその引渡しをするまで、自己の財産に対するのと同一の注意をもって、その物を保存すれば足りる（413条1項）。

3 ✕ 「履行不能が債務者の責めに帰することができない事由でも損害賠償責任を負う」

債務者がその債務について遅滞の責任を負っている間に当事者双方の責めに帰することができない事由によってその債務の履行が不能となったときは、その履行の不能は、債務者の責めに帰すべき事由によるものとみなされる（413条の2第1項）。本肢の場合、履行不能について債務者に帰責事由があるとみなされるので、債務者は損害賠償責任を免れない（415条1項本文）。

> 受領遅滞（債務の履行について、受領その他債権者の協力を必要とする場合で、債務者が債務の本旨に従った履行をしたにもかかわらず、債権者が債務の履行を受けることを拒絶したり、債務の履行を受けることができないために、履行が遅延している状態）の場合、**その間に生じた当事者双方の責めに帰することができない事由による履行不能は、債権者の責めに帰すべき事由**によるものとみなされる（413条2項）。

4 ✕ 「履行の請求を受けた時から遅滞の責任を負う」

債務の履行について期限を定めなかった場合には、債務者は、履行の請求を受けた時から遅滞の責任を負う（412条3項）。期限を定めなかった場合には、債権者は、いつでも履行の請求が可能だからである。

講師からのアドバイス ••••••••••••••••••••••••••••••

債務者の**履行遅滞**とともに、債権者の**受領遅滞**についても検討しておこう。

問4 **正解2** **民法（相続）** 難易度 **Ⓐ**

適切なものを○、最も不適切なものを✕とする。

1 ○ 廃除とは、遺留分を有する推定相続人に、虐待・重大な侮辱・著しい非行があっ

た場合に、**被相続人の請求に基づいて家庭裁判所が審判又は調停によって、相続権を剥奪する制度**である（民法892条）。廃除によって、**被廃除者は相続権を失う**ことになるが、この効果は**相対的**であり、かつ**一身専属的**でもあるので、被廃除者の直系卑属は、被廃除者を代襲することができる（887条2項）。したがって、EはAを代襲相続することができる。

2 ✕ 「**死の結果が重過失に基づく行為によって生じても相続欠格事由に該当しない**」

故意に被相続人を死亡するに至らせ、または至らせようとしたために刑に処せられた者は、**相続欠格事由に該当**し、その相続人となることができない（891条1号）。しかし、**重大な過失**によって被相続人を死亡するに至らしめ（重過失致死）、懲役刑に処せられたとしても、相続欠格事由に該当しないので、Cは相続人たる地位を失わない。

 その他の**相続欠格事由に該当する者**として、①被相続人の**殺害されたことを知って**、これを**告発せず**、又は告訴しなかった者、②**詐欺又は強迫**によって、被相続人が相続に関する**遺言をすることを妨げた者**、③**詐欺又は強迫**によって、被相続人に相続に関する**遺言をさせた者**、④相続に関する被相続人の**遺言書の偽造等**をした者がある。

3 ◯ 被相続人の配偶者は常に相続人となるが（890条前段）、本肢ではすでに死亡したことになっている。また、**血族相続人の順位**は、第一に**子とその代襲相続人**、第二に**直系尊属**、第三に**兄弟姉妹とその代襲相続人**という順になる（887条、889条）。そのため、直系尊属は、被相続人の子とその代襲相続人がいない場合に、初めて相続人となる資格を有する。本肢においては、子Cがいるので、Fは相続人とはならない。

4 ◯ 胎児は相続についてはすでに**生まれたものとみなされる**ので、胎児であっても代襲相続人となることができる（886条1項）。したがって、Eは胎児であったとしてもCの代襲相続人としてAを相続することができる（887条2項）。

 講師からのアドバイス

相続権を有する者の順位、**代襲相続が認められる場合**は、相続の問題を解く**基本**なので、しっかり復習しておこう。

問5 **正解 2** **標準管理委託契約書**(緊急時における管理事務) 難易度 Ⓐ

最も適切なものを◯、適切でないものを✕とする。

1 ✕ 「**止水の作業を行うことはできない**」 ➡ 「**できる**」

管理業者は、災害又は事故等の事由により、管理組合のために、「緊急に行う必要がある業務」で、管理組合の承認を受ける時間的な余裕がないものについて

は、管理組合の承認を受けないで実施することができる。この場合、管理業者は、速やかに、書面をもって、その業務の内容及びその実施に要した費用の額を管理組合に通知しなければならない（9条1項）。したがって、地震により共用部分の給水管から漏水が発生している場合には、止水の作業を行うことができる。

2 ○ 管理業者は、災害又は事故等の事由により、管理組合のために**緊急に行う必要がある場合**、「**専有部分等に立ち入ることができる**」。この場合、管理業者は、管理業者が立ち入った専有部分等に係る組合員等に対し、**事後速やかに、報告**をしなければならない（14条3項）。したがって、地震により漏水が発生していることについて、特定の専有部分を調査する必要がある場合には、その専有部分を所有する組合員の承諾を得なくても、専有部分へ立ち入ることができる。

3 ✕ 「管理組合の承認を受けなくても工事の発注をすることができる」
肢**1**の解説参照。管理業者は、災害又は事故等の事由により、管理組合のために、緊急に行う必要がある業務で、「**管理組合の承認を受ける時間的な余裕がないもの**」については、「**管理組合の承認を受けないで実施することができる**」（9条1項）。したがって、地震発生後、緊急に補修工事を行う必要があり、管理組合の承認を受ける時間的な余裕がない場合には、管理組合の承認を受けないで、本肢工事の発注をすることができる。

4 ✕ 「支払う必要はない」➡「支払わなければならない」
管理組合は、災害又は事故等の事由により、管理業者が緊急に行う必要がある業務を遂行する上でやむを得ず支出した費用については、「**速やかに、管理業者に支払わなければならない**」（9条2項本文）。したがって、地震発生後、管理業者がやむを得ず行った業務に要した費用については、管理組合は、速やかに、支払わなければならない。

> **プラスα** 管理業者は、災害又は事故の発生に備え、**管理組合と管理業者の役割分担やどちらが負担すべきか判断が難しい場合の費用負担のあり方**について、**あらかじめ、管理組合と協議しておく**ことが望ましい（9条関係コメント④）。

講師からのアドバイス

　近年は、単純に条文知識を問うだけでなく、**具体的な事例にあてはめさせる**問題も出題されるので、本問を通じて練習しておくとよいだろう。

問6 **正解 2** **標準管理委託契約書**（出納業務）　**難易度 Ⓐ** 得点すべし!!

最も適切なものを○、適切でないものを✕とする。

1 ✕ 「2月ごとに1回」 ➡ 「毎月」

管理業者は、「毎月」、管理組合の組合員の管理費等の滞納状況を、管理組合に報告することとされている（標準管理委託契約書別表第1の1（2）②一）。

2 ○ 保証契約を締結して管理組合の収納口座と管理組合の保管口座を設ける場合は、保証契約の内容として、①保証契約の額及び範囲、②保証契約の期間、③更新に関する事項、④解除に関する事項、⑤免責に関する事項、⑥保証額の支払に関する事項をそれぞれ管理委託契約書に記載する（別表第1の1（2）①四ハ）。ただし、④〜⑥の項目は、保証契約書等を添付することにより、これらが確認できる場合は記載を省略することができる（別表第1の1（2）関係コメント⑤）。

3 ✕ 「所在地については記載する必要はない」 ➡ 「必要がある」

管理業者が管理費等の収納事務を集金代行会社に再委託する場合は、管理委託契約書に、再委託先の「名称」及び「所在地」について記載する（別表第1の1（2）関係コメント②）。

4 ✕ 「収納口座に係る通帳等の保管者も明記する必要がある」

保証契約を締結する必要がないときに管理組合の収納口座と管理組合の保管口座を設ける場合には、「収納口座」及び「保管口座」に係る通帳、印鑑、印鑑以外の預貯金引出用パスワード等の保管者を管理委託契約書に明記する（別表第1の1（2）③一、別紙4）。

講師からのアドバイス

本問は、**マンション管理適正化法と共通**する内容である。**分別管理**の観点から検討してみよう。

問7 **正解 3** **標準管理委託契約書**（契約の締結・更新等） 難易度

適切なものを○、最も不適切なものを✕とする。

1 ○ 管理規約において管理組合が管理すべきことが明確になっていない部分が存在する場合は、管理業者は管理組合と協議して、契約の締結までに、管理組合が管理すべき部分の範囲及び管理業者の管理対象部分の範囲を定める必要がある（標準管理委託契約書2条関係コメント①）。

2 ○ 管理委託契約の更新について申出があった場合において、その有効期間が満了する日までに更新に関する協議が調う見込みがないときは、管理組合及び管理業者は、従前の管理委託契約と同一の条件で、期間を定めて暫定契約を締結することができる（23条2項）。

3 ✗ 「自動更新される」➡「終了する」

管理委託契約の**更新**について、管理組合と管理業者のいずれからも申出がないときは、本契約は**有効期間満了をもって終了する**（23条3項）。

4 ○ 管理業者は、管理委託契約の**終了時**までに、管理事務の引継ぎ等を管理組合又は管理組合の指定する者に対して行うものとする。ただし、引継ぎ等の期限について、管理組合の**事前の承諾**を得たときは、管理委託契約**終了後の日時**とすることができる（23条4項）。

講師からのアドバイス ●

　本問を通じて更新時の問題点をチェックしよう。【**正解肢3・肢4について**】改正で追加された条文の内容である。確認しておこう。

問8 　正解 **3** 　**標準管理委託契約書**（個人情報の取扱い）　難易度 **Ａ**

適切なものを○、不適切なものを✗とする。

ア ○ 管理業者は、個人情報を管理事務の遂行以外の目的で、使用、加工、複写等してはならない（標準管理委託契約書18条3項）。

イ ○ 管理業者は、**管理委託契約が終了**したときは、管理組合と協議を行い個人情報を**返却又は廃棄**するものとし、その結果について、書面をもって管理組合に報告するものとする（18条6項）。

ウ ✗ 「**再委託には書面をもって管理組合の事前の承諾を得る必要がある**」

管理業者は、個人情報の取扱いを再委託してはならない。ただし、**書面をもって管理組合の事前の承諾**を得たときはこの限りではない。この場合において、管理業者は、再委託先に対して、管理委託契約で定められている管理業者の義務と同様の義務を課すとともに、**必要かつ適切な監督**を行わなければならない（18条5項）。したがって、再委託先に対して必要かつ適切な監督を行うのは管理業者に課された義務であり、個人情報の取扱いの再委託には、別途、管理組合の事前の承諾を得る必要がある。

エ ○ 管理業者において個人情報の漏えい等の**事故が発生**したときは、管理業者は、管理組合に対し、速やかにその状況を**報告**するとともに、**管理業者の費用**において、漏えい等の原因の**調査**を行い、その結果について、書面をもって管理組合に報告し、再発防止策を講じるものとする（18条4項）。

したがって、適切なものは**ア・イ・エ**の三つであり、正解は肢**3**となる。

講師からのアドバイス •••

個人情報の取り扱いの規定が、改正により**新設**された。改正事項への出題に備えよう。

問9 正解 **2** **標準管理委託契約書**（カスタマーハラスメント）　難易度

適切なものを〇、最も不適切なものを✕とする。

1 〇 管理業者は、管理事務を行うため必要なときは、管理組合の組合員及びその所有する専有部分の占有者（組合員等）に対し、**管理組合に代わって、カスタマーハラスメントに該当する行為の中止を求める**ことができる（標準管理委託契約書12条1項4号）。

 管理業者は、**報告の対象となる行為や頻度等**について、**あらかじめ**管理組合と**協議**しておくことが望ましい（12条関係コメント②）。

2 ✕ 「1月以内に」➡「速やかに」
肢**1**の解説参照。管理業者が組合員等にカスタマーハラスメントに該当する行為の中止を求めた場合は、「**速やかに**」、その旨を管理組合に**報告**することとする（12条2項）。したがって、必ず報告する必要がある。

3 〇 肢**1**の解説参照。管理業者が組合員等にカスタマーハラスメントに該当する行為の中止を求めても、なお管理組合の組合員等がその**行為を中止しない**ときは、**書面をもって**管理組合にその内容を**報告**しなければならない（12条3項）。

4 〇 肢**3**の解説参照。管理組合の組合員等がカスタマーハラスメントに該当する行為を中止しないため、**書面をもって**管理組合にその内容を管理業者が報告した場合（肢**3**の報告を行った場合）、管理業者は**さらなる中止要求の責務を免れる**ものとし、その後の中止等の要求は管理組合が行うものとする（12条4項）。

 講師からのアドバイス •••

カスタマーハラスメント対策の規定が**追加**されたので、その内容を押さえておこう。

問10 正解 **4** **標準管理規約**（会計）　難易度

適切なものを〇、不適切なものを✕とする。

ア ✕ 「理事会」➡「臨時総会」

収支予算を変更しようとするときは、理事長は、その案を臨時総会に提出し、その承認を得なければならない（標準管理規約58条2項）。したがって、理事会ではなく、臨時総会に提出する。

イ ✕ 「繰り入れることができる」➡「できない」

修繕積立金については、管理費とは区分して経理しなければならない（25条5項）。したがって、修繕積立金の余剰分について、管理費会計の収支予算案に繰り入れることはできない。

ウ ✕ 「経常的でないものでも」➡「経常的であり」

理事長は、管理組合の会計年度開始後、通常総会における収支予算案の承認を得るまでの間に、通常の管理に要する経費のうち、**経常的であり、かつ通常総会の承認を得る前に支出することがやむを得ないと認められるもの**については、理事会の承認を得て支出することができる（58条3項1号）。つまり、経常的でない経費については、支出することはできない。

 理事会の承認を得て通常総会の承認を得る前に支出することがやむを得ないと認められる経費とは、通常の管理に要する経費のうち、**経常的であり、かつ、通常総会の承認を得る前に支出することがやむを得ないと認められるもの**であることから、**前年の会計年度における同経費の支出額のおよその範囲内である**ことが必要である。

エ ✕ 「修繕積立金」➡「管理費」

「専門的知識を有する者の活用に要する費用」は「通常の管理に要する経費」に該当する（27条9号）。したがって、専門的知識を有する者の活用に必要な費用は、「管理費」から支出することになる。

したがって、不適切なものは**ア～エの四つ**であり、正解は**肢4**である。

👉 **講師からのアドバイス** ・・・・・・・・・・・・・・・・・・・・・・・・・・・

【**イについて**】管理費と修繕積立金は**区分経理**しなければならないため、それぞれに不足が生じたとしても**流用はできない**ことを確認しておこう。

問11 **正解 2** **管理組合の会計** （貸借対照表） 難易度 Ⓐ

Aは、資産の科目であるから、負債の科目である肢4の未払金と肢3の前受金は不適切である。そして、Aの内訳は管理費・敷地内駐車場使用料であるが、それぞれ2月以前分・2月分であり、決算月の3月には受け取っていないことがわかる。そこで、発生した滞納分については、未収入金として資産計上する。よって、Aには、「未収入金」が入る。

Bは、資産の科目であるから、負債の科目である肢**4**の前受金と肢**3**の未払金は不適切である。Bの内訳は設備リース料であり、翌月分を当期に支払っていることがわかる。よって、Bには、「前払金」が入る。

Cは、負債の科目であるから、資産の科目である肢**4**の未収入金と肢**3**の前払金は不適切である。Cの内訳は修繕費・水道光熱費であるが、それぞれ2月工事完了・2月分であり、決算月の3月には代金を支払っていないことがわかる。よって、Cには、「未払金」が入る。

Dは、負債の科目であるから、資産の科目である肢**4**の前払金と肢**3**の未収入金は不適切である。Dの内訳は管理費・敷地内駐車場使用料であり、翌月分を当期に受け取っていることがわかる。よって、Dには、「前受金」が入る。

したがって、A未収入金、B前払金、C未払金、D前受金となり、最も適切なものは肢**2**となる。

講師からのアドバイス ....

　貸借対照表を見ただけでは、表中の空白に入るべき科目を直ちに確定することは困難であろう。**先に選択肢の各科目を資産の科目と負債の科目に振り分ける**と解きやすくなるはずである。

問12 **正解3** **管理組合の会計**（仕訳）　　難易度**B**

発生主義に基づき、以下、取引内容について検討する。

管理組合が積立型の保険（本問では「修繕積立保険」）に加入している場合の保険料は、次のような処理を行う。

（1）支払った保険料のうち「保険積立金」に該当する部分は、その全額を「資産」として計上する。本問の場合、令和5年8月31日に、1年分の保険料を支払っているので、8月分の仕訳において「積立保険料」の全額48万円を「借方」に計上する。

（2）次に、「危険保険料」に該当する部分については、翌月以降分を「前払保険料」として資産計上し、当月分を「支払危険保険料」として費用計上する。
　　本問の場合、令和5年8月31日に、令和5年9月1日から1年間分の保険料を支払っているので、8月分の仕訳において、全額の48万円を「前払保険料」として「借方」に計上する。

（3）また、令和5年8月には、1年分の保険料96万円を一括して普通預金から支払っているので、資産の減少として「貸方」に「普通預金」96万円を計上する。

（単位：円）

（借　方）		（貸　方）	
保険積立金	480,000	普通預金	960,000
前払保険料	480,000		

（4）一方、翌月以降（令和5年9月以降）においては、問題文に「毎月初めに当月発生額を費用計上している」とあるため、費用の発生として、毎月「1ヵ月分」の「支払危険保険料」4万円（48万円÷12ヵ月＝4万円／月）を「借方」に計上する。

 翌月以降は**各月ごとの支払分**について会計処理をする必要がある。

それに伴い、計上済みの「前払保険料」を毎月4万円ずつ取り崩すため、資産の減少として、4万円を「貸方」に計上する。よって、令和6年3月分についても同様の処理を行うため、3月には次の仕訳をする。

（単位：円）

（借　方）		（貸　方）	
支払危険保険料	40,000	前払保険料	40,000

したがって、正しいものは肢**3**となる。

講師からのアドバイス

令和5年度問13は、複数の仕訳をさせる近年の傾向とは異なり、駐車場に関する仕訳1問のみによって出題している。本問は同様の出題である。**保険料の処理手順**については、**知らないと対応できない**ため、この際に確認しておこう。

問13 正解 **3** **管理組合の会計**（仕訳） 難易度 **B**

発生主義に基づき、各入金状況を検討する。

ア 令和6年2月末日までに普通預金口座に入金された管理費・修繕積立金
①令和6年3月分管理費100万円・②令和6年3月分修繕積立金50万円については、2月の時点において、「貸方」に「前受金」150万円として計上されている。

（単位：円）

（借　方）		（貸　方）	
普通預金	1,500,000	前受金	1,500,000

その後、3月において、2月に計上していた「前受金」150万円を「借方」に計上して取り崩す。そして、①令和6年3月分管理費100万円・②令和6年3月分修繕積立

金50万円については、「当月分」として、「貸方」に「管理費収入」100万円・「修繕積立金収入」50万円として計上する。よって、3月には次の仕訳を行う。

（単位：円）

（借　方）		（貸　方）	
前受金	1,500,000	管理費収入	1,000,000
		修繕積立金収入	500,000

イ　令和6年3月1日から3月末日までに普通預金口座に入金された管理費
①令和6年2月以前分管理費12万円は、3月になって入金されているため、2月以前の時点において、「借方」に「未収入金」12万円、「貸方」に「管理費収入」12万円を計上している。

（単位：円）

（借　方）		（貸　方）	
未収入金	120,000	管理費収入	120,000

その後、入金のあった3月において、2月以前に計上していた「未収入金」12万円を「貸方」に計上して**取り崩す**。よって、3月には次の仕訳を行う。

（単位：円）

（借　方）		（貸　方）	
普通預金	120,000	未収入金	120,000

②令和6年3月分管理費18万円は、「当月分」として、「貸方」に「管理費収入」18万円を計上する。

（単位：円）

（借　方）		（貸　方）	
普通預金	180,000	管理費収入	180,000

③令和6年4月分管理費120万円は、3月にはまだ発生していないので、「貸方」に「前受金」120万円として計上する。そして、3月1日から3月末日までに普通預金口座に入金された150万円は、「借方」に「普通預金」150万円として計上される。

（単位：円）

（借　方）		（貸　方）	
普通預金	1,200,000	前受金	1,200,000

ウ　令和6年3月1日から3月末日までに普通預金口座に入金された修繕積立金
①令和6年2月以前分修繕積立金5万円は、3月になって入金されているため、2月以前の時点において、「借方」に「未収入金」5万円、「貸方」に「修繕積立金収入」5万円を計上する。

（単位：円）

（借　方）		（貸　方）	
未収入金	50,000	修繕積立金収入	50,000

その後、入金のあった3月において、2月以前に計上していた「未収入金」5万円を「貸方」に計上して取り崩す。

(単位：円)

（借　方）		（貸　方）	
普通預金	50,000	未収入金	50,000

②令和6年3月分修繕積立金10万円は、「当月分」として、「貸方」に「修繕積立金収入」10万円を計上する。

(単位：円)

（借　方）		（貸　方）	
普通預金	100,000	修繕積立金収入	100,000

③令和6年4月分修繕積立金50万円は、3月にはまだ発生していないので、「貸方」に「前受金」50万円として計上する。そして、3月1日から3月末日までに普通預金口座に入金された65万円は、「借方」に「普通預金」65万円として計上される。

(単位：円)

（借　方）		（貸　方）	
普通預金	650,000	前受金	650,000

 イとウは**同様の会計処理**をすることに気づけば、**時間短縮**が可能となる。

エ 令和6年3月末日までに普通預金口座に**入金されていない**管理費・修繕積立金
①令和6年3月分管理費8万円・②3月分修繕積立金4万円は、「借方」に「未収入金」12万円、「貸方」に「管理費収入」8万円・「修繕積立金収入」4万円として計上する。

(単位：円)

（借　方）		（貸　方）	
未収入金	120,000	管理費収入	80,000
		修繕積立金収入	40,000

以上を整理すると、次のような仕訳となる。

(単位：円)

（借　方）		（貸　方）	
前受金	1,500,000	管理費収入	1,260,000
普通預金	2,150,000	修繕積立金収入	640,000
未収入金	120,000	前受金	1,700,000
		未収入金	170,000

したがって、**最も適切なもの**は、**肢3**となる。

入金状況の各項目については、「〇月分」の部分に注意して読み取っていこう。仕訳を要する項目が多いため、**未収入金と前受金について素早く機械的に処理を行うこと**がポイントである。

問14 **正解 4** **建築基準法**（石綿・シックハウス）　難易度

1 〇 建築材料には、石綿その他の著しく衛生上有害なものとして政令で定める物質を添加しないこととされている（建築基準法28条の2第1号）。そして、この著しく衛生上有害な物質として指定されているのは、石綿のみである（施行令20条の4）。

2 〇 第3種ホルムアルデヒド発散建築材料とは、夏季においてその表面積1㎡につき毎時0.005mgを超え0.02mg以下の量のホルムアルデヒドを発散させるものをいう（20条の7第1項2号）。なお、第1種ホルムアルデヒド発散建築材料とは、夏季においてその表面積1㎡につき毎時0.12mgを超える量のホルムアルデヒドを発散させるものをいい、第2種ホルムアルデヒド発散建築材料とは、夏季においてその表面積1㎡につき毎時0.02mgを超え0.12mg以下のホルムアルデヒドを発散させるものをいう。

 第1種〜3種の数字が**大きい方**が、ホルムアルデヒドを**発散させない**＝性能が良いと覚えよう。

3 〇 居室内において衛生上の支障を生ずるおそれがある物質として指定されているものは、クロルピリホス及びホルムアルデヒドの2つである（20条の5）。

4 ✕ 「0.01％を超える」➡「0.1％を超える」
吹付けロックウールで、その含有する石綿の重量が当該建築材料の重量の0.1％を超えるものは、使用が禁止されている（平成18年国土交通省告示1172号）。

講師からのアドバイス

　石綿、アスベスト・シックハウス対策は繰り返し出題されている。重要な数字を覚えよう。

問15 **正解 1** **消防法**（特定共同住宅等）　難易度

1 〇 特定共同住宅等において、「通常用いられる消防用設備等」に代えて設置するこ

とができる消防の用に供する設備等は、特定共同住宅等の構造類型、階数の区分に応じて決められている「防火安全性能を有する消防の用に供する設備等」とされている（特定共同住宅等における必要とされる防火完全性能を有する消防の用に供する設備等に関する省令3条1項）。

 「通常用いられる消防用設備等」に代えて設置することができる消防の用に供する設備等には、住宅用消火器や共同住宅用スプリンクラー設備等がある。

2 ✕ 「3つの構造類型」➡「4つの構造類型」

特定共同住宅等は、①二方向避難型特定共同住宅等、②開放型特定共同住宅等、③二方向避難・開放型特定共同住宅等、④その他の特定共同住宅等の4つの構造類型に分けられている（省令2条8号〜11号）。

3 ✕ 「火災時に安全に避難することを支援する性能を有する消防用設備以外もある」

特定共同住宅等における、「必要とされる防火安全性能を有する消防の用に供する設備等」は、「火災時に安全に避難することを支援する性能を有する消防用設備」だけでなく、特定共同住宅等における火災時に「火災の拡大を初期に抑制する性能を有する消防用設備」や「消防隊による活動を支援する性能を有する消防用設備」も含まれる（省令3条、4条、5条、消防法施行令29条の4第1項）。

4 ✕ 「店舗住居複合用途の建物も含まれる」➡「含まれない」

特定共同住宅等に該当する特定防火対象物には、その一部が店舗等の用途に供されている複合用途建築物は含まれていない（省令2条1号、消防法施行令別表第一（16）項イ参照）。

 講師からのアドバイス

特定共同住宅等は細かい論点ではあるが、**繰り返し同じ論点が出題**されており、得点したい問題である。しっかり覚えよう。

問16 正解 **4** 建築法令 難易度 **B**  合否の分かれ目

適切なものを**○**、最も不適切なものを**✕**とする。

1 ○ 「防犯に配慮した共同住宅に係る設計指針」によれば、共用玄関の照明設備は、その内側の床面において概ね「50」ルクス以上の平均水平面照度を確保することができるものとするとされている（防犯に配慮した共同住宅に係る設計指針第3－2（1）エ）。

 共用玄関の**外側**の床面においてはおおむね**20ルクス**以上の平均水平面照度を確保することができるものとするとされている。

2 ○ 警備業者及び警備員は、警備業務を行うに当たっては、内閣府令で定める公務員の法令に基づいて定められた制服と、色、型式又は標章により、明確に識別することができる服装を用いなければならない（警備業法16条1項）。

3 ○ 浄化槽の清掃は、全ばっ気方式では概ね6ヵ月ごとに1回以上、その他の浄化槽では毎年1回である（浄化槽法10条1項、環境省関係浄化槽法施行規則7条）。

4 ✕ 「集会に出席した区分所有者の議決権の過半数」
➡「区分所有者及び議決権の各過半数」
耐震改修法によれば、所管行政庁から耐震改修が必要である旨の認定を受けた区分所有建築物（要耐震改修認定建築物）の耐震改修が共用部分の変更に該当する場合には、区分所有者及び議決権の各過半数の集会の決議で耐震改修を行うことができる（耐震改修法25条3項）。

 講師からのアドバイス

　マンションに関係する諸法令からの出題である。管理業務主任者試験では、過去に警備業法や住生活基本計画等から出題されたこともあるので確認しておこう。

問17 **正解2** **建築構造**（鉄筋コンクリート造） 難易度**B**

1 ○ 壁式構造とは、鉄筋コンクリート造の壁や床板によって箱状の構造体を構成し、荷重や外力に抵抗する構造形式である。

2 ✕ 「鉄筋が発錆し膨張する」➡「骨材中のある種の鉱物（シリカ分）と、セメント中のアルカリとが反応して膨張する」
アルカリシリカ反応とは、骨材中のある種の鉱物（シリカ分）と、セメント中のアルカリとが反応する現象をいい、このアルカリシリカ反応ではコンクリートが内部から膨張し、ひび割れが生じる。鉄筋の発錆による膨張によりコンクリートにひび割れを生じさせるわけではない。

3 ○ 構造耐力上主要な部分に係る型わく及び支柱は、コンクリートが自重及び工事の施工中の荷重によって著しい変形又はひび割れその他の損傷を受けない強度になるまでは、取り外してはならない（建築基準法施行令76条）。

4 ○ 鉄筋露出とは、錆鉄筋露出ともいい、腐食した鉄筋が表面のコンクリートを押し出し、剥離させ、露出した状態をいう。点状や線状に鉄筋が露出し、新築時のコンクリートのかぶり厚さ不足が主な原因である。

 講師からのアドバイス

　鉄筋コンクリート造については、建築基準法の規制だけでなく、**劣化症状**も問われている。コンクリートの中性化やアルカリシリカ反応等の劣化症状も押さえておこう。

問18 **正解 1** **排水設備** 難易度 **B**

最も適切なものを**○**、不適切なものを**✕**とする。

1 ○ 排水立て管は、どの階においても最下部の最も大きな排水負荷を負担する部分の管径と同一としなければならない。したがって、排水の流下方向の管径を広げることはできない。

2 ✕ 「直接外気に開放しなければならない」➡「直接外気に開放しなくてもよい」
通気管は、直接外気に衛生上有効に開放しなければならない。ただし、配管内の空気が屋内に漏れることを防止する装置が設けられている場合にあっては、直接外気に衛生上有効に開放しなくてもよい（昭和50年建設省告示第1597号）。

 配管内の空気が**屋内に漏れることを防止する**装置は、**通気弁**が該当する。

3 ✕ 「連結しなくてはならない」➡「連結してはならない」
雨水排水立て管は、汚水排水管若しくは通気管と兼用し、又はこれらの管に連結「してはならない」。衛生上の問題があるからである。

4 ✕ 「雨水排水ます」➡「トラップ機能のある排水ます」
敷地雨水管を一般排水系統の敷地排水管に合流させる場合、臭気が雨水系統へ逆流しないようにトラップ機能のある排水ます（トラップます）を介して行う。

☞ 講師からのアドバイス

　排水設備のマイナーな論点からの出題である。最近の管理業務主任者試験では、やや細かい**雨水排水管や排水施設の設計等**からも出題されている。**各排水施設の構造や役割**を押さえておこう。

問19 **正解 3** **建築設備総合** 難易度 **A**

最も適切なものを**○**、不適切なものを**✕**とする。

1 ✕ 「20℃上昇させる」➡「25℃上昇させる」
ガス給湯機の能力表示における1号は、毎分流量1ℓの水の温度を25℃上昇させる能力である。

 加熱能力の計算は、**流量1リットル/分×25℃×4.186kJ**で算出されるので、1号は、**1.74kW**に該当する。

2 ✗ 「0.3回以上」➡「0.5回以上」

　　住宅の居室にシックハウス対策用として設けられる機械換気設備は、換気回数が毎時「0.5」回以上の能力が必要である。

3 ○ エレベーターの昇降路について、出入口の床先とかごの床先との水平距離は4cm以下とし、乗用エレベーター及び寝台用エレベーターにあっては、かごの床先と昇降路壁との水平距離は12.5cm以下とする必要がある（建築基準法施行令129条の7第4号）。

4 ✗ 「防火管理者を選任しなければならない」➡「防火管理者の選任は不要」

　　マンションの収容人員が50人未満の場合は、防火管理者の選任は不要である（消防法8条1項、施行令1条の2第3項1号ハ）。

👆 講師からのアドバイス ････････････････････････････

　　【肢3について】エレベーターに関する数字は平成19年に出題されたことがある。かなり昔の問題から再出題されることもあるので、数字は押さえておこう。

問20 **正解 4** **建築設備**

最も適切なものを○、不適切なものを✗とする。

1 ○ 潜熱回収型ガス給湯機は、燃焼ガス排気部に給水管を導き、燃焼時に熱交換して昇温してから、燃焼部へ水を送り再加熱するものであり、加熱効率が高い。

2 ✗ 「自家用電気工作物」➡「一般用電気工作物」

　　マンションの敷地内に電力会社用の専用借室を設けて600ボルト以下の電圧で受電し、その電気を当該マンションの敷地内で使用するための電気工作物は、「一般用電気工作物」に該当する。なお、自家用電気工作物とは、事業用電気工作物の一種で、電気事業の用に供する電気工作物及び一般用電気工作物「以外」の電気工作物をいう（電気事業法38条4項）。

3 ✗ 「ロッド法」➡「スネークワイヤー法」

　　ロッド法は、ロッド（長い棒）をつなぎ合わせて、手動で排水管内に挿入する方法をいう。本肢の記述は、「スネークワイヤー法」の説明である。

4 ✗ 「第2種換気方式」➡「第1種換気方式」

　　全熱交換型の換気は、給気も排気も機械で行う「第1種」換気方式である。

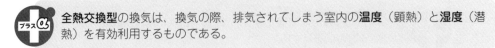

全熱交換型の換気は、換気の際、排気されてしまう室内の温度（顕熱）と湿度（潜熱）を有効利用するものである。

問21 **正解 2** **長期修繕計画作成ガイドライン** 難易度 **A**

適切なものを**〇**、最も不適切なものを**✕**とする。

1 〇 長期修繕計画の推定修繕工事は、設定した内容や時期はおおよその目安であり、**費用も概算**である。したがって、計画修繕工事を実施する際は、その基本計画の検討時において、建物及び設備の現状、修繕等の履歴等の調査・診断を行い、その結果に基づいて内容や時期等を判断する。（長期修繕計画作成ガイドライン2章1節2二）。

2 ✕ 「明示する必要はない」➡「明示する」
マンションの形状、仕様等により該当しない項目、又は修繕周期が計画期間に含まれないため推定修繕工事費を計上していない項目は、その旨を明示する（3章1節6）。

 窓のサッシ等の建具の取替えや給排水管の取替えなどは、修繕周期が計画期間を上回り、計画期間内に含まれていないことがある。

3 〇 推定修繕工事の内容の設定、概算の費用の算出等は、新築マンションの場合、設計図書、工事請負契約書による請負代金内訳書及び数量計算書等を参考にして行う（2章1節2三）。

 既存マンションの場合、保管している設計図書、数量計算書、修繕等の履歴、現状の調査・診断の結果等を参考として、「建築数量積算基準・同解説」等に準拠して、長期修繕計画用に算出する。

4 〇 長期修繕計画は、新たな材料、工法等の開発及びそれによる修繕周期、単価等の変動といった不確定な事項を含んでいるので、**5年程度ごと**に調査・診断を行い、その結果に基づいて見直すことが必要である（3章1節10）。

 講師からのアドバイス

　【肢3について】新築マンションの場合と既存（中古）マンションの場合で**内容が異な**るケースがあるので注意しよう。

第3回 解答・解説

適切なものを〇、最も不適切なものを✕とする。

1 〇 推定修繕工事の内容は、新築マンションの場合は現状の仕様により、既存マンションの場合は現状又は見直し時点での一般的な仕様により設定するが、計画修繕工事の実施時には技術開発等により異なることがある（長期修繕計画作成ガイドライン2章1節2三）。

2 ✕ 「1次診断（簡易診断）」➡「2次・3次診断（詳細診断）」
1次診断（簡易診断）は、建物の劣化の状況を大まかに把握し、2次・3次診断（詳細診断）は、劣化の要因を特定し、修繕工事の要否や内容等の判断を行う目的で行う（2章2節4）。

 調査方法について、**1次診断**では**資料調査、目視調査、軽微な機器**を使用するが、**2次診断**では**非破壊試験、微破壊試験**を実施し、**3次診断**では、**局部破壊試験**を伴う調査を行う。

3 〇 修繕積立金の積立ては、長期修繕計画の作成時点において、計画期間に積み立てる修繕積立金の額を均等にする積立方式（均等積立方式）を基本とする（3章2節1）。

4 〇 推定修繕工事項目として「予備費」を設定し、例えば、各年度ごとに推定修繕工事費の累計額に定率を乗じた額を計上しておくことも考えられる（3章1節6）。

講師からのアドバイス

　長期修繕計画は、30年先の計画を立てるものであるから、その途中で**技術開発**や**社会情勢等**の変化等により、**計画に変更が生じる**ことがある。

適切なものを〇、不適切なものを✕とする。

ア ✕ 「アンケート調査等をする必要はない」➡「必要によりアンケート調査等を行う」
長期修繕計画の見直しに当たっては、事前に専門家による設計図書、修繕等の履歴等の資料調査、現地調査、必要により区分所有者に対するアンケート調査等の調査・診断を行って、建物及び設備の劣化状況、区分所有者の要望等の現状を把握し、これらに基づいて作成することが必要である（長期修繕計画作成ガイドライン2章2節4）。

長期修繕計画の見直しのために単独で調査・診断を行う場合は、長期修繕計画に必要とされる**すべての項目**について**漏れのないように行う**。

イ ○ 高経年のマンションの場合は、必要に応じて「マンションの建替えか修繕かを判断するためのマニュアル（国土交通省）」等を参考とし、**建替えも視野に入れて検討を行う**ことが望まれる（2章2節5）。

ウ ○ 管理組合は、長期修繕計画の作成及び修繕積立金の額の設定に当たって、総会の開催に先立ち説明会等を開催し、その内容を区分所有者に説明するとともに、長期修繕計画について総会で決議することが必要である。また、決議後、総会議事録と併せて**長期修繕計画を区分所有者に配付する**など、十分な周知を行うことが必要である（2章3節1）。

エ ○ **ウ**の解説参照。管理組合は、**長期修繕計画の作成及び修繕積立金の額の設定に当たって、総会の開催に先立ち説明会等を開催し、その内容を区分所有者に説明するとともに、長期修繕計画について総会で決議する**ことが必要である。

したがって、**適切なものはイ、ウ、エの三つ**であり、正解は肢**3**となる。

 講師からのアドバイス

　長期修繕計画を区分所有者に配布することや、長期修繕計画の作成をする総会の開催前に説明会を開催するなど、区分所有法や標準管理規約にはない手続に注意しよう。

問24 **正解1** **長期修繕計画作成ガイドライン** 難易度

適切なものを**○**、不適切なものを**✗**とする。

ア ✗ 「**閲覧させる必要はない**」➡「**閲覧できるように保管する必要がある**」
　管理組合は、長期修繕計画を管理規約等と併せて、区分所有者等から求めがあれば**閲覧できるように保管する必要がある**（長期修繕計画作成ガイドライン2章3節2）。

 管理組合は、長期修繕計画等の**管理運営状況の情報を開示**することが重要である。

イ ○ 管理組合は、長期修繕計画等の**管理運営状況の情報を開示**することが望まれる（2章3節3）。

ウ ○ 長期修繕計画の作成方法として、**敷地、建物・設備及び附属施設の概要**（規模、形状等）、**関係者、管理・所有区分、維持管理の状況**（法定点検等の実施、調

査・診断の実施、計画修繕工事の実施、長期修繕計画の見直し等）、**会計状況**、設計図書等の保管状況等の概要について示すことが必要である（3章1節3）。

エ ◯ 長期修繕計画の計画期間は、**30年以上**で、かつ大規模修繕工事が**2回含まれる**期間以上とする（3章1節5）。

したがって、不適切なものは**ア**の一つであり、正解は肢**1**となる。

 講師からのアドバイス ‥‥‥‥‥‥‥‥‥‥‥‥‥‥‥‥‥‥‥‥‥‥‥‥‥

　【エについて】長期修繕計画作成ガイドラインでは、**外壁の塗装**や**屋上防水**などを行う**大規模修繕工事の周期**が、一般的に**12～15年**程度なので、見直し時には、これが**2回含**まれる期間とされている。

問25 **正解4** 修繕積立金ガイドライン　**難易度 B**

適切なものを**◯**、最も不適切なものを**✗**とする。

1 ◯ 段階増額積立方式や修繕時に一時金を徴収する方式など、将来の負担増を前提とする積立方式は、増額しようとする際に区分所有者間の合意形成ができず**修繕積立金が不足する**事例も生じている（修繕積立金ガイドライン4（1））。

2 ◯ 建物に比べて屋外部分の広いマンションでは、**給水管や排水管等が長くなる**ほか、アスファルト舗装や街灯等も増えるため、これらに要する修繕工事費が高くなる傾向がある（ガイドライン5）。

3 ◯ 均等積立方式は、将来にわたり定額負担として設定するため、将来の増額を組み込んでおらず、安定的な修繕積立金の積立てができる（ガイドライン4（2））。

> **プラスα** **均等積立方式**であっても、その後の**長期修繕計画の見直し**により**増額**が必要になる場合もある。

4 ✗ 「塗り替えが必要である」 ➡ 「塗り替えは必要ない」
　外壁がタイル張りの場合は、一定期間ごとの塗り替えは必要ないが、劣化によるひび割れや浮きが発生するため、塗装仕上げの場合と同様に**適時適切に調査・診断**を行う必要がある（ガイドライン5）。

 講師からのアドバイス ‥‥‥‥‥‥‥‥‥‥‥‥‥‥‥‥‥‥‥‥‥‥‥‥‥

　修繕積立金ガイドラインは、修繕工事費等が**高くなる**又は**安くなる原因・理由**を押さえておこう。

区分所有法 （管理者） 難易度 **B**

適切なものを**〇**、不適切なものを**✕**とする。

ア ✕ 「**各区分所有者が、裁判所に請求することができる**」
管理者に不正な行為その他その職務を行うに適しない事情があるときは、各区分所有者は、その解任を裁判所に請求することができる（区分所有法25条2項）。区分所有者の5分の1以上で議決権の5分の1を有するものというような制限はない。

イ ✕ 「**管理者は集会における普通決議により、選任又は解任できる**」
区分所有者は、規約に別段の定めがない限り、集会の**普通決議**によって、**管理者**を選任し、又は解任することができるので（25条1項、39条1項）、特別決議によることは必要ではない。

ウ 〇 区分所有者は、規約に別段の定めがない限り、集会の決議によって、管理者を選任し、又は解任することができるので、規約で**輪番制**を定めることも可能である。

エ ✕ 「**管理者の資格、人数には、区分所有法上、特に制限が設けられていない**」
区分所有法上、管理者の資格について、制限は設けられていない。また、人数についても制限はない。したがって、複数人の区分所有者を管理者とすることもできるし、区分所有者ではない複数人を、管理者とすることもできる。

 管理者は、**区分所有者である必要はない**。また、**法人でもよい**。

したがって、適切なものは、**ウ**のみであり、正解は肢**1**となる。

講師からのアドバイス

　管理者に関する知識は、**他の項目と関連するもの**が多いので、管理者の勉強をしながら関連分野も復習するようにしよう。

標準管理規約 （議決権） 難易度 **A**

適切なものを**〇**、最も不適切なものを**✕**とする。

1 〇 総会を招集するには、組合員に通知を発しなければならない（標準管理規約43条1項）。そして、住戸1戸が数人の共有に属する場合、その議決権行使については、これら共有者をあわせて一の組合員とみなす（46条2項）。そのため、全員

異なる共有名義の5戸については組合員は5名ということになる。さらに、2戸を所有する区分所有者が3名いるので「6戸」については組合員は「3名」ということになる。そうすると、組合員総数は、住戸数「123」から「3」を差し引き「120」（123－3＝120）と算出される。したがって、総会開催のための招集通知書は、120部用意すれば足りる。

2 ✕ 「62以上の議決権数を有する組合員が出席すればよい」

総会の会議は、議決権総数の半数以上を有する組合員が出席しなければならない（47条1項）。甲マンションの議決権については「1住戸1議決権」の定めがあるので、議決権総数は住戸数と同じく「123」である。そうすると、総会の定足数は、議決権総数の「半数以上」であるから、「62」（123÷2＝61.5）となる。したがって、62以上の議決権数を有する組合員が出席しなければならない。

3 ◯ 規約の変更は、組合員総数の4分の3以上及び議決権総数の4分の3以上で決する（47条3項1号）。肢1のとおり、組合員総数は「120」であるから、その4分の3以上は「90」（$120 \times \frac{3}{4} = 90$）である。そして、肢2のとおり、「1住戸1議決権」の定めから議決権総数は「123」であり、その4分の3以上は「93」（$123 \times \frac{3}{4} = 92.25$）である。したがって、規約変更には、組合員90人以上、議決権93以上に当たる組合員の賛成が必要である。

4 ◯ 総会の招集を請求するには、組合員総数の5分の1以上及び議決権総数の5分の1以上に当たる組合員の同意が必要である（44条1項）。組合員総数は「120」であるから、その5分の1以上は「24」（$120 \times \frac{1}{5} = 24$）である。そして、議決権総数は「123」であり、その5分の1以上は「25」（$123 \times \frac{1}{5} = 24.6$）である。したがって、総会の招集を請求するには、組合員24人以上、議決権25以上に当たる組合員の同意が必要である。

👉 **講師からのアドバイス**

本問は**組合員総数**の算出がポイントである。**【肢1について】計算方法**を確認しておくとよいだろう。

問28 **正解 3** **標準管理規約**（委任状の取扱い） 難易度 Ⓐ

最も適切なものを◯、不適切なものを✕とする。

1 ✕ 「有効な委任状として取り扱わなければならない」

組合員は、書面又は代理人によって議決権を行使することができる（標準管理規約46条4項）。そして、組合員又は代理人は、「代理権を証する書面」を理事長に提出しなければならない（同6項）。すなわち、組合員が代理人によって議決権を行使するには代理権を証する書面（委任状）を理事長に提出すればよく、特に委任状の形式は定まっていない。したがって、署名はあるが押印がない委任状

も、有効な委任状として取り扱わなければならない。

2 ✗ 「賛成票として数えることはできない」
肢**1**の解説参照。組合員が代理人によって議決権を行使するには**委任状を理事長に提出**しなければならない（46条6項）。すなわち、委任状の提出がなく、組合員からの**電話連絡だけ**では議決権に関する**有効な委任とはいえない**。したがって、理事長の賛否に従い、賛成票として数えることはできない。

3 ◯ 組合員が委任状により賛否の意思決定を代理人に委ねるのは、あくまでも組合員本人が「欠席」する場合である。したがって、**出席した組合員の賛否に従う**のは**適切な対応**である。

4 ✗ 「賛成票として数えることはできない」
組合員から委任状が提出された場合には、代理人が議決権を行使することになる（46条4項・6項）。すなわち、議決権行使書ではなく委任状が提出された場合には、委任状に出席者の多数意見に従う旨の記載があったとしても**代理人に賛否を問うべき**であり、**委任状の記載をもって票決することはできない**。したがって、出席者の多数意見に従い、賛成票として数えることはできない。

> 👉 **講師からのアドバイス** ···
>
> 【正解肢**3**・肢**4**について】委任状については、代理人による議決権行使と**セット**にして考えることがポイントである。

問29	正解 **4**	**民法**（弁済）	難易度 **B**

適切なものを◯、最も不適切なものを✗とする。

1 ◯ 弁済をするについて正当な利益を有する者でない第三者は、債務者の意思に反して弁済をすることができない。ただし、債務者の意思に反することを債権者が知らなかったときは、第三者のした**弁済は有効**となる（民法474条2項）。

2 ◯ 弁済をするについて正当な利益を有する者でない第三者は、原則として、**債権者の意思に反して弁済をすることができない**が（474条3項）、第三者が債務者の委託を受けて弁済をする場合において、そのことを**債権者が知っていたとき**には、弁済をすることができる（同ただし書）。

3 ◯ 当事者が第三者の弁済を禁止し、若しくは制限する旨の意思表示をしたときは、弁済をするについて正当な利益を有する者であっても**弁済をすることはできない**（474条4項）。

4 ✗ 「**弁済者が、善意無過失であるときは、弁済受領権者の外観を有するものへの弁済が有効となる**」

弁済を受領する権限を付与されている受領権者ではないが、**取引上の社会通念に照らして受領権者としての外観を有するものに対してした弁済**は、その弁済をした者が善意であり、かつ、**過失がなかったときに限り、その効力を有する**（478条）。したがって、弁済者が善意であっても、過失があった場合は、有効とはならない。

 取引上の社会通念に照らして**受領権者としての外観を有するもの**としては、①債権者の代理人と詐称して債権を行使する者（**詐称代理人**）、②**債権譲渡が無効であるときの譲受人**、③**受取証書の持参人**等がある。

講師からのアドバイス

　債務の弁済は、**第三者もすることができる**のが原則となるが、弁済をするについて、正当な利益を有する者でない場合には、債務者の意思に反して弁済をすることはできない。また、この場合、債務者の意思には反していないが、債権者の意思に反する場合には、やはり、弁済をすることはできない。この**例外の方が出題される可能性**があるので、しっかり復習しておこう。

問30 正解 1 民法・判例（手付）　難易度 B 合否の分かれ目

適切なものを◯、適切でないものを✕とする。

ア ✕　「違約手付と認められる」➡「解約手付と認められる」

　売買契約における手付は、原則として、557条1項所定の**解約手付**（手付の金額だけの損失を覚悟すれば、相手方の債務不履行がなくても契約を解除できるというもの）と認められるのであり（判例）、違約手付（制裁金として没収されるもの）と認められるわけではない。

 当事者の**特約**により**解約手付としての性質を排除する**ことはできる。

イ ✕　「売主は手付の倍額を現実に提供しなければならない」

　買主が売主に手付を交付したときは、**売主はその倍額を現実に提供して、契約の解除をすることができる**（55条1項）。買主に対して単に口頭により手付の倍額を償還する旨を告げてその受領を催告するのみでは足りず、倍額を現実に提供することが必要である。

ウ ◯　買主が売主に手付を交付したときは、その相手方が履行に着手するまでは、手付による契約の解除をすることができる（557条1項ただし書）。したがって、買主が自ら履行に着手した場合でも、相手方である売主が履行に着手するまでは、買主は、手付を放棄して契約の解除をすることができる。

120

エ ✕　「損害賠償請求できる」➡「できない」
　　　　買主が売主に手付を交付したときは、買主はその手付を放棄し、売主はその倍額を現実に提供して、契約の解除をすることができる（民法557条1項）。そして、この規定に基づき契約の解除をした場合、別途、損害賠償請求をすることはできない（同2項、545条4項）。

　したがって、適切なものは、**ウ**のみであり、正解は肢**1**となる。

　講師からのアドバイス •••

　手付に関しては、**平成30年に出題**されており、今後も、再度出題される可能性がある。**基本的な事項**を復習しておこう。

問31 **正解 2**　**区分所有法・民法**（敷地利用権）　難易度

　適切なものを◯、最も不適切なものを✕とする。

1 ◯　借地上の建物に抵当権を設定した場合、**抵当権の効力は土地の賃借権にも及ぶ**ので（民法370条）、専有部分と敷地利用権が分離して処分されることにはならない。したがって、専有部分のみを目的として抵当権を設定することができる。

2 ✕　「善意の相手方に主張することはできない」➡「主張できる」
　　　　分離して処分することができない専有部分及び敷地利用権であることを登記した後に区分所有者が両者を分離して処分した場合、その処分の無効を善意の相手方に主張することができる（区分所有法23条ただし書）。

3 ◯　区分所有者が**数個の専有部分**を所有するときは、各専有部分に係る敷地利用権の割合は、壁その他の区画の内側線で囲まれた部分の水平投影面積による専有部分の床面積の割合による（22条2項本文、14条1項、3項）。

　各専有部分の敷地利用権の割合については、区分所有法14条1項から3項に定める割合と異なる割合を規約により定めることができる（22条2項ただし書）。例えば、内側計算による専有部分の床面積割合ではなく、専有部分の価格の割合によるなどである。

4 ◯　専有部分の所有者が死亡して相続人がなく、また特別縁故者もいない場合、当該専有部分は国庫に帰属する（民法959条）。そして、当該専有部分の敷地利用権については、「共有者の一人がその持分を放棄したとき、又は死亡して相続人がないときは、その持分は他の共有者に帰属する」とする民法255条は適用されず、敷地利用権の共有持分も、専有部分と同じく国庫に帰属する（区分所有法24条）。

講師からのアドバイス ・・・・・・・・・・・・・・・・・・・・・・・・・・・・・・・・

　専有部分の所有権と敷地利用権が分離すると、敷地について権利のない区分所有者が生ずることになる。その場合、土地の権利者から建物の収去や明渡し等を求められるという不都合が生じる。このことをイメージしながら理解するようにしよう。

問32 **正解 2** **区分所有法**（共用部分）　　　難易度 **A**

　適切なものを**◯**、適切でないものを**✕**とする。

ア ✕　「規約に別段の定めがない限り」
　　　➡「区分所有法に別段の定めがある場合を除いて」
　　　共有者の共用部分の持分は、その有する専有部分の処分に従う（区分所有法15条1項）。そして、共有者は、区分所有法に別段の定めがある場合を除いて、専有部分と共用部分の持分を分離して処分することができない（同2項）。

> 区分所有法に別段の定めがある場合とは、①規約によって他の区分所有者又は管理者を共用部分の所有者とする場合（11条2項、27条1項）、②規約の設定又は変更によって共有持分の割合を変更する場合（14条4項）である。

イ ✕　「規約により定めれば、規約共用部分となる」
　　　専有部分とすることができる建物の部分及び附属の建物は、規約により共用部分とすることができる。そして、規約による共用部分は、その旨の登記をしなければ、これをもって第三者に対抗することができない（4条2項）。登記は第三者への対抗要件であり、規約共用部分とするための要件ではない。

ウ ◯　共用部分が区分所有者の全員又はその一部の共有に属する場合には、その共用部分の共有については、民法の共有に関する規定（民法249条～262条）は適用されず、区分所有法13条から19条の規定が適用される。

エ ◯　一部共用部分の管理のうち、区分所有者全員の利害に関係するもの又は区分所有者全員の規約に定めがあるものは区分所有者全員で管理を行い、その他のものはこれを共用すべき区分所有者のみで行う（16条）。したがって、一部共用部分の管理で、全体の利害に関係するものは、規約の定めがないときでも、当然に区分所有者全員で管理を行う。

　したがって、適切でないものは**ア・イ**の二つであり、正解は肢**2**となる。

 講師からのアドバイス ・・・・・・・・・・・・・・・・・・・・・・・・・・・・・・・・

　共用部分に関する知識は、区分所有法を理解する基本となるものなので、しっかりと理解し、記憶していくようにしよう。

問33 **正解 3** **区分所有法**（規約） **難易度 Ⓐ**

適切なものを◯、最も不適切なものを✖とする。

1 ◯ 規約の閲覧を請求することができる**利害関係人**（区分所有法33条2項）には、区分所有者、専有部分を区分所有者の承諾に基づいて占有する占有者だけでなく、**区分所有権を取得し又は専有部分を賃借しようとする者**も含まれる。また、管理組合又は管理組合法人に債権を有する者、又はこれと取引をしようとする者、区分所有権又は敷地利用権について担保権を有し、又はその設定を受けようとする者などが含まれる。

2 ◯ 利害関係人（ex.区分所有者、専有部分の占有者、区分所有権の承継人）による規約の閲覧を容易にする必要があることから、規約の保管場所は、建物内の見やすい場所に掲示しなければならない（33条3項）。

3 ✖ 「監事が…保管しなければならない」➡「理事が保管しなければならない」
管理組合法人においては、「理事」が管理組合法人の事務所において規約を保管しなければならない（47条12項、33条1項本文）。

4 ◯ 規約の内容を利害関係人に知らせる必要があることから、**規約を保管する者**は、利害関係人の請求があったときは、**正当な理由がある場合を除いて**、規約の閲覧（規約が電磁的記録で作成されているときは、当該電磁的記録に記録された情報の内容を法務省令で定める方法により表示したものの当該規約の保管場所における閲覧）を拒んではならない（33条2項）。

プラスα　規約の閲覧を拒む「**正当な理由**」として、区分所有者等にあらかじめ示されている**管理者の管理業務の日時以外における請求**、無用に請求を繰返す等の**閲覧請求権の濫用**と認められるような場合が考えられる。

👉 **講師からのアドバイス**

規約は、管理組合の基本文書であり、その規定は、区分所有者のみならず区分所有者以外の利害関係人に影響を及ぼすことから、**規約の保管を確実にし、利害関係人による閲覧に供する**ために、保管者、保管場所、閲覧方法について明文規定が設けられている。

問34 **正解 4** **区分所有法**（義務違反者） **難易度 Ⓐ**

最も適切なものを◯、不適切なものを✖とする。

1 ✖ 「行為の停止請求には弁明の機会を与える必要はない」
義務違反者である区分所有者に対し、管理者が訴えをもって、義務違反行為の停

止を請求する場合（区分所有法57条１項、３項）、**集会の決議によらなければならない**が（57条２項）、義務違反者である当該区分所有者に対し、**集会において弁明の機会を与える必要はない**。

 規約により、**訴訟提起の権限をあらかじめ**管理者又は理事等に**与えておくことはできない**。

2 ✗ 「義務違反者である当該区分所有者も議決権を行使できる」

各区分所有者は、規約に別段の定めがない限り、共用部分の持分の割合（原則として専有部分の床面積の割合、14条１項）で議決権が認められており（38条）、**集会の決議に利害関係があるときでも議決権の行使が認められている**。したがって、義務違反者である区分所有者に対し、管理者が訴えをもって、当該区分所有者の区分所有権及び敷地利用権の競売を請求する場合、これを議案とする集会において、義務違反者である当該区分所有者は決議に利害関係があるといえるが、議決権を行使することができる。

3 ✗ 「訴訟外で請求することはできない」 ➡ 「できる」

義務違反者である区分所有者に対し、管理者は訴訟外でも、その行為の停止、結果の除去等を請求できる（57条１項）。

4 ○ 義務違反者である区分所有者に対し、管理者が訴えをもって、相当の期間の当該区分所有者による**専有部分の使用の禁止**を請求する場合（58条１項・４項、57条３項）、**区分所有者及び議決権の各４分の３以上の多数による集会の決議**によらなければならない（58条２項）。

 講師からのアドバイス

義務違反者である区分所有者も区分所有者である以上、義務違反者に対する措置を議題とする集会の決議において議決権を行使することができる点は覚えておこう。

問35 **正解 1** **標準管理規約**（理事会全般） **難易度 Ⓐ**

適切なものを○、不適切なものを✗とする。

ア ○ 組合員から、専有部分の修繕等の工事申請書が提出された場合のように、専有部分の修繕等の申請については、**理事の過半数の承諾**があるときは、**書面により決議をすることができる**（53条２項、54条１項５号、17条１項）。

 理事の過半数の承諾があれば、書面により決議をすることができるもの（53条２項、54条１項５号）としては、「専有部分の修繕等」の他、「**共用部分の保存行為**」（21条）、「**窓ガラス等の改良工事**」（22条）がある。

イ ✕ 「監事」 ➡ 「理事長」

理事会の議長は、理事長が務める（51条3項）。

ウ 〇 理事がやむを得ず欠席する場合には、代理出席によるのではなく、事前に議決権行使書又は意見を記載した書面を出せるようにすることが考えられる（53条関係コメント④）。

エ ✕ 「（組合員のみに限定する。）」 ➡ 「（組合員以外も含む。）」

専門委員会は、検討対象に関心が強い組合員を中心に構成されるものである。必要に応じ検討対象に関する専門的知識を有する者（組合員以外も含む。）の参加を求めることもできる。（55条関係コメント②）。したがって、専門知識を有する者であれば、組合員以外の者でも参加可能である。

したがって、適切なものは**ア・ウ**の二つであり、正解は肢**1**となる。

 講師からのアドバイス

【**ア**について】理事の**過半数**の承諾があれば**書面**で決議できる事項**3つ**について、正確に押さえよう。この3つ以外の事項がひっかけで問われることがある。

問36 **正解 2** **標準管理規約** （団地型・複合用途型） **難易度 B**

適切なものを**〇**、不適切なものを**✕**とする。

ア ✕ 「区分所有者全員の共有」

➡ 「それぞれ住戸部分、店舗部分の区分所有者のみの共有」

住宅一部共用部分は、住戸部分の区分所有者のみの共有とする。また、店舗一部共用部分は、店舗部分の区分所有者のみの共有とする（標準管理規約複合用途型9条2項・3項）。

 敷地、全体共用部分及び附属施設は、区分所有者**全員**の共有物である（全般関係コメント⑤）。

イ 〇 行為の停止等（区分所有法57条2項）、使用禁止（58条1項）、競売（59条1項）又は引渡し請求（60条1項）の訴えの提起及びこれらの訴えを提起すべき者の選任をするには、棟総会の決議を経なければならない（標準管理規約団地型72条2号）。

ウ ✕ 「一部管理費等の額については住戸部分又は店舗部分の各区分所有者の一部共有部分の共有持分に応じて算出する」

全体管理費等の額については、住戸部分のために必要となる費用と店舗部分のために必要となる費用をあらかじめ按分した上で、住戸部分の区分所有者又は店舗

部分の区分所有者ごとに各区分所有者の**全体共用部分の共有持分に応じて算出す
る**（標準管理規約複合用途型25条2項）。また、**一部管理費等の額については、
住戸部分又は店舗部分の各区分所有者の一部共有部分の共有持分に応じて算出す
る**（26条2項）。

エ ○ 駐車場使用料その他の土地及び共用部分等に係る使用料は、それらの管理に要す
る費用に充てるほか、団地建物所有者の土地の共有持分に応じて**棟ごとに各棟修
繕積立金として積み立てる**（標準管理規約団地型31条）。

 駐車場使用料その他の敷地及び共用部分等に係る使用料は、それらの管理に要する
費用に充てるほか、**全体修繕積立金**として積み立てる（標準管理規約複合用途型
33条）。

したがって、不適切なものは**ア・ウ**の二つであり、**正解は肢2**となる。

講師からのアドバイス

　近年は、単棟型だけでなく、団地型・複合用途型からも問われるようになった。**【エに
ついて】**混乱しがちなので正確に覚えよう。

問37 **正解2** **区分所有法**（判例文）　　　難易度**B**

　問題文の空欄を補充し、完成した文章は、次の通りである。

　本件規約は、理事長を区分所有法に定める管理者とし、役員である理事に理事長等を含
むものとした上、役員の選任及び解任について総会の決議を経なければならないとする一
方で、理事は、組合員のうちから総会で選任し、その（**ア　互選**）により理事長を選任す
るとしている。
　これは、理事長を理事が就く（**イ　役職の一つ**）と位置付けた上、総会で選任された理
事に対し、原則として、その（**ア　互選**）により理事長の職に就く者を定めることを（**ウ
委ねる**）ものと解される。そうすると、このような定めは、…（中略）…選任された理事
長について（**エ　理事**）の過半数の一致により理事長の職を解き、別の理事を理事長に定
めることも総会で選任された理事に（**ウ　委ねる**）趣旨と解するのが、本件規約を定めた
区分所有者の合理的意思に合致するというべきである。

 令和3年改正の**標準管理規約**では、理事及び監事について、「総会の決によって、
組合員のうちから選任し、又は解任する」（標準管理規約35条2項）と定めるととも
に、**理事長の選任・解任**に関しては、「理事長、副理事長及び会計担当理事は、
理事会の決議によって、理事のうちから選任し、又は解任する」とされている（同
3項）。

したがって、語句の組合せとして、最も適切なものは、「**ア　互選**」、「**イ　役職の一つ**」、

「**ウ　委ねる**」、「**エ　理事**」であり、正解は肢**2**となる。

講師からのアドバイス •••

　判決文の**空欄補充問題**は、**論理の流れ**を追いながら解いていくようにしよう。

問38 **正解2** **管理費の滞納処理** 難易度**B**

最も適切なものを〇、不適切なものを✕とする。

1 ✕ 「**少額訴訟**」➡「**通常訴訟**」
　支払督促の申立てに対して、**適法な督促異議の申立てがあったとき**は、督促異議
に係る請求については、**通常訴訟に移行する**（民事訴訟法395条）。

2 〇 債務者が支払督促の送達を受けた日から**2週間以内に督促異議の申立てをしない
とき**は、債権者の申立てにより**仮執行の宣言**がなされる（391条）。

3 ✕ 「**適用される**」➡「**適用されない**」
　利息制限法は、「**金銭を目的とする消費貸借**」について適用されるので、管理費
の遅延損害金については適用されない（利息制限法1条等）。

4 ✕ 「**必ずしも当事者本人が出頭する必要はない**」
　少額訴訟においても、訴訟代理人を選任することができ、その場合には必ずしも
当事者本人が裁判所に出頭する必要はない（民事訴訟法55条）。

 簡易裁判所においては、その許可を得れば、弁護士でない者を訴訟代理人とするこ
とができる。

講師からのアドバイス •••

　【**肢1、正解肢2について**】支払督促は、消滅時効の論点とも関係してくるので、基本
的な手続は押さえておこう。

問39 **正解3** **管理費の滞納** 難易度**A**

最も適切なものを〇、不適切なものを✕とする。

1 ✕ 「**その承継により、…時効の完成が猶予される**」➡「**猶予されない**」
　債務者の死亡による債務の承継は、時効の完成が猶予される事由には該当しない
ので、滞納管理費の支払債務の時効の完成は猶予されない（民法147条〜161条参

照）。

2 ✕ **「再度の催告により、時効の完成はさらに猶予されない」**

催告があったときは、その時から６ヵ月を経過するまでの間、時効の完成が猶予される（150条１項）。この催告によって時効の完成が猶予されている間になされた再度の催告は、時効の完成が猶予の効力を有しない（同２項）。

3 ◯ 債権者と債務者の間で権利についての協議を行う旨の合意が書面でされたときは、次に掲げる①から③のいずれか早い時までの間は、時効は、完成しない（151条１項）。

> ① その**合意があった時から１年を経過した時**
> ② その合意において当事者が**協議を行う期間（１年に満たないものに限る）を**定めたときは、その期間を経過した時
> ③ 当事者の一方から相手方に対して**協議の続行を拒絶する旨の通知が書面でさ**れたときは、その通知の時から**６ヵ月を経過した時**

本肢は②の場合であり、管理組合とＡとの間で協議を行う期間を３ヵ月と定めているので、その期間が経過するまでは、時効の完成が猶予される。

 債権者と債務者の間で権利についての協議を行う旨の合意が書面でされ、時効の完成が猶予されている間に、再度協議を行う旨の合意がされれば、その合意の時点から肢３の解説の内容に従って時効の完成がさらに猶予される。この合意は繰り返しすることができるが、**本来の時効が完成すべき時から通算して５年を超えることはできない。**

4 ✕ **「支払請求訴訟を提起することができない」 ➡ 「できる」**

裁判所に訴えを提起すると、その訴状が被告に送達される（民事訴訟法138条１項）。この送達は、原則として被告の住所等になされるが（103条１項）、被告が行方不明の場合には、公示送達によって行うことができる（110条１項）。したがって、管理費を滞納している区分所有者が行方不明の場合でも、管理組合は、訴訟を提起することができる。

☞ **講師からのアドバイス**

管理費債務の消滅時効については、同じ論点が、**繰り返し出題されている**ので、過去問の検討を十分に行っておこう。

問40 **正解2** **賃貸住宅管理業法** 難易度 **B**

適切なものを◯、最も不適切なものを✕とする。

1 ◯ 賃貸住宅管理業を営もうとする者は、国土交通大臣の登録を受けなければならないが、賃貸住宅管理業に係る戸数が200戸未満である場合には、登録を受ける必

要はない（賃貸住宅管理業法3条1項、施行規則3条）。

 この登録は、**5年**ごとに**更新**しなければならず、更新をしない場合は効力を失う（賃貸住宅管理業法3条2項）。

2 ✕ 「5人に1人以上」➡「1人以上」
賃貸住宅管理業者は、その**営業所又は事務所ごとに**、「**1人以上**」の業務管理者を選任しなければならない（12条1項）。したがって、賃貸管理業に従事する5人に1人以上の割合の業務管理者を選任するのではない。

3 〇 賃貸住宅管理業者は、その営業所若しくは事務所の業務管理者として選任した者の全てが登録拒否事由のいずれかに該当し、又は選任した者の全てが欠けるに至ったときは、**新たに業務管理者を選任するまでの間は、その営業所又は事務所において管理受託契約を締結してはならない**（12条2項）。

4 〇 賃貸住宅管理業者は、委託者から**委託を受けた管理業務の全部**を他の者に対し、再委託してはならない（15条）。

 講師からのアドバイス
賃貸住宅管理業法は令和3年から**3年連続で出題されている**ので、本問と過去問を試験直前に必ず確認しておこう。

問41 **正解 4** **各種の法令** 難易度 Ⓑ

適切なものを〇、最も不適切なものを✕とする。

1 〇 警備業法によれば、警備業を営もうとする者は、欠格要件のいずれにも該当しないことについて、**都道府県公安委員会の認定**を受けなければならない（警備業法4条）。

2 〇 自ら居住するための住宅を必要とする一定の高齢者を賃借人とし、当該賃借人を終身にわたって住宅を賃貸する事業を行おうとする者（終身賃貸事業者）は、当該事業について都道府県知事の認可を受けた場合においては、**公正証書による等「書面」によって**契約をするときに限り、当該事業に係る建物の賃貸借について、賃借人たる高齢者が死亡したときに終了する旨を定めることができる（高齢者の居住の安定確保に関する法律52条1項）。

 同法の対象となる賃借人は高齢者（60歳以上の者）をいい、この賃借人（60歳以上の高齢者）と同居できるのは配偶者（60歳未満でもよい）又は60歳以上の親族に限られる（52条）。

3 ◯ 住宅宿泊管理業者は、国土交通大臣の登録を受けて住宅宿泊管理業を営む者をいい、登録の有効期間は5年である（住宅宿泊事業法2条7項、22条1項・2項）。

4 ✕ 「単体で締結することができる」➡「できない」

「地震保険に関する法律」によれば、地震保険契約は単体で締結することはできず、特定の損害保険契約に附帯して締結されなければならない（地震保険に関する法律2条2項3号）。

 講師からのアドバイス ・・・・・・・・・・・・・・・・・・・・・・・・・・・・・・・

見慣れない法律からの出題については、**既存の知識を活用**して検討することを心掛けよう。

問42 **正解 1** **不動産登記法** 難易度 **C** 難問

最も適切なものを◯、不適切なものを✕とする。

1 ◯ 登記官は、表示に関する登記のうち、区分建物に関する敷地権について表題部に最初に登記をするときは、当該敷地権の目的である土地の登記記録について、職権で、当該登記記録中の所有権、地上権その他の権利が敷地権である旨の登記をしなければならない（不動産登記法46条）。

2 ✕ 「敷地権の移転の登記をしなければならない」
➡「敷地権の移転の登記をする必要はない」

敷地権付き区分建物についての所有権又は担保権（一般の先取特権、質権又は抵当権）に係る権利に関する登記は、敷地権である旨の登記をした土地の敷地権についてされた登記としての効力を有する（73条1項）。したがって、敷地権の移転の登記をする必要はない。

3 ✕ 「申請することができる」➡「申請することはできない」

区分建物にあっては、表題部所有者から所有権を取得した者も、所有権保存の登記を申請することができる（74条2項前段）。しかし、所有権を取得した者からさらに取得した者（転得者）が、転得者名義で所有権保存の登記をすることはできる旨の規定はない。したがって、当該区分建物の所有権を取得した転得者は、直接自己を登記名義人とする所有権の保存の登記を申請することはできない。

 表題部所有者から所有権を取得した者が所有権保存の登記を申請する場合において、当該建物が**敷地権付き区分建物**であるときは、**当該敷地権の登記名義人の承諾**を得なければならない（74条2項後段）。

4 ✕ 「所有権移転の登記に申請義務はない」

登記の申請義務があるのは表示に関する登記である（46条参照）。所有権移転の

130

登記のような「権利」に関する登記には申請義務は「ない」。

 講師からのアドバイス ••

【正解肢1・2について】敷地権の登記がされた後においては区分建物と敷地権が「一体化」するという観点から検討してみよう。
【肢4について】申請義務の有無に注意しよう。

問43 **正解4** **統計**

難易度 **C** 難！問

適切なものを〇、最も不適切なものを✕とする。

1 〇 令和5年3月時点におけるマンション建替え等円滑化法による建替えの件数は、114件となっている。また、マンション建替え等円滑化法によらない建替えの件数は、168件となっている。したがって、マンション建替え等円滑化法によらない建替え件数の方が、マンション建替え等円滑化法による建替えの件数より、50件以上多い。

 平成18年（2006年以降、**マンション建替え等円滑化法による建替えの件数は、一貫して増加**している。

2 〇 令和4年末時点において、**築40年以上のマンションのストック数は、125.7万戸**となっており、**10年後には260.8万戸**となる見込みとなっている。

3 〇 令和4年末時点のマンションストック総数は約694.3万戸であり、これに令和2年国勢調査による1世帯当たり平均人員数2.21をかけて得られた数から推計すると、国民の1割超がマンションに居住していることになる。

4 ✕ 「**令和4年の新規供給戸数は、10万戸を下回っている**」
平成24年から令和3年までのマンションの新規供給戸数は、毎年10万戸を上回っていたが、令和4年のマンションの新規供給戸数は、9.4万戸となり、10万戸を下回っている。

 講師からのアドバイス ••

国土交通省が公表している分譲マンションに関する統計・データは、令和4年は8月に更新され、その内容に基づいて統計の問題が出題された。最新の情報をチェックするようにしよう。

1 ○ 建物の賃貸人による建物の賃貸借の解約の申入れは、建物の賃貸人及び賃借人が建物の使用を必要とする事情のほか、建物の賃貸借に関する従前の経過、建物の利用状況及び建物の現況並びに建物の賃貸人が建物の明渡しの条件として又は建物の明渡しと引換えに建物の賃借人に対して財産上の給付をする旨の申し出をした場合におけるその申し出を考慮して、**正当の事由がある**と認められる場合でなければ、することができない（借地借家法28条）。本肢の、「賃貸人が、自己使用の必要性があるときは、1年の予告期間を置けば、期間内解約ができる」旨の特約は、賃借人に一方的に不利な特約であり無効となる（30条）。

2 ✕ 「無効である」➡「**有効である**」
居住の用に供する建物の賃借人が相続人なしに死亡した場合において、その当時婚姻又は縁組の届出をしていないが、建物の賃借人と事実上夫婦又は養親子と同様の関係にあった同居者があるときは、その同居者は、建物の賃借人の権利義務を承継する。ただし、相続人なしに死亡したことを知った後1か月以内に建物の賃貸人に反対の意思を表示したときは、この限りでない（36条）。しかし、これは任意規定であり、この借家権の承継を排除する特約も有効である（37条参照）。

3 ○ 期間の定めのある建物賃貸借契約において、当事者が期間内に解約可能とする特約を設けた場合、この特約は有効である（民法618条）。しかし、期間内解約の特約を設けなかった場合には、当事者は、契約期間中に解約の申入れをすることはできない。

4 ○ 賃借物の全部が滅失などの事由により使用・収益をすることができなくなった場合には、賃貸借契約は終了する（616条の2）。なお、当事者に帰責事由がある場合については、別途、損害賠償の問題として処理をすることになる（415条）。

> 👉 **講師からのアドバイス**
>
> 【正解肢2・肢3について】特約の有効性については、「**造作買取請求権を排除する特約は有効**」という点もあわせて確認しておこう。

最も適切なものを○、不適切なものを✕とする。

1 ✕ 「事務所において行わなければならない」➡「**そのような規定はない**」
重要事項の説明場所については、特に規定されていない（宅建業法35条参照）。したがって、重要事項の説明は、どこで行ってもよいため、Aの事務所に限定されない。

2 ○ 宅建士は、重要事項の説明をするときには、説明の相手方に対し、**宅建士証を提示しなければならない**（35条4項）。したがって、相手方からの**請求がなくても**、宅建士証を提示する必要がある。

3 ✕ 「**重要事項の説明は不要だが、重要事項説明書の交付は必要である**」

宅建業者は、買主に対し、重要事項説明書を交付（電磁的方法による提供を含む）して、重要事項の説明をしなければならない（35条1項本文・8項）。しかし、**買主が宅建業者**である場合は、重要事項説明書を「**交付（電磁的方法による提供を含む）**」すればよく、重要事項の説明は「**不要**」である（35条6項・7項・9項）。

4 ✕ 「**あらかじめ交付（電磁的方法による提供を含む）している必要がある**」

宅建業者は、宅地若しくは建物の売買若しくは交換又は宅地若しくは建物の売買、交換若しくは貸借の代理若しくは媒介に係る重要事項の説明にテレビ会議等のITを活用するに当たっては、宅地建物取引士により記名された**重要事項説明書及び添付書類**を、重要事項の説明を受けようとする者に**あらかじめ交付（電磁的方法による提供を含む）**していることが必要である（宅地建物取引業法の解釈・運用の考え方35条1項関係2（2））。

講師からのアドバイス

　重要事項説明については説明事項に注目しがちだが、本問を通じて、**説明事項以外**にも出題可能性のある事項をチェックしておこう。

問46 **正解 1** **管理適正化基本方針** 難易度 Ⓐ

　適切なものを○、不適切なものを✕とする。

ア ✕ 「**違反者に、弁明の機会を与えたうえ**」
➡ 「**違反者に、必ずしも弁明の機会を与える必要はない**」

管理費等の滞納など管理規約又は使用細則等に違反する行為があった場合、管理組合の**管理者等**は、その是正のため、**必要な勧告・指示等を行う**とともに、法令等に則り、少額訴訟等その是正又は排除を求める措置をとることが重要である（マンション管理適正化基本方針三2（2））。

イ ✕ 「**マンション管理適正化推進センター**」➡ 「**管理業者の所属する団体**」

万一、管理業者の業務に関して問題が生じた場合には、管理組合は、当該管理業者にその解決を求めるとともに、必要に応じ、「**管理業者の所属する団体**」にそ

の解決を求める等の措置を講じることが必要である（基本方針三4）。

ウ ◯ 管理組合がその機能を発揮するためには、その経済的基盤が確立されている必要がある。このため、**管理費及び修繕積立金等について必要な費用を徴収する**とともに、管理規約に基づき、これらの**費目を帳簿上も明確に区分して経理を行い、適正に管理する**必要がある（基本方針三2（4））。

エ ✕ 「必ず」 ➡ 「必要に応じ」

長期修繕計画の作成及び見直しにあたっては、「長期修繕計画作成ガイドライン」を参考に、「**必要に応じ**」、マンション管理士等専門的知識を有する者の意見を求め、また、あらかじめ建物診断等を行って、その計画を適切なものとするよう配慮する必要がある（基本方針三2（5））。

 なお、長期修繕計画の実効性を確保するためには、修繕内容、資金計画を適正かつ明確に定め、それらを区分所有者等に十分周知させることが必要である。

したがって、**適切なものはウの一つ**であり、正解は肢**1**となる。

講師からのアドバイス

【ア・イ・エについて】ひっかけ箇所を確認しよう。**【ウについて】**基本方針は近年全面的に改正されているので、**細かな言い回し等、正確な表現を覚えておこう。**

問47 **正解4** **管理適正化法**（管理業者・主任者） **難易度B**

適切なものを◯、不適切なものを✕とする。

ア ◯ 管理業務主任者は、管理業務主任者証の亡失によりその再交付を受けた後において、亡失した管理業務主任者証を発見したときは、速やかに、**発見した方の管理業務主任者証を返納**しなければならない（マンション管理適正化法施行規則77条4項）。

イ ◯ 管理業務主任者が、重要事項の説明の時に、説明の相手方に対し、**管理業務主任者証を提示**しなければならない（マンション管理適正化法72条4項・1項）。その提示義務に違反したときは、10万円以下の過料に処される（113条2号）。

ウ ◯ 管理業務主任者試験に合格した者が、偽りその他不正の手段によりマンション管理士の登録を受けたため、そのマンション管理士の登録を取り消され、その取消日から2年を経過していない者である場合には、**管理業務主任者の登録を受けることはできない**（59条1項4号、33条1項2号）。

エ ◯ 管理業務主任者証の交付を受けようとする者は、管理業務主任者試験合格日から1年以内に交付を受けようとする者を除き、国土交通大臣の登録を受けた登録講

習機関が国土交通省令で定めるところにより行う**講習**で、交付の申請の日前**6ヵ月以内**に行われるものを受講しなければならない（60条2項）。

したがって、適切なものは**ア～エ**の四つであり、正解は肢**4**となる。

講師からのアドバイス

　【**ア**について】「亡失した**主任者証を発見**したときの**返納義務**」、【**イ**について】「主任者証提示義務に違反したときの過料制裁」、【**ウ**について】「**主任者の登録拒否事由**」、【**エ**について】「**主任者の講習受講義務**」に関する論点である。確認しておこう。

問48 **正解2** **管理適正化法**（管理業者の業務）　**難易度**

適切なものを**○**、不適切なものを**✕**とする。

ア ○ 管理業者は、管理事務報告書の交付に代えて、当該管理事務報告書を交付すべき管理者等の承諾を得て、当該管理事務報告書に記載すべき事項を、電子情報処理組織を使用する方法その他の情報通信の技術を利用する方法であって、一定の電磁的方法により提供できる（マンション管理適正化法施行規則88条2項）。

イ ✕ 「引渡し後2年間で」 ➡ 「引渡し後1年間で」
　管理業者は、管理組合から管理事務の委託を受ける内容とする**新規契約**（最初の購入者等に引渡し後**1年間で**契約期間が満了するものを除く）を締結しようとするときは、あらかじめ、**説明会を開催**し、当該区分所有者等及び当該管理者等に対し、管理業務主任者をして、**重要事項の説明**をさせなければならない（マンション管理適正化法72条1項、施行規則82条）。

ウ ○ 「**保管口座**」とは、区分所有者等から徴収された修繕積立金を預入し、又は修繕積立金等金銭や分別管理の対象となる財産の残額を収納口座から移し換え、これらを預貯金として管理するための口座であって、**管理組合等を名義人**とするものである（87条6項2号）。

 「**収納口座**」とは、区分所有者等から徴収された修繕積立金等金銭又は一定の財産を預入し、**一時的に預貯金として管理するための口座**で、「**管理業者を名義人**」とすることも**できる**（同1号）。

エ ✕ 「一般承継人が管理業者とみなされることはない」
　➡ 「**一般承継人も管理業者とみなされる**」
　管理業者の登録がその効力を失った場合には、当該管理業者であった者又はその「**一般承継人**」は、当該管理業者の管理組合からの委託に係る管理事務を結了する目的の範囲内においては、なお管理業者とみなされる（マンション管理適正化法89条）。

したがって、適切な記述のみを全て含むものは**ア・ウ**であり、正解は肢**2**となる。

 **講師からのアドバイス** ・・・・・・・・・・・・・・・・・・・・・

【**イ・エ**について】基本だが、ひっかけ論点である。確認しておこう。【**ウ**について】口座の意義を整理しておこう。

問49 正解 2 管理適正化法（管理業者の登録等） 難易度 B 合否の分かれ目

適切なものを〇、不適切なものを✕とする。

ア ✕ 「登録を受けることはできない」➡「登録を受けることができる」
基準資産額（直前1年の各事業年度の貸借対照表に計上された資産の総額から負債の総額に相当する金額を控除した額）が「300万円以上有しない」者は、管理業の登録はできない（マンション管理適正化法47条13号、施行規則54条、55条1項）。本肢は300万円ちょうどであるから、当該法人は管理業の登録を受けることが「できる」。

イ 〇 国土交通大臣は、管理業者登録簿の閲覧所を設けたときは、当該閲覧所の閲覧規則を定めるとともに、当該閲覧所の場所・閲覧規則を告示しなければならない（マンション管理適正化法49条、施行規則57条）。

ウ 〇 管理業者が個人である場合、その「名称・氏名」に変更があったときは、その日から30日以内に、当該管理業者は、その旨を国土交通大臣に届け出なければならない（マンション管理適正化法48条1項、45条1項1号）。

 「住所」に変更があったときも、同様に届け出なければならない。

エ ✕ 「独立部分の数にかかわらず」➡「独立部分が6以上」
管理業者（法人である場合、その役員）が管理業務主任者でない場合で、成年者である専任の管理業務主任者を設置しない者でも、管理事務を受託するマンションの人の居住の用に供する独立部分が「5以下」の管理組合から委託を受けた管理事務を、その業務とする事務所については、登録拒否事由には該当しない（56条、施行規則61条・62条）。これに対し、本肢の場合で、人の居住の用に供する独立部分が「6以上」の管理組合から委託を受けた管理事務を、その業務とする事務所については、登録を受けることはできない（マンション管理適正化法47条12号）。

したがって、不適切なものは**ア・エ**の二つであり、正解は肢**2**となる。

【ア・エについて】管理業の登録拒否事由に関する論点である。確認しておこう。

問50 正解 3 管理適正化法 （総合） 難易度 B

適切なものを◯、不適切なものを✕とする。

ア ◯ 管理業者は、管理組合から委託を受けて管理する**修繕積立金**その他国土交通省令で定める**財産**については、整然と管理する方法として国土交通省令で定める方法により、自己の固有財産及び他の管理組合の財産と分別して管理しなければならない（マンション管理適正化法76条）。

イ ✕ 「マンションに該当しない」➡「マンションに該当する」

一団地内において２以上の区分所有者が存在し、人の居住の用に供する専有部分のある建物を含む数棟の建物の所有者の共有に属する「附属施設」は、「マンションに該当」する（２条１号ロ）。

ウ ✕ 「届け出なければならない」➡「届け出る必要はない」

管理業務主任者の「管理業者の商号・名称及び登録番号」に変更があった場合には、遅滞なく、国土交通大臣に届け出なければならないが（59条２項、62条１項、施行規則72条１項６号）、本肢のように「転勤」しただけでは、その旨を「届け出る必要はない」。管理業務主任者が18歳未満か否かにかかわらず登録ができるので、確認しておこう。

 また、「**勤務先である管理業者**」を転職した場合、管理業務主任者登録簿の記載内容に変更が生じることになり、**届出が必要**である（同６号）。

エ ✕ 「収納口座と保管口座を別々の口座に分けることもできる」
➡「分けることはできず、１つの口座にしなければならない」

「区分所有者等から徴収された修繕積立金等金銭を収納・保管口座に預入し、当該収納・保管口座において預貯金として管理する方法」により、管理組合から管理事務の委託を受けている場合に、収納口座と保管口座を分けることはできず、１つの口座にしなければならない（87条２項１号ハ）。

したがって、不適切なものは**イ〜エ**の三つであり、正解は肢**3**となる。

 講師からのアドバイス

【**ア・エについて**】財産の分別管理に関する定番の重要論点である。【**ウについて**】転職（届出必要）と転勤（届出不要）の違いを確認しよう。

2024年度版
ラストスパート 管理業務主任者 直前予想模試

（平成16年度版 2004年10月1日 初版第1刷発行）

2024年8月10日 初 版 第1刷発行

編 著 者	T A C 株 式 会 社	
	（管理業務主任者講座）	
発 行 者	多 田 敏 男	
発 行 所	TAC株式会社 出版事業部	
	（TAC出版）	

〒101-8383
東京都千代田区神田三崎町3-2-18
電 話 03(5276)9492(営業)
FAX 03(5276)9674
https://shuppan.tac-school.co.jp

組 版	朝日メディアインターナショナル株式会社
印 刷	日 新 印 刷 株 式 会 社
製 本	株 式 会 社 常 川 製 本

© TAC 2024 　　Printed in Japan 　　　ISBN 978-4-300-10952-6
N.D.C. 673

「TAC情報会員」登録用パスワード：025-2024-0943-25

マンション管理士・管理業務主任者

Web講義フォロー
標準装備

【好評開講中！】初学者・再受験者対象

マン管・管理業両試験対応	W合格本科生S （全42回：講義ペース週1〜2回）	マン管試験対応	マンション管理士本科生S （全36回：講義ペース週1〜2回）	管理業試験対応	管理業務主任者本科生S （全35回：講義ペース週1〜2回）

合格するには、「皆が正解できる問題をいかに得点するか」、つまり基礎をしっかりおさえ、
その基礎をどうやって本試験レベルの実力へと繋げるかが鍵となります。
各コースには「**過去問攻略講義**」をカリキュラムに組み込み、基礎から応用までを完全マスター
できるように工夫を凝らしています。じっくりと徹底的に学習をし、本試験に立ち向かいましょう。
※既に開講しているコースは途中入学が可能です。

Web講義フォロー
標準装備

5月・6月・7月開講　初学者・再受験者対象

マン管・管理業両試験対応	W合格本科生 （全36回：講義ペース週1〜2回）	マン管試験対応	マンション管理士本科生 （全33回：講義ペース週1〜2回）	管理業試験対応	管理業務主任者本科生 （全32回：講義ペース週1〜2回）

毎年多くの受験生から支持されるスタンダードコースです。
基本講義・基礎答練で本試験に必要な基本知識を徹底的にマスターしていきます。
また、過去20年間の本試験傾向にあわせた項目分類により、
個別的・横断的な知識を問う問題への対策を行っていきます。
基本を徹底的に学習して、本試験に立ち向かいましょう。

Web講義フォロー
標準装備

8月・9月開講　初学者・再受験者対象

管理業務主任者速修本科生
（全21回：講義ペース週1〜3回）

管理業務主任者試験の短期合格を目指すコースです。
講義では難問・奇問には深入りせず、基本論点の確実な定着に主眼をおいていきます。
週2回のペースで無理なく無駄のない受講が可能です。

Web講義フォロー
標準装備

9月・10月開講　宅建士試験受験者対象

管理業務主任者速修本科生（宅建士受験生用）
（全14回：講義ペース週2〜3回）

宅建士試験後から約2ヵ月弱で管理業務主任者試験の合格を目指すコースです。
宅建士と管理業務主任者の試験科目は重複する部分が多くあります。
このコースでは宅建士試験のために学習した知識に加えて、
管理業務主任者試験特有の科目を短期間でマスターすることにより、
宅建士試験とのW合格を狙います。

7月開講 管理業務主任者試験合格者対象

マンション管理士ステップアップ講義（全4回 各回3時間）

管理業務主任者試験合格の知識を活かして、マンション管理士試験特有の出題内容を重点的に押さえる！

マンション管理士試験受験経験者の方にも再受験対策としてオススメのコースです！

管理業務主任者試験を合格された後に、マンション管理士試験に挑戦される場合、改めて基礎から学習するよりも、管理業務主任者試験に合格した知識を活かした学習を行う方がより効率的です。
その効率的な学習をサポートするために、多くの受験生のご要望にお応えすべく作られたのがTACオリジナルの「マンション管理士ステップアップ講義」です。
本講義は、5問免除対象科目の「適正化法」を省き、管理業務主任者試験との違いを把握し、マンション管理士試験特有の出題内容を重点的に押さえます。
また、本講義を受講された後は、「マンション管理士攻略パック」を受講し、問題演習をすることで得点力を高めることができます。

マンション管理士試験受験に向けた "おすすめルート"

「マンション管理士ステップアップ講義」と「マンション管理士攻略パック」セットでの受講がおすすめ！

必要最小限のINPUT	7月〜	**マンション管理士ステップアップ講義**	受講
過去問対策とOUTPUT	9月〜	**マンション管理士攻略パック**	受講
	11月下旬	**マンション管理士本試験**	受験

担当講師より受講のススメ

マンション管理士試験と管理業務主任者試験は、その試験範囲・科目の大半が共通しています。しかし、区分所有法・不動産登記法・建替え等円滑化法はもう一歩踏み込んだ対策が必要です。さらに都市計画法のように管理業務主任者試験では未出題であった科目もあります。管理業務主任者の知識に、これらの科目をプラスすることで、効率の良い学習が可能です。この「マンション管理士ステップアップ講義」で、効率良くマンション管理士試験の合格を目指しましょう。

小澤 良輔 講師

マンション管理士・管理業務主任者

2024年合格目標　再受験者・独学者対象　9月開講　[学習期間] 2ヶ月

マン管・管理業両試験に対応	**W合格攻略パック**(全17回)
マン管試験に対応	**マンション管理士攻略パック**(全11回)
管理業試験に対応	**管理業務主任者攻略パック**(全10回)

ご注意ください!! ▶▶ 本コースについては開講時期が本試験願書の提出期間となります。忘れずに各自で本試験受験申込みをしてください。

基本知識を再構築し、得点力アップ　[講義ペース 週1～2回]

昨年度、あと一歩合格に届かなかった方のための講義付き問題演習コースです。基本的な内容が本当に理解できているのか不安な方、知識の総整理をしたい方、基本的な内容をしっかりとチェックして本試験に立ち向かいましょう。

詳細な分析データを提供!
個人別成績表のWEB掲載

パソコンで確認できます! スマホ・タブレットもOK!

答練・全国公開模試については、個人別の詳細な成績表を作成し、インターネットサービス「TAC WEB SCHOOL」を通してPDFファイルとしてご提供します。これにより、平均点、正答率、順位、優先学習ポイント等がわかるので、弱点補強に役立つだけでなく、モチベーションの維持にもつながります。基本知識の理解度チェックにも活用してください。

カリキュラム

[オプション]「マンション管理士攻略パック」の受講前に!

9月開講

| INPUT 講義 | OUTPUT 答練 |

過去問攻略講義(全6回)
★マン管過去問攻略講義　3回
☆管理業過去問攻略講義　3回
各回2時間30分

総まとめ講義(全4回)
各回2時間30分

★**マン管直前答練**(全3回)
★**管理業直前答練**(全2回)
各回2時間答練・50分解説

11月中旬　★マンション管理士全国公開模試(1回)2時間
11月下旬　★管理業務主任者全国公開模試(1回)2時間

11月下旬　マンション管理士本試験
12月上旬　管理業務主任者本試験

★ W合格攻略パック・マンション管理士攻略パックのカリキュラムに含まれます。
☆ W合格攻略パック・管理業務主任者攻略パックのカリキュラムに含まれます。
※全国公開模試はビデオブース講座の場合、ご登録地区の教室受験(水道橋校クラス登録の方は新宿校)となります。

[オプション]
[管理業務主任者試験合格者のためのマンション管理士試験対策!]
●**マンション管理士ステップアップ講義(全4回)**
対象:管理業務主任者試験合格者、マンション管理士試験受験経験者
通常受講料**¥22,000**(教材費・消費税10%込)

開講一覧

W合格攻略パック　マン管攻略パック

教室講座 体験入学不可

新宿校	渋谷校	八重洲校
平日夜クラス	土曜クラス	水土クラス
9/ 6(金)19:00	9/14(土)13:30	9/14(土) 9:00

ビデオブース講座 体験入学不可
◆講義視聴開始日　9/13(金)より順次視聴開始

Web通信講座
◆講義配信開始日　9/10(火)より順次配信開始
◆教材発送開始日　9/ 6(金)より順次発送開始

DVD通信講座
◆教材・DVD発送開始日　9/ 6(金)より順次発送開始

管理業攻略パック

教室講座 体験入学不可

新宿校	渋谷校	八重洲校
平日夜クラス	土曜クラス	水土クラス
9/10(火)19:00	9/14(土)16:30	9/18(水)19:00

ビデオブース講座 体験入学不可
◆講義視聴開始日　9/17(火)より順次視聴開始

Web通信講座
◆講義配信開始日　9/13(金)より順次配信開始
◆教材発送開始日　9/ 6(金)より順次発送開始

DVD通信講座
◆教材・DVD発送開始日　9/ 6(金)より順次発送開始

通常受講料

下記受講料には教材費・消費税10%が含まれています。

学習メディア	通常受講料 W合格攻略パック	通常受講料 マン管攻略パック	管理業攻略パック
教室講座	¥72,000	¥50,000	¥45,000
ビデオブース講座	¥72,000	¥50,000	¥45,000
Web通信講座	¥72,000	¥50,000	¥45,000
DVD通信講座	¥77,500	¥55,500	¥50,500

※0から始まる会員番号をお持ちでない方は、受講料のほかに別途入会金(¥10,000・10%税込)が必要です。会員番号につきましては、TAC各校またはカスタマーセンター(0120-509-117)までお問い合わせください。

e受付 TACお申込みサイト　ネットで"かんたん"スマホも対応!

全国公開模試

マンション管理士 ## 管理業務主任者

11/9(土)実施(予定)　11/16(土)実施(予定)

詳細は2024年8月刊行予定の「全国公開模試専用リーフレット」をご覧ください。

全国規模

本試験直前に実施される公開模試は全国18会場(予定)で実施。実質的な合格予備軍が集結し、本試験同様の緊張感と臨場感であなたの「真」の実力が試されます。

高精度の成績判定

コンピュータによる個人成績表に加えて正答率や全受験生の得点分布データを集計。「全国公開模試」での成績は、本試験での合否を高い精度で判定します。

本試験を擬似体験

合格のためには知識はもちろん、精神力と体力が重要となってきます。本試験と同一形式で実施される全国公開模試を受験することは、本試験環境を体験する大きなチャンスです。

オプションコース ポイント整理、最後の追い込みにピッタリ！　マンション管理士/管理業務主任者対策

全4回(各回2.5時間講義) 10月開講　**マンション管理士/管理業務主任者試験対策**

総まとめ講義

Web講義フォロー標準装備

今まで必要な知識を身につけてきたはずなのに、問題を解いてもなかなか得点に結びつかない、そんな方に最適です。よく似た紛らわしい表現や知識の混同を体系的に整理し、ポイントをズバリ指摘していきます。まるで「ジグソーパズルがピッタリはまるような感覚」で頭をスッキリ整理します。使用教材の「総まとめレジュメ」は、本試験直前の知識確認の教材としても好評です。

日程等の詳細はTACマンション管理士・管理業務主任者講座パンフレットをご参照ください。

〈担当講師〉小澤良輔講師
〈使用教材〉総まとめレジュメ

マンション管理士試験・管理業務主任者試験は、民法・区分所有法・標準管理規約といったさまざまな法令等から複合問題で出題されます。これらの論点の相違をまとめ、知識の横断整理をすることは、複合問題対策に非常に重要となります。また、マンション管理士試験・管理業務主任者試験は、多くの科目が共通しています。この共通して重要な論点をしっかり覚えた上で、それぞれの試験で頻出の論点を確認することで、効率の良い学習が可能となります。「総まとめ講義」で知識の整理をし、効率よくマンション管理士試験・管理業務主任者試験の合格を目指しましょう。

各2回　11月開講(予定)　**マンション管理士/管理業務主任者試験対策**

ヤマかけ講義　問題演習 + 解説講義

Web講義フォロー標準装備

TAC講師陣が、2024年の本試験を完全予想する最終講義です。本年度の"ヤマ"をまとめた『ヤマかけレジュメ』を使用し、論点別の一問一答式で本試験予想問題を解きながら、重要部分の解説をしていきます。問題チェックと最終ポイント講義で合格への階段を登りつめます。

詳細は8月刊行予定の全国公開模試リーフレット又はTACホームページをご覧ください。

書籍のご購入は

1 全国の書店、大学生協、ネット書店で

2 TAC各校の書籍コーナーで

資格の学校TACの校舎は全国に展開！
校舎のご確認はホームページにて

資格の学校TAC ホームページ
https://www.tac-school.co.jp

3 TAC出版書籍販売サイトで

CYBER TAC出版書籍販売サイト
BOOK STORE

24時間ご注文受付中

TAC 出版　で　検索

https://bookstore.tac-school.co.jp/

- 新刊情報をいち早くチェック！
- たっぷり読める立ち読み機能
- 学習お役立ちの特設ページも充実！

TAC出版書籍販売サイト「サイバーブックストア」では、TAC出版および早稲田経営出版から刊行されている、すべての最新書籍をお取り扱いしています。

また、会員登録（無料）をしていただくことで、会員様限定キャンペーンのほか、送料無料サービス、メールマガジン配信サービス、マイページのご利用など、うれしい特典がたくさん受けられます。

サイバーブックストア会員は、特典がいっぱい！（一部抜粋）

通常、1万円（税込）未満のご注文につきましては、送料・手数料として500円（全国一律・税込）頂戴しておりますが、1冊から無料となります。

メールマガジンでは、キャンペーンやおすすめ書籍、新刊情報のほか、「電子ブック版TACNEWS（ダイジェスト版）」をお届けします。

専用の「マイページ」は、「購入履歴・配送状況の確認」のほか、「ほしいものリスト」や「マイフォルダ」など、便利な機能が満載です。

書籍の発売を、販売開始当日にメールにてお知らせします。これなら買い忘れの心配もありません。

書籍の正誤に関するご確認とお問合せについて

書籍の記載内容に誤りではないかと思われる箇所がございましたら、以下の手順にてご確認とお問合せをしてくださいますよう、お願い申し上げます。

なお、正誤のお問合せ以外の**書籍内容に関する解説および受験指導などは、一切行っておりません。**
そのようなお問合せにつきましては、お答えいたしかねますので、あらかじめご了承ください。

1 「Cyber Book Store」にて正誤表を確認する

TAC出版書籍販売サイト「Cyber Book Store」の
トップページ内「正誤表」コーナーにて、正誤表をご確認ください。

URL：https://bookstore.tac-school.co.jp/

2 1 の正誤表がない、あるいは正誤表に該当箇所の記載がない
⇒ 下記①、②のどちらかの方法で文書にて問合せをする

★ご注意ください★

お電話でのお問合せは、お受けいたしません。
①、②のどちらの方法でも、お問合せの際には、「お名前」とともに、
「対象の書籍名（○級・第○回対策も含む）およびその版数（第○版・○○年度版など）」
「お問合せ該当箇所の頁数と行数」
「誤りと思われる記載」
「正しいとお考えになる記載とその根拠」
を明記してください。

なお、回答までに1週間前後を要する場合もございます。あらかじめご了承ください。

① ウェブページ「Cyber Book Store」内の「お問合せフォーム」より問合せをする

【お問合せフォームアドレス】

https://bookstore.tac-school.co.jp/inquiry/

② メールにより問合せをする

【メール宛先　TAC出版】

syuppan-h@tac-school.co.jp

※土日祝日はお問合せ対応をおこなっておりません。
※正誤のお問合せ対応は、該当書籍の改訂版刊行月末日までといたします。

乱丁・落丁による交換は、該当書籍の改訂版刊行月末日までといたします。なお、書籍の在庫状況等により、お受けできない場合もございます。
また、各種本試験の実施の延期、中止を理由とした本書の返品はお受けいたしません。返金もいたしかねますので、あらかじめご了承くださいますようお願い申し上げます。

（2022年7月現在）

【問題冊子ご利用時の注意】

　「問題冊子」は、この**色紙**を残したまま、ていねいに**抜き取り**、ご利用ください。

● 抜き取り時のケガには、十分お気をつけください。
● 抜き取りの際の損傷についてのお取替えはご遠慮願います。

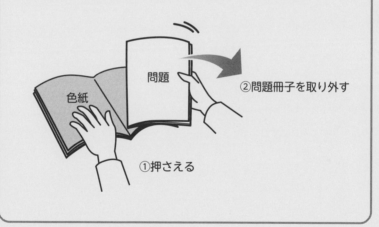

TAC出版

TAC PUBLISHING Group

令和6年度管理業務主任者模擬試験

問 題

第 **1** 回

 合格ライン **36**点

 レベル 易

 制限時間 **2時間**

❶問題は、1−1ページから1−37ページまでの50問です。

❷問題の中の法令に関する部分は、令和6年4月1日現在
施行されている規定に基づいて出題されています。

本試験問題では、以下の法律等の名称について、それぞれ右欄に記載の略称で表記しています。

法律等の名称	試験問題中の略称
建物の区分所有等に関する法律	区分所有法
マンションの管理の適正化の推進に関する法律	マンション管理適正化法
マンション標準管理委託契約書及びマンション標準管理委託契約書コメント	標準管理委託契約書
マンション標準管理規約（単棟型）及びマンション標準管理規約（単棟型）コメント	標準管理規約（単棟型）
マンション標準管理規約（団地型）及びマンション標準管理規約（団地型）コメント	標準管理規約（団地型）
（国土交通省策定　平成20年6月） （令和3年9月　改訂） 長期修繕計画標準様式、長期修繕計画作成ガイドライン及び長期修繕計画作成ガイドラインコメント	長期修繕計画作成ガイドライン

本試験問題では、問題文中に特に断りがない場合には、以下の用語について、それぞれ右欄の法律及び条文の定義に基づいて表記しています。

試験問題中の用語	用語の定義を規定する法律及び条文
マンション	マンション管理適正化法 第2条 第1号
マンションの区分所有者等	マンション管理適正化法 第2条 第2号
管理組合	マンション管理適正化法 第2条 第3号
管理者等	マンション管理適正化法 第2条 第4号
管理事務	マンション管理適正化法 第2条 第6号
マンション管理業	マンション管理適正化法 第2条 第7号
マンション管理業者	マンション管理適正化法 第2条 第8号
管理業務主任者	マンション管理適正化法 第2条 第9号
宅地建物取引業者	宅地建物取引業法　　　第2条 第3号

【問　1】　詐欺および強迫による意思表示に関する次の記述のうち、民法の規定によれば、最も**不適切**なものはどれか。

1　AがCの強迫により、自己所有の不動産をBに売却した場合において、Bがその事実を過失なく知らなかったときでも、Aはその売買契約を取り消すことができる。

2　AがBの強迫により、自己所有の不動産をBに売却した場合において、Aの取消前にBの強迫について善意無過失のCがBから当該不動産を譲り受けていたときは、Cは当該不動産の所有権取得をAに対抗することができる。

3　AがCの詐欺により、自己所有の不動産をBに売却した場合において、Bがその事実を知っていたとき、又は知ることができたときに限り、Aはその売買契約を取り消すことができる。

4　AがBの詐欺により、自己所有の不動産をBに売却した場合において、Aの取消前にBから当該不動産を譲り受けていたCは、Bの詐欺について善意無過失であるときに限り、当該不動産の所有権取得をAに対抗することができる。

【問　2】　債務不履行に関する次のア〜エの記述のうち、民法の規定及び判例によれば、不適切なものはいくつあるか。

ア　金銭の給付を目的とする債務の不履行が不可抗力により発生した場合、債務者は、損害賠償責任を負わない。

イ　金銭の給付を目的とする債務の不履行の損害賠償を請求する場合、債権者は、損害の発生及び損害額の証明をすることを要しない。

ウ　契約の当事者が債務の不履行について損害賠償の額を予定した場合、その額が過大であるときでも、裁判所は、その額を減額することはできない。

エ　金銭の給付を目的とする債務の不履行の損害賠償の額は、原則として、債務者が遅滞の責任を負った最初の時点における法定利率によって定められる。

1　一つ
2　二つ
3　三つ
4　四つ

【問　3】　Aが所有する土地に、駐車場として使用されている隣地に植栽されている木の枝が、境界線を越えて張り出している場合に関する次の記述のうち、民法の規定によれば、最も不適切なものはどれか。

1　Aは、当該木の所有者にその枝を切除するように請求したにもかかわらず、その所有者が相当の期間内に切除しないときは、自らその枝を切除することができる。

2　Aが所有する土地に境界線を越えて枝を張り出している木が共有である場合、その枝を切除するには、共有者全員の同意が必要となる。

3　Aは、急迫の事情があるときは、自らその枝を切除することができ、切除するために必要な範囲内で、隣地である駐車場を使用することができる。

4　Aは、当該木の所有者を知ることができないときは、自らその枝を切除することができる。

【問　4】　マンションにおいて、その建物又は敷地上の工作物若しくは樹木についての設置・保存又は植栽の瑕疵により、他人に損害が発生した場合に関する次の記述のうち、民法及び区分所有法の規定によれば、最も適切なものはどれか。

1　区分所有者Aが自ら居住し所有する専有部分の設置又は保存の瑕疵により通行人Bに損害が発生した場合、損害の原因について区分所有者ではない第三者Cが責任を負うべきときは、AはBに対する損害賠償責任を負わない。

2　建物の敷地にある樹木の植栽又は支持に瑕疵があったため通行人Dに損害が発生した場合、Dは、損害賠償請求を、管理組合又は組合員全員に対してはすることができない。

3　区分所有者Eが、自己が所有する専有部分をFに賃貸していた場合、専有部分の設置又は保存の瑕疵により通行人Gに損害が発生したときは、Fが損害賠償責任を負うことはあり得るし、Eが損害賠償責任を負うこともあり得る。

4　建物の設置又は保存の瑕疵により通行人Hに損害が発生したことには争いがないが、その原因が、専有部分又は共用部分のいずれの設置又は保存の瑕疵によるものか判明しない場合、共用部分の設置又は保存の瑕疵によるものとみなされる。

【問　5】　マンションの維持又は修繕に関する次の記述のうち、標準管理委託契約書の定めによれば、最も不適切なものはどれか。

1　「大規模修繕」とは、建物の全体又は複数の部位について、修繕積立金を充当して行う計画的な修繕又は特別な事情により必要となる修繕等をいう。

2　マンションの維持又は修繕に関する外注業務の「実施の確認」については、施工を行った者から提出された作業報告書等を確認するだけでは足りず、必ず管理員等が外注業務の完了の立会いにより確認しなければならない。

3　「見積書の受理」には、見積書の提出を依頼する業者への現場説明や見積書の内容に対する管理組合への助言等（見積書の内容や依頼内容との整合性の確認の範囲を超えるもの）は含まれない。

4　「マンション管理業者と受注業者との取次ぎ」には、工事の影響がある住戸や近隣との調整、苦情対応等、管理組合と受注業者の連絡調整の範囲を超えるものは含まれない。

【問　6】　マンション内の事件や事故等への対応に関する次の記述のうち、標準管理委託契約書によれば、最も適切なものはどれか。

1　マンション管理業者が、共用設備の故障を原因とする火災について、管理組合の承認を得ることなく消火活動を実施した場合、当該共用設備の故障がマンション管理業者の責めによるものであるか否かにかかわらず、管理組合は、当該消火活動に要した費用をマンション管理業者に支払わなければならない。

2　マンション管理業者は、漏水が発生したとの通報があったため、漏れの調査のため専有部分内に立ち入る場合には、その専有部分を所有する組合員の承諾を得ずとも、立ち入ることができる。

3　マンション管理業者は、管理組合の組合員が所有する専有部分の売却の依頼を受けた宅地建物取引業者から、その媒介の業務のためとして一定の事項の開示を求められた場合、敷地及び共用部分における重大事故・事件のように該当事項の個別性が高いと想定されるものについては、一切開示することができない。

4　マンション管理業者においては、高齢化の進展に伴い、高齢者や認知症有病者等特定の組合員を対象とする業務が想定されるが、費用負担をめぐってトラブルにならないよう、その費用は管理費から充当する。

【問　7】　マンション管理に関する次の記述のうち、標準管理委託契約書によれば、最も適切なものはどれか。

1　標準管理委託契約書は、典型的な住居専用の単棟型マンションに共通する管理事務に関する標準的な契約内容を定めたものであるため、実際の契約書作成に当たっては、標準管理委託契約書の内容をそのまま流用すべきものである。

2　管理組合の組合員がその専有部分を第三者に貸与したときは、管理組合は、書面をもって、マンション管理業者に通知する必要はないが、管理組合の役員又は組合員が変更したときは、管理組合は、速やかに、書面をもって、マンション管理業者に通知しなければならない。

3　管理事務室等の資本的支出が必要となった場合の負担については、別途、管理組合及びマンション管理業者が協議して決定する。

4　災害・事故等発生時の連絡・報告は、管理員事務のうち立会業務に含まれる。

【問　8】　マンションの管理事務に関する次の記述のうち、標準管理委託契約書によれば、最も適切なものはどれか。

1　マンションの管理委託契約において、警備業法に定める警備業務及び消防法に定める防火管理者が行う業務は、管理事務に含まれる。

2　管理事務に関する報告期限は、マンション管理業者の事務の便宜等を考慮し、管理委託契約の履行上支障がないように定めるものとする。

3　マンションの管理事務における対象部分とは、管理規約により管理組合が管理すべき部分のうち、マンション管理業者が受託して管理する部分をいい、管理組合の組合員が管理すべき部分は含まない。

4　マンション管理業者は、事務管理業務、管理員業務、清掃業務、建物・設備管理業務の管理事務の全部を第三者に再委託することができる。

【問　9】　管理組合の会計に関する次の記述のうち、標準管理規約（単棟型）によれば、最も不適切なものはどれか。

1　管理組合は、建物の建替えに係る合意形成に必要となる事項の調査を行うため、必要な範囲内において借入れをすることができる。
2　管理組合は、管理費等に不足が生じた場合には、総会の決議により、その都度必要な金額の負担を組合員に求めることができる。
3　収支決算の結果、管理費に余剰を生じた場合には、その余剰は翌年度の管理費に充当することも修繕積立金に充当することも可能である。
4　駐車場使用料等の使用料は、それらの管理に要する費用に充てるほか、修繕積立金として積み立てることも可能である。

【問　10】　管理組合の監事に関する次の記述のうち、標準管理規約（単棟型）によれば、最も適切なものはどれか。

1　監事は、管理組合の業務執行や財産状況について異論がない場合でも、理事会に出席し、必要があると認めるときは、意見を述べなければならない。
2　監事は、理事長に事故があるときは、その理事長の職務を代理する。
3　監事は、理事会の承認を得て、管理組合の職員の採用や解雇を行う。
4　監事は、管理組合の業務執行や財産状況について不正があると認めるときは、理事長に対し、臨時総会を招集するように請求することができる。

【問 11】 以下の貸借対照表（勘定式）は、管理組合の令和6年3月末日の決算において作成された一般（管理費）会計にかかる未完成の貸借対照表である。貸借対照表を完成させるために、表中の（A）及び（B）の科目と金額の組合せとして最も適切なものは、次の1～4のうちどれか。

一般（管理費）会計貸借対照表
令和6年3月31日現在

（単位：円）

資産の部		負債・繰越金の部	
科　目	金　額	科　目	金　額
現金預金	700,000	預り金	100,000
（　　A　　）		（　　B　　）	
前払金	200,000	前受金	400,000
		次期繰越剰余金	300,000
資産の部 合計	1,000,000	負債・繰越金の部 合計	1,000,000

	資産の部	科目	金額	負債・繰越金の部	科目	金額
1	A	未払金	200,000	B	未収入金	200,000
2	A	未収入金	200,000	B	未払金	100,000
3	A	未払金	100,000	B	未収入金	100,000
4	A	未収入金	100,000	B	未払金	200,000

【問　12】　管理組合の活動における以下の取引に関して、令和6年3月分の仕訳として最も適切なものは次のうちどれか。なお、この管理組合の会計年度は、毎年4月1日から翌年3月31日までとし、期中の取引において、企業会計原則に基づき厳格な発生主義によって経理しているものとする。

（取　引）
　令和6年3月31日に、組合員から管理組合の普通預金口座に、管理費等合計100万円の入金があった。入金の内訳は以下のとおりである。
1．管理費入金内訳
　　令和6年2月分　　　　4万円
　　令和6年3月分　　　　6万円
　　令和6年4月分　　　　60万円　　　小　計　70万円
2．修繕積立金入金内訳
　　令和6年2月分　　　　2万円
　　令和6年3月分　　　　3万円
　　令和6年4月分　　　　25万円　　　小　計　30万円
　　　　　　　　　　　　　　　　　　合　計　100万円

（単位：円）

1

（借　方）		（貸　方）	
普通預金	1,000,000	管理費収入	700,000
		修繕積立金収入	300,000

2

（借　方）		（貸　方）	
普通預金	1,000,000	管理費収入	100,000
		修繕積立金収入	50,000
		前受金	850,000

3	（借　方）		（貸　方）	
	普通預金	1,000,000	未収入金	60,000
			管理費収入	60,000
			修繕積立金収入	30,000
			前受金	850,000

4	（借　方）		（貸　方）	
	普通預金	1,000,000	未収入金	60,000
			管理費収入	660,000
			修繕積立金収入	280,000

【問　13】　管理組合の活動における以下のア～エの取引に関し、令和6年3月分のア
～エそれぞれの仕訳として、最も適切なものは、次の1～4のうちのどれか。なお、
この管理組合の会計年度は、毎年4月1日から翌年3月31日までとし、期中の取引に
おいて、企業会計原則に基づき厳格な発生主義によって経理しているものとする。

《管理組合の会計年度：毎年4月1日から翌年3月31日まで》

ア　外階段塗装工事　　　　　　　　　　　　　　　　500,000円

　　令和6年2月1日　　　発注した

　　令和6年2月29日　　　工事を完了した

　　令和6年3月10日　　　普通預金から支払った

イ　照明設備修繕工事　　　　　　　　　　　　　　　300,000円

　　令和6年2月1日　　　発注した

　　令和6年3月15日　　　工事を完了した

　　令和6年3月20日　　　普通預金から支払った

ウ　雑排水管清掃　　　　　　　　　　　　　　　　　200,000円

　　令和6年2月1日　　　発注した

令和 6 年 3 月20日　　　清掃を完了した

令和 6 年 4 月10日　　　普通預金から支払う予定

エ　給水設備更新工事　　　　　　　　　　　　　　1,000,000円

令和 6 年 2 月 1 日　　　発注した

令和 6 年 2 月 1 日　　　前払金として250,000円を普通預金にて支払った

令和 6 年 2 月15日　　　工事に着手した

令和 6 年 4 月25日　　　工事を完了する予定

令和 6 年 5 月20日　　　普通預金から残金750,000円を支払う予定

（単位：円）

1　アの取引に関わる令和 6 年 3 月分の仕訳

（借　方）		（貸　方）	
修 繕 費	500,000	普通預金	500,000

2　イの取引に関わる令和 6 年 3 月分の仕訳

（借　方）		（貸　方）	
未 払 金	300,000	普通預金	300,000

3　ウの取引に関わる令和 6 年 3 月分の仕訳

（借　方）		（貸　方）	
清 掃 費	200,000	未 払 金	200,000

4　エの取引に関わる令和 6 年 3 月分の仕訳

（借　方）		（貸　方）	
前 払 金	250,000	普通預金	250,000

【問　14】　建築基準法の規定によれば、次の記述のうち、誤っているものはどれか。

1　構造耐力上主要な部分とは、基礎、基礎ぐい、壁、柱、小屋組、土台、斜材（筋かい、方づえ、火打材その他これらに類するものをいう。）、床版、屋根版又は横架材（はり、けたその他これらに類するものをいう。）で、建築物の自重又は積載荷重等を支えるものをいう。

2　主要構造部とは、壁、柱、基礎、はり、屋根又は階段をいい、建築物の構造上重要でない間仕切壁等一定の部分は除かれる。

3　延焼のおそれのある部分とは、原則として、隣地境界線、道路中心線又は同一敷地内の2以上の建築物相互の外壁間の中心線から、1階にあっては3m以下、2階以上にあっては5m以下の距離にある建築物の部分をいう。

4　居室とは、居住、執務、作業、集会、娯楽その他これらに類する目的のために継続的に使用する室をいう。

【問　15】　建築基準法に関する次の記述のうち、正しいものはどれか。

1　共同住宅の住戸の床面積の合計が100㎡を超える階において、両側に居室のある共用廊下の幅は、1.2m以上としなければならない。

2　回り階段の部分における踏面の寸法は、踏面の狭い方の端から30cmの位置において測る。

3　屋内避難階段の天井及び壁の室内に面する部分は、不燃材料で仕上げをすれば、その下地は不燃材料で造る必要はないが、特別避難階段の階段室の天井及び壁の室内に面する部分は、不燃材料で仕上げをし、かつ、その下地も不燃材料で造らなければならない。

4　住宅又は老人ホーム等に設ける機械室その他これに類する建築物の部分（給湯設備その他の国土交通省令で定める建築設備を設置するためのものであって、市街地の環境を害するおそれがないものとして国土交通省令で定める基準に適合するものに限る。）については、特定行政庁に交通上、安全上、防火上及び衛生上支障がないと認められていなくても、当該部分の床面積は、建築物の容積率の算定の基礎となる延べ面積には、算入されない。

【問　16】　消防法に関する次の記述のうち、誤っているものはどれか。

1　マンションの大規模の修繕で、建築基準法による確認を必要とする場合には、当該マンションの所在地を管轄する消防長又は消防署長による同意が必要である。

2　高さ31mを超えるマンションで、その管理について権原が分かれているものの管理について権原を有する者（以下、「管理権限者」という。）は、防火対象物の全体について防火管理上必要な業務を統括する防火管理者を協議して定め、当該防火対象物の全体についての防火管理上必要な業務を行わせなければならない。

3　延べ面積1,000㎡以上で消防長又は消防署長が火災予防上必要があると認めて指定する共同住宅については、消防用設備等又は特殊消防用設備等について、当該共同住宅の防火管理者が点検をしなければならない。

4　共同住宅の管理権原者は、マンションの位置、構造及び設備の状況並びにその使用状況に応じ、防火管理者に消防計画を作成させ、当該消防計画に基づく消火、通報及び避難の訓練を行わせなければならない。

【問　17】　地震とマンションの耐震に関する次の記述のうち、最も適切なものはどれか。

1　免震構造は、建築物の基礎と上部構造との間に免震装置を設け、地震力を低減する構造であるが、建築物の新築時のみならず既存マンションでも事後的に免震構造化することができる。

2　昭和56年（1981年）1月1日以降に建築確認を受けて着工した建築物は、現行の耐震基準が適用されている。

3　地震波にはP波とS波があるが、S波の方がP波より速く伝わる性質がある。

4　マンションの1階でピロティ構造を採用している場合、開口部を軽量ブロックで塞ぐことは地震対策として有効である。

【問　18】　マンションの防水工事に関する次の記述のうち、最も不適切なものはどれか。

1　「アスファルト防水熱工法」は、「改質アスファルトシート防水工法（トーチ工法)」に比べ、施工現場周辺の環境に及ぼす影響が大きい。

2　マンションの屋上にコンクリート保護層のあるアスファルト防水が施工されている場合、施工期間を短縮するため、既存保護層（立上り部等を除く）は撤去しないで、下地調整を行った後、その上にウレタンゴム系塗膜防水を施工することは有効である。

3　冬期の工事において、外気温の著しい低下が予想されるときは、既存保護層及び防水層を撤去し、塗膜防水を施工しなければならない。

4　マンションの屋上の露出アスファルト防水層の改修工法として、断熱防水工法を選定した場合には、積載荷重増加に対する構造的な検討が必要である。

【問　19】　マンションにおける排水設備に関する次の記述のうち、最も適切なものはどれか。

1　敷地雨水管の合流箇所、方向を変える箇所などに用いる雨水排水ますに設けなければならない泥だまりの深さは、100㎜以上でなければならない。

2　排水管の管径は、トラップの口径以下で、かつ30㎜以下とし、地中又は地階の床下に埋設される排水管の管径は、50㎜以下とする。

3　伸頂通気管とは、最上部の排水横枝管が排水立て管に接続した点よりも更に上方へ、その排水立て管を立ち上げて、これを通気管に使用する部分をいう。

4　敷地に降る雨の排水設備を設計する場合には、その排水設備が排水すべき敷地面積に、当該敷地に接する建物外壁面積の25％を加えて計算する。

【問　20】　マンションにおける給水設備に関する次の記述のうち、最も適切なものはどれか。

1　建築物の内部に設けられる飲料水用の給水タンクについては、原則として、天井、底又は周壁の保守点検ができるよう、床、壁及び天井面から45cm以上離れるように設置しなければならない。

2　給水栓における水の遊離残留塩素は、平時で0.4mg/ℓ以上でなければならない。

3　給水タンク及び貯水タンクは、ほこりその他衛生上有害なものが入らない構造とし、金属性のものにあっては、衛生上支障のないように有効なさび止めのための措置を講じなければならない。

4　飲料水用の給水タンクの水抜管及びオーバーフロー管は、排水管に直接連結しなければならない。

【問　21】　マンションにおける設備に関する次の記述のうち、最も適切なものはどれか。

1　換気設備を設けるべき調理室等に煙突、排気フードなどを設けず、排気口又は排気筒に換気扇を設ける場合にあっては、その有効換気量を、（燃料の単位燃焼量当たりの理論廃ガス量）×（火を使用する設備又は器具の実況に応じた燃料消費量）の30倍以上とする必要がある。

2　乗用エレベーターの最大定員の算定においては、重力加速度を9.8m/s²として、1人当たりの体重を60kgとして計算しなければならない。

3　分電盤内に設置されている漏電遮断器（漏電ブレーカー）及び配線用遮断器（安全ブレーカー）は、電力会社の所有物である。

4　家庭用燃料電池は、都市ガス等から水素を作り、それと空気中の酸素を反応させて電気を作るとともに、その反応時の排熱を利用して給湯用の温水を作る設備機器である。

【問　22】　次の記述のうち、長期修繕計画作成ガイドラインによれば、不適切なもの
はいくつあるか。

ア　推定修繕工事の内容の設定、概算の費用の算出等は、新築マンションの場合、
設計図書、工事請負契約書による請負代金内訳書及び数量計算書等を参考にし
て、また、既存マンションの場合、保管されている設計図書のほか、修繕等の履
歴、劣化状況等の調査・診断の結果に基づいて行う。

イ　管理組合は、分譲事業者から交付された設計図書、数量計算書等のほか、計画
修繕工事の設計図書、点検報告書等の修繕等の履歴情報を整理し、区分所有者等
の求めがあれば閲覧できる状態で保管することが必要である。

ウ　長期修繕計画の見直しに当たっては、必要に応じて専門委員会を設置するな
ど、検討を行うために管理組合内の体制を整えることが必要である。

エ　複合用途型マンションは、低層階に店舗や事務所などがあり、上層階に住宅が
あるマンションが一般的であるが、住居の部分だけでなく、店舗等の部分も長期
修繕計画作成ガイドラインの対象となる。

1　一つ
2　二つ
3　三つ
4　四つ

【問　23】　次の記述のうち、長期修繕計画作成ガイドラインによれば、不適切なものはいくつあるか。

ア　築古のマンションは省エネ性能が低い水準にとどまっているものが多く存在しているが、大規模修繕工事において、マンションの省エネ性能を向上させる改修工事（壁や屋上の外断熱改修工事や窓の断熱改修工事等。）を実施することは有意義とはいえない。

イ　耐震改修工事の費用が負担できない等の理由により、耐震改修工事を実施することが困難なときは、金融機関の融資を活用して、直ちに耐震改修工事を実施しなければならない。

ウ　推定修繕工事の内容は、新築マンションの場合は現状の仕様により、既存マンションの場合は現状又は見直し時点での一般的な仕様により設定するが、計画修繕工事の実施時には技術開発等により異なることがある。

エ　マンション管理適正化推進計画を作成している地方公共団体の区域内にあるマンションにおいては、マンションの管理計画の認定を受けることで、優良な管理が行われるマンションとして市場での評価が高まることが期待される。

1　一つ
2　二つ
3　三つ
4　四つ

【問　24】　次の記述のうち、長期修繕計画作成ガイドラインによれば、適切なものはいくつあるか。

ア　長期修繕計画は、不確定な事項を含んでいるので、5年程度ごとに調査・診断を行い、その結果に基づいて見直すことが必要だが、見直しには一定の期間（おおむね1～2年）を要することから、見直しについても計画的に行う必要がある。

イ　組合管理部分の修繕工事には、経常的な補修工事、計画修繕工事及び災害や不測の事故に伴う特別修繕工事があり、長期修繕計画は、これらの全てを対象としている。

ウ　管理組合は、長期修繕計画の作成及び修繕積立金の額の設定に当たって、総会の開催に先立ち説明会等を開催し、その内容を区分所有者に説明するとともに、長期修繕計画について総会で決議することが必要である。

エ　長期修繕計画の見直しに当たっては、事前に専門家による設計図書、修繕等の履歴等の資料調査、現地調査、必要により区分所有者に対するアンケート調査等の調査・診断を行って、建物及び設備の劣化状況、区分所有者の要望等の現状を把握し、これらに基づいて作成することが必要である。

1　一つ
2　二つ
3　三つ
4　四つ

【問　25】　修繕積立金ガイドラインに関する次の記述のうち、最も不適切なものはどれか。

1　一般的に建物の規模が大きくまとまった工事量になるほど、修繕工事の単価が高くなる傾向がある。

2　建物が階段状になっているなど複雑な形状のマンションや超高層マンションでは、外壁等の修繕のために建物の周りに設置する仮設足場やゴンドラ等の設置費用が高くなる。

3　機械式駐車場の1台あたり月額の修繕工事費は、エレベーター方式（垂直循環方式）は、2段（ピット1段）昇降式よりも低額となる。

4　新築マンションの場合は、段階増額方式を採用している場合がほとんどで、あわせて、分譲時に修繕積立基金を徴収している場合も多くなっている。

【問　26】　集会において議決権を行使できる者に関する次の記述のうち、区分所有法の規定によれば、最も適切なものはどれか。

1　専有部分を二人が共有し、その持分が等しい場合において、共有者間で議決権を行使する者についての協議が調わない場合、管理組合が共有者の一人を議決権行使者として指定する。

2　区分所有者でない管理者は、共用部分を管理所有している場合、共用部分の管理に関する事項については、議決権を行使することができる。

3　区分所有者の承諾を得て専有部分を占有し、会議の目的である事項について利害関係を有する占有者は、その事項について集会で意見を述べた場合には、議決権を行使することができる。

4　規約によって、代理人による議決権行使を禁止することはできないが、代理人の資格を他の区分所有者に限るとすることは許される。

【問　27】　マンションの専有部分及び共用部分に関する次の記述のうち、標準管理規約（単棟型）によれば、適切なものはいくつあるか。

　ア　各住戸の玄関扉の内部塗装部分及び窓ガラスの内側部分は専有部分である。

　イ　雑排水管及び汚水管については、配管枝管から配管継手部分までが専有部分である。

　ウ　給水管については、本管から各住戸メーターを含む部分までが共用部分である。

　エ　メーターボックス内にある給湯器ボイラーは共用部分である。

1　一つ

2　二つ

3　三つ

4　四つ

【問　28】　総会での議決権行使に関する次の記述のうち、標準管理規約（単棟型）によれば、最も適切なものはどれか。ただし、電磁的方法が利用可能ではない場合とする。

1　住戸1戸が数人の共有に属する場合、その議決権行使については、これら共有者をあわせて一の組合員とみなすため、各共有者は、持分割合に応じて議決権を行使できない。

2　議決権については、区分所有者の資産額の多寡、あるいはそれを基礎としつつ賛否を算定しやすい数字に直した割合によることが適当である。

3　議決権については、住戸の価値に大きな差がある場合においても、あくまで共用部分の共有持分の割合によって、議決権の割合を定めるべきである。

4　議決権行使に当たって、特定の者について利害関係が及ぶような事項を決議する場合でも、その特定の少数者の意見が反映されるよう留意する必要はなく、専ら多数決に従うのが適当である。

【問 29】 マンションの一住戸甲（以下、本問において「甲」という。）の所有者であるＡが甲をＢに売却し、さらにＢが甲をＣに売却した場合に関する次の記述のうち、民法の規定及び判例によれば、最も不適切ものはどれか。

1 甲の所有権の登記がＢにある場合、Ｃは、甲の所有権をＡに対抗することができない。

2 甲の所有権の登記がＢにある場合において、ＡがＢの債務不履行を理由にＡＢ間の契約を解除したときは、Ｃは、甲の所有権をＡに対抗することができない。

3 Ｂが甲をＤにも売却し、Ｄが甲の所有権の登記した場合、Ｃは、Ｄよりも先に甲の引渡しを受けていても、甲の所有権をＤに対抗することができない。

4 ＡがＢの強迫を理由にＡＢ間の売買契約を取り消した後に、ＢがＣに甲を売却し、Ｃが甲の所有権の登記を備えたときは、Ｃは、甲の所有権をＡに対抗することができる。

【問 30】 相続及び遺留分に関する次の記述のうち、民法の規定及び判例によれば、最も適切なものはどれか。

1 相続人は、遺産の分割までの間は、相続開始時に存した金銭を相続財産として保管している他の相続人に対し、自己の相続分に相当する金銭の支払いを請求することはできない。

2 遺留分侵害額の請求権は、遺留分権利者が、相続の開始及び遺留分を侵害する贈与又は遺贈があったことを知った時から３年間行使しないときは、時効によって消滅し、相続開始の時から10年を経過したときも、同様である。

3 相続人は、自己のために相続の開始があったことを知った時から３ヵ月以内であれば、一度した相続の承認及び放棄を撤回することができる。

4 相続開始前の相続放棄が認められていないことから、相続開始前における遺留分の放棄も、一切認められていない。

【問　31】　甲マンション管理組合の管理者Ａがその職務を行うにつき区分所有者Ｂに対して有する債権を被担保債権として先取特権（区分所有法第7条に規定する先取特権をいう。以下同じ。）を行使する場合に関する次の記述のうち、区分所有法及び民法の規定によれば、適切なものはいくつあるか。

ア　ＡがＢに対して行使する先取特権の優先権の順位及び効力は、共益費用の先取特権とみなされる。

イ　Ａが、Ｂの区分所有権（共用部分に関する権利及び敷地利用権を含む。）及び建物に備え付けた動産について先取特権を行使したが、なお不足がある場合、Ａは、Ｂの有する総財産に対して先取特権を行使することができる。

ウ　Ａがその職務を行うにつきＢに対して有する債権の額が、Ｂの区分所有権の価格の50分の1未満である場合でも、Ａは先取特権を行使することができる。

エ　Ｂ以外の第三者が建物に備え付けた動産であっても、平穏に、かつ、公然とこの動産の占有を始めたＡは、善意であり、かつ、無過失でＢの所有物と誤信した場合、その動産についても先取特権を行使することができる。

1　一つ
2　二つ
3　三つ
4　四つ

【問　32】　規約の変更に関する次の記述のうち、区分所有法の規定及び標準管理規約（単棟型）によれば、適切なものはいくつあるか。

ア　理事長の事務に関する報告について、集会ではなく、文書により毎年1回一定の時期に行うよう変更することができる。

イ　敷地の共有持分割合について、専有部分の床面積割合から全住戸均等に変更することができる。

ウ　各住戸の専有部分の床面積に差異が少ない場合、共用部分に対する各区分所有者の共有持分の割合を、専有部分の床面積の割合から全住戸均等に変更することができる。

エ　マンションの敷地及び共用部分である集会室について、理事長が管理所有することに変更することができる。

1　一つ
2　二つ
3　三つ
4　四つ

【問 33】 区分所有建物の復旧等に関する次の記述のうち、区分所有法の規定によれば、最も不適切なものはどれか。

1 建物の価格の2分の1以下に相当する部分が滅失した場合、滅失した共用部分の復旧については、各区分所有者が行うことができないこととするとともに、滅失した共用部分を復旧する旨の集会の決議によらなければならない旨を規約に定めることはできない。

2 建物の価格の2分の1を超える部分に相当する滅失があり、滅失した共用部分を復旧する旨の集会の決議があった場合において、決議賛成者は、同決議後2週間以内に買取指定者を指定することができるが、その指定については、決議賛成者全員の合意を要する。

3 建物の価格の2分の1以下に相当する部分が滅失した場合において、規約に別段の定めがない限り、各区分所有者は、滅失した共用部分を復旧する旨の決議、建物の建替え決議又は団地内の建物の一括建替え決議があったときでも、自己の専有部分を復旧することができる。

4 売渡請求権の行使により区分所有権又は敷地利用権を売り渡した者は、正当な理由がないにもかかわらず建替え決議の日から2年以内に建物の取壊工事の着手がなされない場合には、この期間の満了の日から6月以内に、その区分所有権又は敷地利用権を現在有する者に対して、買主が支払った代金に相当する金銭を提供して、これらの権利を売り渡すべきことを請求することができる。

【問 34】 団地共用部分に関する次の記述のうち、区分所有法の規定によれば、最も不適切なものはどれか。

1 各団地建物所有者は、団地共用部分をその用方に従って使用することができる。

2 一団地内の附属施設たる建物を団地管理組合の規約により団地共用部分としたときは、その旨の登記をしなくても、これをもって第三者に対抗することができる。

3 団地共用部分は、団地建物所有者全員の共有に属し、その持分は、規約に別段の定めがないかぎり、団地建物所有者の有する建物又は専有部分の床面積の割合による。

4 一団地内の附属施設たる建物を団地管理組合の規約によって団地共用部分とするときは、団地建物所有者及び議決権の各4分の3以上の多数による集会の決議がなければならない。

【問 35】 修繕積立金に関する次の記述のうち、標準管理規約（単棟型）によれば、最も不適切なものはどれか。

1 管理組合は、修繕積立金の保管及び運用方法を決めるには、総会の決議によらなければならない。

2 管理組合は、共用設備の保守維持費及び運転費について、修繕積立金を取り崩して充当してはならない。

3 管理組合は、共用部分等に係る火災保険料について、修繕積立金を取り崩して充当してはならない。

4 管理組合は、長期修繕計画の作成等のために劣化診断（建物診断）に要する経費について、修繕積立金を取り崩して充当してはならない。

【問　36】　住居専用の専有部分からなる数棟で構成される団地に関する次の記述のうち、標準管理規約（団地型）の定めによれば、最も不適切なものはどれか。

1　各棟の階段及び廊下の補修工事をするには、団地総会の決議を経なければならない。

2　数棟のうち一棟を同一規模の建物に建て替える場合の建替え決議の承認については、その団地総会の決議を経なければならない。

3　団地内の建物の一部が滅失した場合、その滅失した棟の共用部分の復旧をするには、団地総会の決議を経なければならない。

4　各棟修繕積立金の保管および運営方法については、団地総会の決議を経なければならない。

【問　37】　次の記述のうち、判例によれば、最も不適切なものはどれか。

1　専有部分の賃借人が、区分所有法第6条第1項に規定する「区分所有者の共同の利益」に反する行為をしている場合、区分所有者の全員が、当該賃借人に係る賃貸借契約を解除し、当該賃借人に対し、当該専有部分の引渡しを求める集会の決議をするには、あらかじめ当該賃借人に対して弁明の機会を与えれば足り、賃貸人たる区分所有者には弁明の機会を与える必要はない。

2　マンションの区分所有者が、業務執行に当たっている管理組合の役員らをひぼう中傷する内容の文書を配布する行為は、それによりマンションの正常な管理又は使用が阻害される場合には、区分所有法第6条第1項の「区分所有者の共同の利益に反する行為」に当たるとみる余地がある。

3　マンションの管理組合が、専有部分の用途に制限を設けていなかった規約を改定して、「専有部分を住宅としてのみ使用可能とし、他の用途に供してはならない」という新規約を設定する場合、すでに自己の専有部分を店舗として使用している区分所有者がいるときでも、管理組合は、当該区分所有者の承諾を得る必要はない。

4　規模が大きく、居宅の多いマンションにおいて、マンションの玄関に接する共用部分である管理事務室のみでは管理人を常駐させてその業務を円滑に遂行させることが困難である場合において、隣接する管理人室は、管理事務室と合わせて一体として利用することが予定されているときは、利用上の独立性を欠き、専有部分にあたらない。

【問 38】 管理費の滞納に対する対策及び法的手続に関する次の記述のうち、不適切なものはいくつあるか。

ア 管理者は、滞納管理費に対する支払請求訴訟を提起するためには、管理費の滞納者に対し、あらかじめ書面により滞納管理費に対する支払督促をしておかなければならない。

イ 少額訴訟の当事者は、判決書の送達を受けた日から2週間以内であれば、その判決をした裁判所に対して異議を申し立てることができる。

ウ 少額訴訟において、当事者は、口頭弁論が続行された場合を除き、第1回口頭弁論期日前又はその期日において、すべての主張と証拠を提出しなければならない。

エ 管理費を滞納している区分所有者が、裁判所に民事再生手続開始の申立てをした場合は、管理組合は、当該区分所有者に対して、滞納管理費を請求できない。

1 一つ
2 二つ
3 三つ
4 四つ

【問　39】　甲マンションの管理組合Aが区分所有者Bに対して有する管理費債権の消滅時効に関する次の記述のうち、民法の規定及び判例によれば、最も適切なものはどれか。

1　AのBに対する管理費債権の消滅時効が完成した後、Bが、Aに対して管理費債務の承認をしたときでも、Bは、当該時効の完成を知らなかった場合には、完成した時効を援用することができる。

2　Bが被保佐人である場合、Bが保佐人の同意を得ずに単独で管理費債務の承認をしたことについて、保佐人は取り消すことはできない。

3　Bが破産手続開始の決定を受けた場合、その破産手続が開始されることにより、その手続が終了するまでの間、管理費債権の消滅時効の完成が猶予される。

4　AがBに対して管理費の支払請求訴訟を提起した場合には、その訴えが却下された時にでも、時効の更新の効力が生ずる。

【問　40】　住宅の品質確保の促進等に関する法律（以下、本問において「品確法」という。）に関する次の記述のうち、正しいものはどれか。

1　売買契約において、構造耐力上主要な部分及び雨水の浸入を防止する部分（以下、本問において「構造耐力上主要な部分等」という。）については、売主が買主に品確法の瑕疵担保責任を負う期間を引渡しから20年とすることができるが、構造耐力上主要な部分等以外の住宅の部分については、当該期間を引渡しから20年とすることができない。

2　まだ人の居住の用に供したことのない住戸であれば、当該住戸の建設工事完了日から起算して1年を経過したものでも、構造耐力上主要な部分等の欠陥については瑕疵担保責任の対象となる。

3　売主が買主に住戸を引き渡してから半年後に、構造耐力上主要な部分等ではないフローリングに欠陥があることが判明した場合、その時点から1年以内に当該欠陥について、買主が売主に通知をしたとしても、瑕疵担保責任の追及はできない。

4　瑕疵担保責任は新築住宅を対象としているため、品確法の住宅性能評価の制度も新築住宅のみを対象としている。

【問 41】 不動産登記法に関する次の記述のうち、最も不適切なものはどれか。

1 抵当権や地上権、先取特権や配偶者居住権は、いずれも登記記録の権利部の乙区に記録される。

2 権利に関する登記を申請する場合には、申請人は、原則として、その申請情報と併せて登記原因を証する情報を提供しなければならない。

3 区分建物である建物を新築した場合において、その所有者について相続があったときは、相続人は、被相続人を表題部所有者とする当該区分建物についての表題登記を申請することができる。

4 登記記録の表題部には、表示に関する事項が記録され、建物の表題部には、所在地、家屋番号、種類、床面積、登記原因及びその日付の他、当該建物の固定資産税評価額が記録される。

【問 42】 次の「個人情報保護法」の用語に関する文章について、（ ア ）～（ エ ）に入る語句の説明として、誤っているものはどれか。

ア 「個人情報」とは、（ ア ）に関する情報であることが必要である。

イ 「個人データ」とは、（ イ ）を構成する個人情報をいう。

ウ 「個人情報取扱事業者」とは、個人情報データベース等を事業に用に供している者であって、国の機関・地方公共団体・独立行政法人等・地方独立行政法人は（ ウ ）。

エ 管理組合は、「個人情報取扱事業者」に（ エ ）。

1 （ ア ）には、「生存する個人」が入る。

2 （ イ ）には、「個人情報データベース等」が入る。

3 （ ウ ）には、「個人情報取扱事業者に含まれる」が入る。

4 （ エ ）には、「含まれる」が入る。

【問　43】　敷地分割組合（以下、本問において「組合」という。）に関する次の記述のうち、マンションの建替え等の円滑化に関する法律の規定によれば、最も不適切なものはどれか。

1　組合の組合員数が50人を超えるときは、総会に代わってその権限を行わせるために総代会を設けることができる。

2　分割実施敷地に現に存する専有部分のある建物の一の専有部分が、数人の共有に属するときは、その数人は一人の組合員とみなされる。

3　総会において、組合員は、代理人をもって議決権を行使できるが、総代は、代理人をもって議決権を行使することはできない。

4　組合の理事及び監事は、組合員（法人にあっては、その役員）でなければならず、組合員以外の者を理事又は監事とすることはできない。

【問　44】　区分所有者Ａが、自己所有のマンションの専有部分をＢに賃貸した場合に関する次の記述のうち、借地借家法の規定によれば、最も適切なものはどれか。なお、ＡＢ間の賃貸借契約は、定期建物賃貸借契約ではないものとする。

1　ＡＢ間において、契約期間を6ヵ月と定めたときは、契約期間が1年の賃貸借とみなされる。

2　ＡＢ間において、一定期間、賃料を増額しない旨の特約をした場合は、当該賃料が不相当になったときであっても、Ａは増額請求をすることができない。

3　ＡＢ間において、賃貸借契約終了時にＢの造作買取請求権の行使を認めないとする特約は、無効である。

4　ＡＢ間において、契約期間を定めなかった場合、Ａが、借地借家法第28条に定める正当事由がある解約の申入れをしたときは、解約の申入れの日から1ヵ月を経過した日に、契約は終了する。

【問　45】　宅地建物取引業者Ａが自ら売主として、マンションを売却する場合における宅地建物取引業法第35条の規定により行う重要事項の説明に関する次の記述のうち、最も適切なものはどれか。なお、買主は宅地建物取引業者ではないものとする。

1　Ａは、代金に関する金銭の貸借のあっせんの内容及び当該あっせんに係る金銭の貸借が成立しないときの措置について、説明しなければならない。

2　Ａは、当該マンションの計画的な維持修繕のための費用の積立を行う旨の規約の定めがある場合、その内容を説明しなければならないが、既に積み立てられている額については、説明の必要はない。

3　Ａは、当該マンションについて、石綿の使用の有無について説明する必要があることに加え、石綿の使用の有無について自ら調査しなければならない。

4　Ａは、当該マンションの台所、浴室、便所その他の当該マンションの設備の整備状況について、説明しなければならない。

【問　46】　マンションの管理の適正化の推進を図るための基本的な方針に関する次の記述のうち、不適切なものはいくつあるか。

ア　管理組合は、マンションの管理の適正化を図るため、必要に応じて、マンション管理士等専門的知識を有する者の知見の活用を考慮することが重要である。

イ　管理委託契約先が選定されたときは、管理組合の管理者等は、マンション管理業者の行う管理事務の報告等を活用し、管理事務の適正化が図られるよう努める必要はあるが、説明会を通じて区分所有者等に対し、当該契約内容を周知することまでは求められていない。

ウ　管理業務の委託や工事の発注等については、事業者の選定に係る意思決定の透明性確保や利益相反等に注意して、適正に行われる必要があるが、とりわけ外部の専門家が管理組合の管理者等又は役員に就任する場合においては、この専門家と信頼関係を築き、発注等に係るルールの整備に関する作成を任せる必要がある。

エ　マンションの区分所有者等は、その居住形態が戸建てのものとは異なり、相隣関係等に配慮を要する住まい方であることを十分に認識し、その上で、マンションの快適かつ適正な利用と資産価値の維持を図るため、管理組合の一員として、進んで、集会その他の管理組合の管理運営に参加するとともに、定められた管理規約、集会の決議等を遵守すべきであるため、マンションの管理に関する法律等について理解を深めることが重要である。

1　一つ
2　二つ
3　三つ
4　四つ

【問　47】　管理業務主任者に関する次の記述のうち、マンション管理適正化法の規定によれば、最も適切なものはどれか。

1　管理業務主任者は、管理業務主任者証がその効力を失ったときは、速やかに、管理業務主任者証を国土交通大臣に返納しなければならない。

2　国土交通大臣は、管理業務主任者が偽りその他不正の手段により管理業務主任者証の交付を受けたときは、当該管理業務主任者に対し、1年以内の期間を定めて、管理業務主任者としてすべき事務を禁止することができる。

3　管理業務主任者が、マンション管理業者に自己が専任の管理業務主任者として従事している事務所以外の事務所の専任の管理業務主任者である旨の表示をすることを許し、当該マンション管理業者がその旨の表示をし、その情状が特に重いときは、国土交通大臣は、当該管理業務主任者の登録を取り消すことができる。

4　管理業務主任者は、本籍に変更があった場合は、遅滞なく、その旨を国土交通大臣に届け出なければならず、これにより管理業務主任者証の記載事項にも変更が生じることになるため、当該届出に管理業務主任者証を添えて提出し、その訂正を受けなければならない。

【問　48】　マンション管理業者が行う業務に関する次の記述のうち、マンション管理適正化法の規定によれば、不適切なものはいくつあるか。なお、電子情報処理組織を使用する方法等については考慮しないものとする。

ア　マンション管理業者の使用人その他の従業者は、これらの者でなくなった後も含め、正当な理由なくして、マンションの管理に関する事務を行ったことに関して、知り得た秘密を他に漏らしてはならず、これに違反した場合は、必ず罰金の対象となる。

イ　管理事務とは、マンションの管理に関する事務であって、基幹事務（管理組合の会計の収入及び支出の調定及び出納並びに専有部分を除くマンションの維持又は修繕に関する企画又は実施の調整をいう。）を含むものをいう。

ウ　マンション管理業者は、管理者等が置かれているマンション管理組合から委託を受けた管理事務に関する管理事務報告書に、管理業務主任者をして、記名をさせなければならない。

エ　マンション管理業者は、管理者等が置かれていない甲マンション管理組合において、当該甲の事業年度終了後、遅滞なく、マンションの区分所有者等に管理事務に関する報告をしなければならず、管理事務報告書をマンションの区分所有者等の見やすい場所に掲示しなければならない。

1　一つ
2　二つ
3　三つ
4　四つ

【問　49】　マンション管理業の登録に関する次の記述のうち、マンション管理適正化法の規定によれば、適切なものはいくつあるか。

ア　マンション管理業者から更新の登録の申請があった場合において、従前の登録の有効期間の満了後に処分がされたときの当該登録の有効期間は、従前の登録の有効期間の満了の日の翌日から起算する。

イ　市町村は、マンション管理業者登録簿に登録を受けることなく、マンション管理業を営むことができる。

ウ　マンション管理業に関し、成年者と同一の行為能力を有しない未成年者で、その法定代理人が、懲役3年の刑に処せられ、その執行を終わり、又は執行を受けることがなくなった日から2年を経過しないものは、マンション管理業の登録を受けることはできない。

エ　マンション管理業者が法人である場合において、当該マンション管理業者の取締役の1人が任期満了で退任し、新たに取締役が選任されたときは、当該退任及び選任について、その旨を国土交通大臣に届け出る必要がある。

1　一つ
2　二つ
3　三つ
4　四つ

【問　50】　マンション管理適正化法に関する次の記述のうち、不適切なものはいくつあるか。

ア　管理業務主任者は、管理業務主任者証の亡失によりその再交付を受けた後において、亡失した管理業務主任者証を発見した場合、速やかに、発見した管理業務主任者証を国土交通大臣に返納しなければならず、この返納義務に違反したときは、10万円以下の罰金に処せられる。

イ　マンション管理業の登録を受けようとする者が、未成年者である場合には、その法定代理人（法人である場合を除くものとする。）の氏名及び住所を登録申請書に記載して提出しなければならない。

ウ　木造平屋建ての区分所有建物であっても、2以上の区分所有者が存し、居住用に供する専有部分があれば、マンションに該当するため、この建物の管理組合から委託を受けて管理事務を行うマンション管理業者は、信義を旨とし、誠実にその業務を行わなければならない。

エ　マンションの区分所有者等は、マンションの管理に関し、管理組合の一員としての役割を適切に果たさなければ、罰則の対象となる。

1　一つ
2　二つ
3　三つ
4　四つ

【問題冊子ご利用時の注意】

　「問題冊子」は、この**色紙**を残したまま、てい**ね**いに**抜き取り**、ご利用ください。

- ●抜き取り時のケガには、十分お気をつけください。
- ●抜き取りの際の損傷についてのお取替えはご遠慮願います。

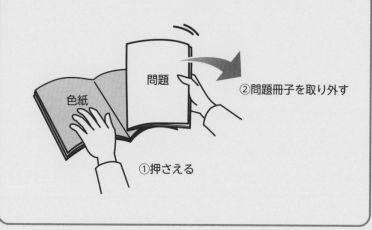

TAC出版

TAC PUBLISHING Group

令和6年度管理業務主任者模擬試験

問 題

第 **2** 回

 合格ライン **35**点

  レ ベ ル 標準

 制 限 時 間 **2時間**

❶問題は、2−1ページから2−37ページまでの50問です。
❷問題の中の法令に関する部分は、令和6年4月1日現在
　施行されている規定に基づいて出題されています。

本試験問題では、以下の法律等の名称について、それぞれ右欄に記載の略称で表記しています。

法律等の名称	試験問題中の略称
建物の区分所有等に関する法律	区分所有法
マンションの管理の適正化の推進に関する法律	マンション管理適正化法
マンション標準管理委託契約書及びマンション標準管理委託契約書コメント	標準管理委託契約書
マンション標準管理規約（単棟型）及びマンション標準管理規約（単棟型）コメント	標準管理規約（単棟型）
（国土交通省策定　平成20年6月） （令和3年9月　改訂） 長期修繕計画標準様式、長期修繕計画作成ガイドライン及び長期修繕計画作成ガイドラインコメント	長期修繕計画作成ガイドライン
（国土交通省策定　平成23年4月） （令和3年9月　改訂） マンションの修繕積立金に関するガイドライン	修繕積立金ガイドライン

本試験問題では、問題文中に特に断りがない場合には、以下の用語について、それぞれ右欄の法律及び条文の定義に基づいて表記しています。

試験問題中の用語	用語の定義を規定する法律及び条文
マンション	マンション管理適正化法 第2条 第1号
マンションの区分所有者等	マンション管理適正化法 第2条 第2号
管理組合	マンション管理適正化法 第2条 第3号
管理者等	マンション管理適正化法 第2条 第4号
管理事務	マンション管理適正化法 第2条 第6号
マンション管理業	マンション管理適正化法 第2条 第7号
マンション管理業者	マンション管理適正化法 第2条 第8号
管理業務主任者	マンション管理適正化法 第2条 第9号
宅地建物取引業者	宅地建物取引業法　　　第2条 第3号

【問　1】　A、B及びCは、マンションの一住戸甲を共有しており、その持分は、各3分の1である。この場合に関する次の記述のうち、民法の規定及び判例によれば、適切なものはいくつあるか。

ア　CがA及びBの承諾を得ずに甲を使用している場合、AとBの協議に基づいて、Aが甲を使用する旨を決定したときでも、Aは、Cの承諾を得なければ、Cに対して甲の明渡しを請求することができない。

イ　Dが甲を不法に占有している場合、Aは、Dに対して甲の明渡しを請求することができる。

ウ　A、B及びCは、その持分の価格に従い、その過半数の決定により、共有物の管理者を選任することができる。

エ　Cの所在が不明である場合、裁判所は、A又はBの請求により、A及びBの同意を得て、甲に変更を加えることができる旨の裁判をすることができる。

1　一つ
2　二つ
3　三つ
4　四つ

【問　2】　Aが所有するマンションの一住戸甲の売買契約がBとの間で締結された場合に関する次の記述のうち、民法の規定によれば、最も適切なものはどれか。

1　Bの責めに帰すべき事由によって甲の引渡債務の履行の全部が不能となった場合においても、Bは、履行不能による契約の解除をすることができる。

2　甲の引渡しを特定の日に履行しなければ契約をした目的を達することができない場合において、Aが正当な理由もなく履行をしないでその時期を経過したときは、Bは、履行の催告をしなければ、契約の解除をすることはできない。

3　Aが甲の引渡債務の全部の履行を拒絶する意思を、Bに対して明確に表示した場合においても、Bは、相当の期間を定めて履行の催告をしなければならず、その期間内に履行がないときに、売買契約を解除することができる。

4　甲の売買契約が成立した後、引渡しがなされる前に、甲がAB双方の責めに帰することができない事由によって滅失したときは、Bは代金の支払いを拒むことができる。

【問　3】　代理に関する次の記述のうち、民法の規定によれば、最も不適切なものはどれか。

1　代理人が自己の利益を図る目的で代理権の範囲内の行為をした場合において、相手方がその目的を知っていたときは、相手方は、本人に対して、追認するかどうかを確答すべき旨の催告をすることができる。

2　代理人の代理権が消滅すると、復代理人の代理権も消滅する。

3　未成年者は任意代理人になることはできるが、被保佐人は任意代理人となることはできない。

4　委任による代理人は、本人の許諾を得たときだけでなく、やむを得ない事由があるときにも復代理人を選任することができる。

【問　4】　A、B及びCが、Dに対して150万円の連帯債務を負っている場合に関する次の記述のうち、民法の規定によれば、最も適切なものはどれか。なお、A、B及びCの負担部分は平等であるものとする。

1　AがDに対して30万円を支払った場合、Aは、B及びCに対して10万円を求償することができるが、その法定利息を請求することはできない。

2　Aが錯誤によりDに対する連帯債務を負担していた場合、Aが取消権を行使したときは、B及びCの債務もAの負担部分の限度で無効となる。

3　AがDに対して150万円を支払ったが、Bが無資力であった場合、過失のないAは、Cに対して75万円の限度で求償することができる。

4　Dは、Aに対して50万円の限度でのみ支払を請求することができる。

【問　5】　宅地建物取引業者が、マンションの管理組合の組合員から、当該組合員が所有する専有部分の売却の依頼を受け、その媒介等の業務のために、マンション管理業者に情報の提供・開示を求めてきた場合の当該管理組合に代わって行うマンション管理業者の対応に関する次の記述のうち、標準管理委託契約書によれば、最も適切なものはどれか。

1　当該組合員の負担に係る管理費及び修繕積立金等については、月額並びに滞納があるときはその金額に関し、書面をもって、又は電磁的方法により開示する。

2　マンションの修繕の実施状況については、当該組合員の所有する専有部分に関する修繕の実施状況も含めて、書面をもって、又は電磁的方法により開示する。

3　管理費等の改定の予定及び修繕一時金の徴収の予定並びに大規模修繕の実施予定は、開示する情報に含まれない。

4　マンション管理業者が提供・開示できる範囲は、常に宅地建物取引業者から求められたすべての範囲である。

【問　6】　管理委託契約の解約等に関する次の記述のうち、標準管理委託契約書によれば、適切なものはいくつあるか。

ア　管理委託契約を解除した場合において、管理組合とマンション管理業者は、相手方に対して損害賠償を請求することはできない。

イ　マンション管理業者が、マンション管理業の登録取消しの処分を受けた場合は、管理組合は催告を行った上で、管理委託契約を解除できる。

ウ　管理組合又はマンション管理業者は、その相手方に対し、少なくとも3ヵ月前に書面で解約の申入れを行うことにより、管理委託契約を終了させることができる。

エ　マンション管理業者が破産を申し立てたときは、管理組合は契約を解除することができるが、会社更生、民事再生の申立てをしたときは、契約を解除することはできない。

1　一つ
2　二つ
3　三つ
4　四つ

【問　7】　管理組合の行うべき職務に関する次の記述のうち、標準管理委託契約書によれば、最も不適切なものはどれか。

1　管理組合は、マンション管理業者に管理事務を行わせるために不可欠な管理事務室、管理用倉庫、清掃員控室、器具、備品等を無償で使用させるものとする。

2　管理委託契約に基づく管理組合のマンション管理業者に対する管理事務に関する指示については、法令の定めに基づく場合を除き、管理組合の管理者等又は管理組合の指定する管理組合の役員がマンション管理業者の使用人その他の従業者のうち、マンション管理業者が指定した者に対して行うものとする。

3　管理組合は、マンションにおいて滅失、き損、瑕疵等の事実を知った場合においては、速やかに、書面をもって、その状況をマンション管理業者に通知しなければならない。

4　組合員等で生じたトラブルについては、組合員等で解決することが原則であるが、管理組合がマンションの共同利益を害すると判断した場合には、管理組合で対応することができる。

【問　8】　マンション管理業者の行うべき報告等に関する次の記述のうち、標準管理委託契約書によれば、適切なものの組合せはどれか。

ア　マンション管理業者は緊急に行う必要がある業務で、管理組合の承認を受ける時間的余裕がないものについては、管理組合の承認を受けないで実施することができるが、この場合において、マンション管理業者は、速やかに、書面をもって、その業務の内容及び実施に要した費用の額を管理組合に通知しなければならない。

イ　マンション管理業者は管理費等滞納者に対する督促について、電話若しくは自宅訪問又は督促状の方法により、その支払の督促を行い、毎月、管理業務主任者をして、管理費等の滞納状況を管理組合に報告をさせなければならない。

ウ　マンション管理業者は、管理組合の事業年度終了後、管理組合と合意した期限内に、当該年度における管理事務の処理状況及び管理組合の会計の収支の結果を記載した書面を管理組合に交付し、管理業務主任者をして、報告をさせなければならない。

エ　マンション管理業者は、管理組合から請求があるときは、管理事務の処理状況及び管理組合の会計の収支状況について、管理業務主任者をして、報告をさせなければならない。

1　ア・イ
2　ア・ウ
3　イ・エ
4　ウ・エ

【問　9】　マンションの敷地上の駐車場に関する次の記述のうち、標準管理規約（単棟型）によれば、最も適切なものはどれか。

1　駐車場使用契約により使用者から使用料を徴収している以上、管理組合は必ず車両の保管責任を負わなければならない。

2　駐車場使用者は、その専有部分を他の区分所有者に貸与した場合にあっても、区分所有者である以上、当該駐車場使用契約は効力を失わない。

3　駐車場使用者が、管理費、修繕積立金等の滞納等の規約違反をしている場合には、駐車場使用細則、駐車場使用契約等に明文規定がなくても、管理組合は当該駐車場使用契約を解除することができる。

4　賃借人等の占有者にも駐車場を使用させることができるようにするためには、管理規約を改正しなければならない。

【問　10】　管理組合の会計に関する次の記述のうち、標準管理規約（単棟型）によれば、最も適切なものはどれか。

1　理事長は、毎会計年度の収支決算案を監事の会計監査を経て、通常総会に報告し、その承認を得なければならない。

2　管理組合の組合員は、納付した管理費等および使用料について、事後的に返還又は分割請求することができる。

3　管理組合の会計処理に関する使用細則の変更を行う場合には、理事会の決議を得なければならない。

4　管理組合の管理費に不足が生じた場合には、標準管理規約の規定に則り、借入れをすることができる。

【問 11】 以下の貸借対照表（勘定式）は、甲管理組合の令和6年3月末日の決算において作成された一般（管理費）会計にかかる未完成の貸借対照表である。貸借対照表を完成させるために、表中の（A）及び（B）の科目と金額の組合せとして最も適切なものは、次の1～4のうちどれか。

一般（管理費）会計貸借対照表
令和6年3月31日現在

（単位：円）

資産の部		負債・繰越金の部	
科　目	金　額	科　目	金　額
現金預金	500,000	未払金	200,000
未収入金	300,000	仮受金	100,000
（　　A　　）		（　　B　　）	
		次期繰越剰余金	400,000
資産の部 合計	1,000,000	負債・繰越金の部 合計	1,000,000

	資産の部	科目	金額	負債・繰越金の部	科目	金額
1	A	前払金	100,000	B	預け金	100,000
2	A	前受金	100,000	B	預り金	100,000
3	A	前払金	200,000	B	預り金	300,000
4	A	前受金	200,000	B	預け金	300,000

【問 12】 管理組合における以下の①～③の活動に関し、令和 6 年 3 月分の仕訳として最も適切なものは、次の 1 ～ 4 のうちどれか。ただし、この管理組合の会計年度は、毎年 4 月 1 日から翌年 3 月31日までとし、期中の取引においても、企業会計原則に基づき、厳格な発生主義によって経理しているものとする。

活動

①　工事会社から令和 6 年 3 月 1 日に完了したエレベーター修繕工事に関する請求書が届いたので、代金の半額100万円を同年 3 月31日に普通預金から支払ったが、残額は同年 4 月末日に支払う予定とした。

②　前年度の総会で承認され、令和 5 年10月に着工された総額300万円の大規模修繕工事が令和 6 年 3 月 1 日に完了した。そのため、前年度に前払いしていた工事代金の残額200万円を同年 3 月31日に普通預金から支払った。

③　令和 6 年 2 月 1 日に什器備品としての防犯カメラの設置工事を50万円にて発注し、同年 3 月中に代金の一部20万円を支払い、残額は工事完了時に支払うこととした。この支払条件に従って、同年 3 月 1 日に20万円を普通預金から支払った。なお、この工事は、同年 4 月 1 日に開始される予定である。

（単位：円）

1

（借　方）		（貸　方）	
修繕費	3,000,000	普通預金	3,200,000
什器備品	200,000		

2

（借　方）		（貸　方）	
修繕費	4,000,000	未払金	1,300,000
什器備品	500,000	普通預金	3,200,000

3

（借　方）		（貸　方）	
修繕費	5,000,000	未払金	1,000,000
		普通預金	3,000,000
		前払金	1,000,000

4	（借　方）		（貸　方）	
	修繕費	5,000,000	未払金	1,000,000
	前払金	200,000	普通預金	3,200,000
			前払金	1,000,000

【問　13】　管理組合の活動における以下の取引に関して、令和6年3月分の仕訳として最も適切なものは次のうちどれか。ただし、この管理組合の会計年度は、毎年4月1日から翌年3月31日までとし、期中の取引においても、企業会計原則に基づき、厳格な発生主義によって経理しているものとする。

（取　引）

　令和6年3月31日に、管理組合の普通預金口座に組合員から合計3,000,000円の入金があった。入金の内訳は、以下のとおりである。なお、3月分の管理費等の未収入金は、管理費200,000円、修繕積立金100,000円であった。

1　管理費入金内訳
　①　令和6年2月以前分　　280,000円
　②　令和6年3月分　　　　600,000円
　③　令和6年4月分　　　　920,000円　　　　小計1,800,000円

2　修繕積立金入金内訳
　①　令和6年2月以前分　　150,000円
　②　令和6年3月分　　　　400,000円
　③　令和6年4月分　　　　650,000円　　　　小計1,200,000円

合計3,000,000円

（単位：円）

1 （借　方）　　　　　　　　　　（貸　方）

普通預金	3,000,000	管理費収入	1,080,000
未収入金	300,000	修繕積立金収入	650,000
		前受金	1,570,000

2 （借　方）　　　　　　　　　　（貸　方）

普通預金	3,000,000	未収入金	430,000
		管理費収入	1,520,000
		修繕積立金収入	1,050,000

3 （借　方）　　　　　　　　　　（貸　方）

普通預金	3,000,000	未収入金	430,000
未収入金	300,000	管理費収入	800,000
		修繕積立金収入	500,000
		前受金	1,570,000

4 （借　方）　　　　　　　　　　（貸　方）

普通預金	3,000,000	未収入金	430,000
		管理費収入	600,000
		修繕積立金収入	400,000
		前受金	1,570,000

【問 14】 建築基準法の規定によれば、次の記述のうち、誤っているものはどれか。

1 建築物の用途・規模などに応じて、防火上、内装の仕上げ材料の制限を受ける部位は、壁、天井及び床である。

2 長屋又は共同住宅の各戸の界壁は、小屋裏又は天井裏に達するものとしなければならないが、天井の構造が、隣接する住戸からの日常生活に伴い生ずる音を衛生上支障がないように低減するために天井に必要とされる性能に関して政令で定める技術的基準に適合するもの等の一定の要件を満たすもので、国土交通大臣が定めた構造方法を用いるもの又は国土交通大臣の認定を受けたものである場合においては、小屋裏又は天井裏に達する必要がない。

3 共同住宅の居室には、原則として、採光のための窓その他の開口部を設け、その採光に有効な部分の面積は、その居室の床面積に対して7分の1以上としなければならないが、照明設備の設置等の措置が講じられている場合、7分の1から10分の1の範囲内で国土交通大臣が定める割合以上としなければならない。

4 国土交通大臣が定めるところにより、からぼりその他の空地に面する開口部を設け、かつ、直接土に接する外壁、床及び屋根又はこれらの部分に水の浸透を防止するための防水層が設けられていれば、居室を地階に設けることができる。

【問　15】　消防用設備等に関する次の記述のうち、消防法によれば正しいものはどれか。

1　消火器及び避難器具についての技術上の基準を定めた政令等の規定が施行又は適用された際、現に存する消火器及び避難器具が当該規定に適合しないときは、当該規定は適用されず、従前の規定が適用される。

2　住宅用防災警報器及び住宅用防災報知設備の感知器は、天井にあっては壁又ははりから0.6m以上離れた屋内に面する部分、壁にあっては天井から下方0.15m以上0.5m以内の位置にある屋内に面する部分で、かつ、換気口等の空気吹出し口から0.5m以上離れた位置に設置しなければならない。

3　停電時の非常電源として自家発電設備を用いる屋内消火栓設備は、有効に30分間以上作動できるものでなければならない。

4　共同住宅用スプリンクラー設備を設置した場合であっても、住宅用防災警報器又は住宅用防災報知設備を設置しなければならない。

【問　16】　鉄筋コンクリート造等に関する次の記述のうち、最も適切なものはどれか。

1　コンクリート打込み中及び打込み後5日間は、原則として、コンクリートの温度が2度を下らないようにし、かつ、乾燥、震動等によってコンクリートの凝結及び硬化が妨げられないように養生しなければならない。

2　鉄筋に対するコンクリートのかぶり厚さは、直接土に接しない耐力壁、柱、梁にあっては5cm以上である。

3　主筋の継手の重ね長さは、継手を構造部材における引張力の最も小さい部分以外の部分に設ける場合にあっては、国土交通大臣が定めた構造方法を用いる場合を除き、主筋の径の10倍以上としなければならない。

4　コールドジョイントは、気温の低下が原因で、硬化中のコンクリートに発生する劣化現象である。

【問 17】 高齢者、障害者等の移動等の円滑化の促進に関する法律に関する次の記述のうち、正しいものはどれか。

1 階段には、踊場を含め、手すりを設けることとされている。

2 建築主等は、特定建築物（特別特定建築物を除く。）の建築をしようとする場合、当該特定建築物を建築物移動等円滑化基準に適合させるために必要な措置を講じなければならない。

3 階段の表面は、粗面とし、又は滑りにくい材料で仕上げなければならない。

4 主として高齢者、障害者等が利用する駐車場を設ける場合には、そのうち1以上に、車椅子使用者が円滑に利用することができる駐車施設を3以上設けなければならない。

【問 18】 各種の法令に関する次の記述のうち、最も不適切なものはどれか。

1 建築基準法によれば、特殊建築物で安全上、防火上又は衛生上特に重要であるものとして政令で定めるものの所有者又は管理者は、その建築物の敷地、構造及び建築設備を常時適法な状態に維持するため、必要に応じ、その建築物の維持保全に関する準則又は計画を作成し、その他適切な措置を講じなければならないが、占有者にはこのような義務はない。

2 警備業法によれば、警備業者は、18歳未満の者を警備業務に従事させてはならない。

3 浄化槽法によれば、処理対象人員が300人以上の規模の浄化槽管理者は、その浄化槽の保守点検及び清掃に関する技術上の業務を担当させるため、原則として、浄化槽管理士の資格を有する技術管理者を置かなければならない。

4 動物の愛護及び管理に関する法律によれば、動物の所有者は、その所有する動物が自己の所有に係るものであることを明らかにするための措置として環境大臣が定めるものを講ずるように努めなければならない。

【問 19】 マンションの設備等に関する次の記述のうち、最も不適切なものはどれか。

1 受水槽方式の一つであるポンプ直送方式は、タンクレスブースター方式ともいい、水道本管から分岐して引き込んだ水をいったん受水槽へ貯水した後、加圧（給水）ポンプで加圧して各住戸に給水する方式で、一般に、小流量時用の圧力タンクが設けられる。

2 階数が3以上で延べ面積が500㎡を超える建築物の居室から地上に通ずる廊下、階段その他の通路には、採光上有効に直接外気に開放されたものであっても、非常用の照明装置の設置義務がある。

3 一般住宅への配線方式には単相2線式と単相3線式とがあり、近年の共同住宅では、200Vの電圧を供給できる単相3線式が主流となっている。

4 給水立て主管から各階への分岐管には、分岐点に近接した部分で、かつ、操作を容易にできる部分に止水弁を設けなければならない。

【問 20】 マンションの給水設備に関する次の記述のうち、最も適切なものはどれか。

1 受水槽にマンホールを設置しなければならない場合には、そのマンホールは直径70cmの円が内接するものでなければならない。

2 飲料用水槽底部には10分の1程度の勾配を設け、最低部に設けたピット又は溝に水抜管を設置する必要がある。

3 給水管でのウォーターハンマーを防止するために、管内流速が過大とならないように流速は毎秒2.0〜3.0m以下が標準とされている。

4 飲料水の給水系統と消防用水の系統は、直接連結することはできない。

【問 21】 給排水設備等に関する次の記述のうち、不適切なものはいくつあるか。

ア　排水トラップの封水深は、10mm以上15mm以下としなければならない。

イ　破封とは、排水立て管の通気性能不足に起因する吸い出し・はね出し現象等により封水が破れる現象をいう。

ウ　通気管は、配管内の空気が屋内に漏れることを防止する装置を設けた場合を除き、直接外気に衛生上有効に開放しなければならない。

エ　「水質基準に関する省令」では、水道水の水質基準として、51の検査項目が示されている。

1　一つ
2　二つ
3　三つ
4　四つ

【問 22】 次の記述のうち、長期修繕計画作成ガイドラインによれば、適切なものはいくつあるか。

ア 計画期間における推定修繕工事には、法定点検等の点検及び経常的な補修工事を適切に盛り込む必要がある。

イ 長期修繕計画の対象の範囲について、団地型のマンションの場合は、多様な所有・管理形態（管理組合、管理規約、会計等）があるが、一般的に、団地全体の土地、附属施設及び団地共用部分は対象となるが、各棟の共用部分は対象とされない。

ウ 修繕周期の近い工事項目は、経済性等を考慮し、なるべくまとめて実施するように計画する。

エ 新築マンションの場合においては、分譲事業者が提示した長期修繕計画（案）と修繕積立金の額について、購入契約時の書面合意により分譲事業者からの引渡しが完了した時点で決議したものとすることができる。

1 一つ
2 二つ
3 三つ
4 四つ

【問 23】 次の記述のうち、長期修繕計画作成ガイドラインによれば、最も不適切なものはどれか。

1 大規模修繕工事とは、建物の全体又は複数の部位について行う大規模な計画修繕工事（全面的な外壁塗装等を伴う工事）をいう。

2 長期修繕計画の作成に当たって、推定修繕工事は、建物及び設備の性能・機能を新築時と同等水準に維持、回復させる修繕工事を基本とする。

3 長期修繕計画の見直しを大規模修繕工事の中間の時期に単独で行う場合は、目視等による簡易な調査・診断を行うが、大規模修繕工事の直前又は直後に行う場合は、その基本計画を作成するために行う詳細な調査・診断の結果による。

4 修繕周期は、既存マンションの場合、マンションの仕様、立地条件のほか、建物及び設備の劣化状況等の調査・診断の結果等に基づいて設定するため、経済性は考慮しない。

【問　24】　次の記述のうち、長期修繕計画作成ガイドラインによれば、適切なものは
いくつあるか。

　ア　直接仮設や共通仮設の費用などを軽減するため、修繕工事の実施予定期間を集
　　　約することがあるが、過剰に集約すると修繕積立金の一時的な不足につながるの
　　　で注意が必要である。
　イ　長期修繕計画の作成に当たっては、その目的、計画の前提等、計画期間の設
　　　定、推定修繕工事項目の設定、修繕周期の設定、推定修繕工事費の算定、収支計
　　　画の検討、計画の見直し及び修繕積立金の額の設定に関する考え方を示すことが
　　　必要である。
　ウ　長期修繕計画の見直しに当たっては、必要に応じて専門委員会を設置するな
　　　ど、検討を行うために管理組合内の体制を整えることが必要である。
　エ　単価の地域差について、材料費や仮設材のリース費等は、労務費に比べて地域
　　　差が大きい。

1　一つ
2　二つ
3　三つ
4　四つ

【問　25】　修繕積立金ガイドラインに関する次の記述のうち、最も適切なものはどれか。

1　ガイドラインは、主として新築マンションの購入予定者向けに、修繕積立金に関する基本的な知識や修繕積立金の額の目安を示したものであり、管理組合は参考にすることができない。

2　近年の新築マンションでは、錆びにくい材料が多く使用されるようになってきており、金属部分の塗装に要する修繕工事費は少なくて済むようになる傾向がある。

3　修繕積立金の積立方法のうち段階増額積立方式は、将来的な負担増にも臨機応変に対応することができるので、安定的な修繕積立金の積立てを確保する観点から望ましい方式といえる。

4　「修繕積立金の額の目安」において、専有床面積当たりの修繕積立金の額の平均値が記載されており、20階未満のマンションについての平均値は、建築延床面積が5,000㎡未満のマンションより、建築延床面積20,000㎡以上のマンションの方が高くなる傾向にある。

【問　26】　共用部分に関する次の記述のうち、区分所有法に「規約で別段の定めをすることを妨げない。」と規定されていないものはいくつあるか。

　ア　共用部分は、区分所有者全員の共有に属する。
　イ　各共有者は、共用部分をその用方に従って使用することができる。
　ウ　共用部分の各共有者の持分は、その有する専有部分の床面積の割合による。
　エ　共用部分の管理に関する事項は、共用部分の変更（その形状又は効用の著しい変更を伴わないものを除く。）を除いて、集会の決議で決する。

1　一つ
2　二つ
3　三つ
4　四つ

【問　27】　共用部分に係る次のア～エの工事のうち、標準管理規約（単棟型）によれば、総会の普通決議で実施できるものはいくつあるか。

ア　不要となった高置水槽の撤去工事
イ　機械式駐車場を平置き駐車場にする工事
ウ　防犯カメラ設置工事
エ　エレベーター設備更新工事

1　一つ
2　二つ
3　三つ
4　四つ

【問　28】　マンションの役員に関する次の記述のうち、標準管理規約（単棟型）によれば、最も適切なものはどれか。

1　総会の決議によって解任された役員は、後任の役員が就任するまで、引き続きその職務を行う。
2　役員が利益相反取引を行う場合には、総会において、当該取引につき重要な事実を開示し、その承認を受けなければならない。
3　理事は、管理組合に著しい損害を及ぼすおそれのある事実があることを発見したときは、直ちに、当該事実を監事に報告しなければならない。
4　役員は、管理組合との特約がない場合でも、定期に相当額の報酬を受けることができる。

【問 29】 賃貸借契約に関する次の記述のうち、民法の規定によれば、最も不適切なものはどれか。ただし、当事者間に特約はないものとする。

1 賃借物の一部が賃借人の責めに帰することができない事由により滅失し、使用収益ができなくなったときは、賃料は、その使用収益ができなくなった部分の割合に応じて、当然に減額される。

2 賃借物について権利を主張する者があるときは、賃貸人が既にこれを知っているときを除き、賃借人は、遅滞なくその旨を賃貸人に通知しなければならない。

3 賃借人は、賃借物の通常の使用及び収益によって生じた損耗がある場合、賃貸借が終了したときは、その損耗を原状に復する義務を負う。

4 賃借人は、賃借物について必要費を支出したときは、賃貸人に対し、直ちにその償還を請求することができる。

【問 30】 Aが死亡した場合における相続の承認又は放棄に関する次の記述のうち、民法の規定によれば、最も不適切なものはどれか。

1 Aの相続人Bは、Aの相続が開始した時から3ヵ月以内に、Aの相続につき承認又は放棄をしなければならない。

2 Aの相続人Bは、Aの相続について錯誤により単純承認をしたときは、これを取り消すことができる。

3 Aの相続人Bは、他の相続人CがAの相続につき放棄をした場合でも、C以外の残りの相続人と共同して限定承認をすることができる。

4 Aの相続人Bは、Aの相続につき放棄をした後であっても、Aの相続財産の一部を自己のために消費したときは、原則として、単純承認をしたものとみなされる。

【問 31】 集会の招集に関する次の記述のうち、区分所有法の規定及び標準管理規約（単棟型）の規定によれば、最も適切なものはどれか。

1 会議の目的たる事項が管理組合法人の設立である場合は、特別決議事項として、集会の招集通知の際に、その議案の要領も通知しなければならない。

2 総会での会議の目的につき専有部分の賃借人が利害関係を有する場合には、その賃借人にも総会招集通知を発しなければならない。

3 区分所有者の5分の1以上で議決権の5分の1以上を有するものは、管理者に対し、会議の目的たる事項を示して、集会の招集を請求することができるが、この定数は、規約で増減することができる。

4 総会の招集通知は、会議の目的たる事項を示して、組合員に発しなければならないが、緊急の場合には、理事会の承認を得て、会日の5日間前に発することで総会を招集することができる。

【問 32】 敷地に関する次の記述のうち、区分所有法の規定によれば、最も不適切なものはどれか。

1 建物が所在する土地に隣接している土地を、当該建物の区分所有者が全員で取得した場合、その土地は、規約で定めなければ建物の敷地とすることができない。

2 敷地には、区分所有建物が所在する土地のほか、その土地と一体として管理又は使用する土地で規約に定めたものがある。

3 建物が所在する土地の一部が、分割により建物が所在する土地以外の土地となった場合、その土地は、規約で定めなければ建物の敷地とすることができない。

4 建物が所在する土地が建物の一部の滅失により建物が所在する土地以外の土地となった場合、その土地は、規約により建物の敷地と定められたものとみなされる。

【問 33】 マンションの規約の定めに関する次の記述のうち、区分所有法の規定によれば、**不適切なものはいくつあるか。**

ア 管理者に対して集会の招集通知を受けるべき場所を通知しない区分所有者に対する集会の招集通知は、区分所有者が建物内に住所を有しない場合にも、建物内の見やすい場所に掲示してすると定めること

イ 集会において決議をすべき場合において、区分所有者及び議決権の各4分の3以上の承諾があるときは、書面又は電磁的方法（電子情報処理組織を使用する方法その他の情報通信の技術を利用する方法であって法務省令で定めるものをいう。以下、本問において同じ。）による決議をすることができると定めること

ウ 区分所有者は、集会における書面による議決権の行使に代えて、電磁的方法によって議決権を行使できると定めること

エ 集会の決議事項のうち、区分所有者及び議決権の各過半数で決することができる事項については、招集通知においてあらかじめ通知していないときでも決議できると定めること

1 一つ
2 二つ
3 三つ
4 四つ

【問　34】　管理組合法人に関する次の記述のうち、区分所有法の規定によれば、最も不適切なものはどれか。

1　管理組合法人は、建物の全部滅失又は建物に専有部分がなくなったことにより解散するほか、集会の決議によっても解散する。

2　理事は、規約により、管理組合法人の事務に関し、区分所有者のために、原告又は被告となることができるが、この場合には、遅滞なく、原告又は被告となった旨を区分所有者に通知しなければならない。

3　理事が数人ある場合において、規約に別段の定めがないときは、管理組合法人の事務は、理事の過半数で決する。

4　管理組合法人は、損害保険契約に基づく保険金額の請求及び受領について、区分所有者を代理する。

【問　35】　マンションの理事会に関する次の記述のうち、標準管理規約（単棟型）によれば、最も不適切なものはどれか。

1　災害等により総会の開催が困難である場合における応急的な修繕工事の実施等は、理事会の決議で行うことができる。

2　理事会の円滑な運営の観点から、理事の代理出席（議決権の代理行使を含む。）について、規約において認める旨の明文の規定がない場合でも、必要に応じて認めることが適当である。

3　理事会は、収支決算案、事業報告案、収支予算案及び事業計画案について、決議する。

4　理事会は、その責任と権限の範囲内において、専門委員会を設置し、特定の課題を調査又は検討させることができ、この場合に専門委員会は、調査又は検討した結果を理事会に具申する。

【問　36】　次のうち、組合員又は利害関係人からの、帳票類等の閲覧請求に関し、標準管理規約（単棟型）によれば、最も不適切なものはどれか。ただし、電磁的方法が利用可能ではない場合とする。

1　理事長は、理由を付さない書面で、組合員又は利害関係人から管理規約原本の閲覧請求があった場合、閲覧請求に応じる必要がある。

2　理事長は、理由を付した書面で、組合員又は利害関係人から、会計帳簿と出金に関する請求書及び領収書の閲覧請求があった場合、閲覧請求に応じる必要がある。

3　理事長は、理由を付した書面で、組合員又は利害関係人から、長期修繕計画書の閲覧請求があった場合、閲覧請求に応じなければならない。

4　理事長は、理由を付した書面で、組合員又は利害関係人から、各組合員の総会における議決権行使書及び委任状の閲覧請求があった場合、閲覧請求に応じなければならない。

【問 37】 次の文章は、管理組合法人の理事会への代理人の出席に関する最高裁判所の判決の一部である。その文中の （ ア ）～（ エ ）に入る語句の組合せとして、最も適切なものはどれか。

　法人の意思決定のための内部的会議体における出席及び（ ア ）が代理に親しむかどうかについては、当該法人において当該会議体が設置された趣旨、当該会議体に委任された事務の内容に照らして、その代理が法人の理事に対する委任の本旨に背馳するものでないかどうかによって決すべきものである。

　これを、管理組合法人についてみるに、…（中略）…理事会を設けた場合の出席の要否及び（ ア ）の方法について、法は、これを（ イ ）である規約に委ねているものと解するのが相当である。

　すなわち、規約において、…（中略）…理事会における出席及び（ ア ）について代理の可否、その要件及び被選任者の範囲を定めることも、可能というべきである。そして、本件条項は、理事会への出席のみならず、理事会での（ ア ）の代理を許すことを定めたものと解されるが、理事に事故がある場合に限定して、被選任者の範囲を理事の配偶者又は一親等の親族に限って、当該（ ウ ）に基づいて、理事会への代理出席を認めるものであるから、この条項が管理組合法人の理事への（ エ ）を害するものということはできない。

	（ ア ）	（ イ ）	（ ウ ）	（ エ ）
1	議決権の行使	自治的規範	理事の選任	信任関係
2	議決権の行使	内部的規範	理事の選任	監理関係
3	討議への参加	自治的規範	理事会の承認	信任関係
4	討議への参加	内部的規範	理事会の承認	監理関係

【問 38】 管理組合Aが、区分所有者Bに対してマンションの滞納管理費を請求するために、民事訴訟法に定められている「少額訴訟」を利用する場合に関する次の記述のうち、民事訴訟法の規定によれば、不適切なものはいくつあるか。

ア　Aは、Bの滞納額が140万円以下である場合には、簡易裁判所に少額訴訟による審理及び裁判を求めることができる。

イ　Aが、同一の年に同一の簡易裁判所において、少額訴訟による審理及び裁判を求めることができる回数は、10回までである。

ウ　Bは、いつでも、通常の訴訟手続に移行させる旨の申述をすることができる。

エ　Aは、少額訴訟の終局判決に不服がある場合でも、その判決をした裁判所に控訴することはできない。

1　一つ
2　二つ
3　三つ
4　四つ

【問 39】 マンションの管理費の滞納に関する次の記述のうち、最も不適切なものはどれか。

1　管理規約に、管理費に関する遅延損害金を定める場合、民法が定める法定利率である年3％を超えて定めることができる。

2　管理費を滞納している区分所有者が、滞納している管理費の一部であることを明示して管理組合に対して支払いを行った場合、残りの滞納管理費についての消滅時効は更新されない。

3　管理規約に各区分所有者は管理債務については消滅時効の主張をすることができない旨の定めがある場合でも、管理費を滞納している区分所有者は、その債務について消滅時効が完成したときは、その主張をすることができる。

4　管理組合の管理者が病気で長期入院している場合においても、その期間における滞納管理費の消滅時効の完成は猶予されない。

【問　40】　次の記述のうち、民法及び住宅の品質確保の促進等に関する法律（以下、本問において「品確法」という。）の規定によれば、最も不適切なものはどれか。

1　新築住宅の建設工事の完了前に当該新築住宅の売買契約を締結した売主は、買主に対し設計住宅性能評価書若しくはその写しを交付した場合は、売主が売買契約書において反対の意思を表示しているときを除き、当該設計住宅性能評価書又はその写しに表示された性能を有する新築住宅を引き渡すことを契約したものとみなされる。

2　品確法に定める住宅性能評価制度について、請負人又は売主が注文者又は買主と、これを適用しないとする旨の合意は有効である。

3　品確法に定める新築住宅の瑕疵担保責任についての責任期間は、新築住宅が住宅新築請負契約に基づき建築請負会社から売主に引き渡されたものである場合は、売主に引き渡された時から10年間である。

4　新築住宅が引き渡されてから半年後に、構造耐力上主要な部分である柱に重大な欠陥が発見された場合、買主が損害賠償請求をするには、欠陥を発見した時から1年以内に、その旨を売主に通知した上で、裁判上の権利行使をしなければならない。

【問　41】　消費者契約法に関する次の記述のうち、最も不適切なものはどれか。

1　消費者契約法における「適格消費者団体」とは、不特定かつ多数の消費者の利益のためにこの法律の規定による損害賠償請求権を行使するのに必要な適格性を有する法人である消費者団体として内閣総理大臣の認定を受けた者をいう。

2　売主と買主双方が消費者であり、宅地建物取引業者が当該売買契約を媒介する場合には、当該売買契約に消費者契約法は適用されない。

3　宅地建物取引業者である個人Aが、賃貸用共同住宅を経営する個人Bから、自らの居住用として当該共同住宅の1室を賃貸借する契約については、消費者契約法が適用される。

4　宅地建物取引業者でない株式会社Cが、宅地建物取引業者である株式会社Dに、社宅用にマンションの1室を売却する契約については、消費者契約法が適用されない。

【問　42】　新築分譲マンションの売主が買主に対して行うアフターサービスに関する次の記述のうち、最も不適切なものはどれか。

1　アフターサービスの内容について、売主が遵守しなかった場合は、直ちに消費者契約法に違反することになる。

2　アフターサービスは、地震や台風等の不可抗力による損壊の場合は、その対象としないことが多い。

3　アフターサービスの対象となる部位は、建物の構造耐力上主要な部分及び雨水の浸入を防止する部分に限られず、専有部分内にある設備も含むことが多い。

4　アフターサービスの内容として、損害賠償の請求や売買契約の解除は定めないことが多い。

【問　43】　宅地建物取引業者Ａが、自ら売主としてマンションの一住戸甲を宅地建物取引業者でないＢに売却した場合において、そのマンションが種類又は品質に関して契約の内容に適合しないときにおけるその不適合（以下、本問において「契約不適合」という。）を担保すべき責任に関する次の記述のうち、民法及び宅地建物取引業法の規定によれば、最も適切なものはどれか。

1　「Ａは、契約不適合を原因とする損害賠償責任を負わない代わりに、甲の引渡しの日から３年間、履行の追完を行う」旨の特約は有効である。

2　ＡＢ間において、契約不適合責任の内容について何らの特約をしなかった場合、Ａは宅地建物取引業法に違反する。

3　「Ａは、甲をＢに対し引き渡した日から１年間のみ契約不適合責任を負う」旨の特約をした場合、Ａは、Ｂに目的物を引き渡した日から２年間責任を負うことになる。

4　「Ａは、Ｂとの売買契約締結の日から２年間契約不適合責任を負う」旨の特約は無効である。

【問　44】　借地借家法における定期借家権（定期建物賃貸借契約）に関する次の記述のうち、最も適切なものはどれか。

1　定期建物賃貸借契約においては、当事者相互に賃料の増減額請求をすることはできない旨の特約は有効である。

2　定期建物賃貸借契約は、その契約目的が事業用である場合に限り、書面でしなければならない。

3　定期建物賃貸借においては、その契約期間は１年以上としなければならない。

4　定期建物賃貸借契約においては、賃貸人は、あらかじめ、建物の賃借人に対し、同項の規定による建物の賃貸借は契約の更新がなく、期間の満了により当該建物の賃貸借は終了することについて、その旨を記載した書面を交付又は電磁的方法による提供をして説明しなければならず、この書面の交付又は電磁的方法による提供がなかった場合には、定期建物賃貸借契約全体が無効となる。

【問 45】 宅地建物取引業者Ａが自ら売主として、マンションを売却する場合における宅地建物取引業法第35条の規定により行う重要事項の説明に関する次の記述のうち、宅地建物取引業法によれば、最も適切なものはどれか。なお、買主は宅地建物取引業者ではないものとする。

1 Ａは、テレビ会議等のＩＴを活用して重要事項の説明を行うことができる環境が整っている場合、買主の承諾がなくても、重要事項説明書の交付に代えて、宅地建物取引士をして、重要事項説明書に記載すべき事項を電磁的方法により提供させることができる。

2 ＡがＢに対して交付する重要事項説明書については、その記名は、必ずＡの専任の宅地建物取引士による必要がある。

3 ＡはＢに対して、当該マンションについて、私道に関する負担がない場合は、その旨を説明する必要はない。

4 Ａは、当該マンションが住宅の品質確保の促進等に関する法律第５条第１項に規定する住宅性能評価を受けた新築マンションであるときは、その旨を買主に説明しなければならないが、具体的な評価内容については説明する必要はない。

【問　46】　マンションの管理の適正化の推進を図るための基本的な方針に定める 別紙二 管理計画の認定の基準に関する次の（ア）〜（エ）に入る語句の組合せとして、最も適切なものはどれか。

長期修繕計画の作成及び見直し等

マンション管理適正化法第5条の4に基づく管理計画の認定の基準は、少なくても次の基準のいずれにも適合することとする。

（1）　長期修繕計画の作成又は見直しが（ア）年以内に行われていること

（2）　長期修繕計画の実効性を確保するため、計画期間が（イ）年以上で、かつ、残存期間内に大規模修繕工事が（ウ）回以上含まれるように設定されていること

（3）　長期修繕計画の計画期間全体での修繕積立金の総額から算定された修繕積立金の（エ）額が著しく低額でないこと

	（ア）	（イ）	（ウ）	（エ）
1	5	25	1	平均
2	7	30	2	平均
3	10	30	3	最高
4	7	25	2	最高

【問 47】 管理業務主任者に関する次の記述のうち、マンション管理適正化法の規定によれば、不適切な記述のみを全て含むものの組み合わせは次の1～4のうちどれか。

ア 成年被後見人は、登録を受けることはできない。

イ 管理業務主任者は、その事務を行うに際しては、マンションの区分所有者等その他の関係者から請求があったときは、管理業務主任者証を提示しなければならない。

ウ 管理業務主任者の登録を受けた者は、その「住所」に変更があった場合には、遅滞なく、その旨を国土交通大臣に届け出なければならず、同時に、管理業務主任者証を提出し、その訂正を受けなければならない。

エ 国土交通大臣は、マンション管理業の適正な運営を確保するため必要があると認めるときは、その必要な限度で、その職員に、マンション管理業を営む者の事務所その他その業務を行う場所に立ち入り、帳簿、書類その他必要な物件を検査させ、又は関係者に質問させることができる。

1 ア・イ
2 ア・ウ
3 イ・ウ
4 ウ・エ

【問　48】　マンション管理業者に関する次の記述のうち、マンション管理適正化法（以下、本問において「法」という。）の規定によれば、不適切なものはいくつあるか。なお、電子情報処理組織を使用する方法等については考慮しないものとする。

ア　マンション管理業者の登録を受けない者は、例外なくマンション管理業を営んではならない。

イ　マンション管理業者は、毎月、当該法施行規則第87条第5項に規定する管理受託契約を締結している管理組合甲のその月における「会計の収入及び支出の状況に関する書面（以下、「5項書面」という。）」を作成し、翌月末日までに、当該甲の事業年度に係る会計の収入及び支出の状況についての管理事務の報告とは別個に、当該「5項書面」を当該甲の管理者等に交付（電磁的方法によるものも含む。）し、管理業務主任者をして説明させなければならない。

ウ　マンション管理業者は、管理受託契約を締結した事業年度末にまとめて、受託した管理事務の内容を帳簿に記載し、その事務所ごとに、その業務に関する帳簿を備えなければならない。

エ　マンション管理業者の登録の有効期間は、登録が取り消されない限り、5年間であるが、この有効期間の満了後引き続きマンション管理業を営もうとする者は、登録の有効期間満了の日後30日以内に更新の登録を受けなければならない。

1　一つ
2　二つ
3　三つ
4　四つ

【問　49】　マンション管理適正化法（以下、本問において「法」という。）第２条に規定する「用語の定義」に関する次の記述のうち、当該法によれば、最も適切なものはどれか。

1　２以上の区分所有者が存在し、人の居住の用に供する専有部分のある建物の敷地は、「マンション」に当たる。

2　一団地内において、２以上の区分所有者が存在し、人の居住の用に供する専有部分のある建物を含む、数棟の建物の所有者（専有部分のある建物の区分所有者）の共有に属するごみ集積所等の附属施設も、戸建て住宅も、「マンション」に当たる。

3　管理業務主任者とは、管理業務主任者試験に合格した者で、法第59条第１項の規定により、管理事務に関し２年以上の実務の経験を有するもの又は国土交通大臣がその実務の経験を有するものと同等以上の能力を有すると認めたもので、国土交通大臣の登録を受けた者をいう。

4　管理者等とは、区分所有法第25条第１項の規定により選任された管理者又は区分所有法第49条第１項の規定により置かれた理事及び区分所有法第50条第１項の規定により置かれた監事をいう。

【問　50】　マンション管理業者に関する次の記述のうち、マンション管理適正化法（以下、本問において「法」という。）の規定によれば、適切なものはいくつあるか。

ア　マンション管理業者は、管理業務主任者をして重要事項の説明をさせる際に、当該管理業務主任者に対して、「その説明の相手方に対しては、必ず管理業務主任者証を提示する必要がある」旨伝えた。

イ　マンション管理業者は、正当な理由なくして、その業務に関して知り得た秘密を他に漏らしてはならず、これに違反した場合には、１年以下の懲役又は30万円以下の罰金に処される。

ウ　マンション管理業者は、登録事項である当該マンション管理業者の住所に変更があったので、20日後に、その旨を国土交通大臣に届け出ることにした。

エ　マンション管理業者は、管理者等が置かれていない管理組合から管理事務の委託を受けることを内容とする契約を締結したので、当該管理組合を構成するマンションの区分所有者等全員に対し、遅滞なく、「法73条書面」を交付又は電子情報処理組織を使用する一定方法等により提供することにし、管理業務主任者に対しては、「当該書面に記名するだけでよく、内容を説明することは省略する」旨伝えた。

1　一つ
2　二つ
3　三つ
4　四つ

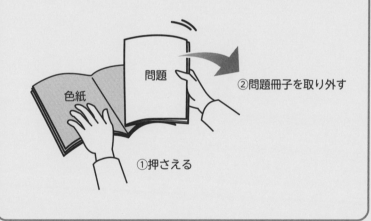

TAC出版
TAC PUBLISHING Group

令和6年度管理業務主任者模擬試験

問 題

第 **3** 回

 合格ライン **34**点

 レベル （**難**）

 制限時間 **2時間**

❶問題は、3-1ページから3-39ページまでの50問です。
❷問題の中の法令に関する部分は、令和6年4月1日現在
　施行されている規定に基づいて出題されています。

本試験問題では、以下の法律等の名称について、それぞれ右欄に記載の略称で表記しています。

法律等の名称	試験問題中の略称
建物の区分所有等に関する法律	区分所有法
マンションの管理の適正化の推進に関する法律	マンション管理適正化法
マンション標準管理委託契約書及びマンション標準管理委託契約書コメント	標準管理委託契約書
マンション標準管理規約（単棟型）及びマンション標準管理規約（単棟型）コメント	標準管理規約（単棟型）
マンション標準管理規約（団地型）及びマンション標準管理規約（団地型）コメント	標準管理規約（団地型）
マンション標準管理規約（複合用途型）及びマンション標準管理規約（複合用途型）コメント	標準管理規約（複合用途型）
（国土交通省策定　平成20年6月）（令和3年9月　改訂）長期修繕計画標準様式、長期修繕計画作成ガイドライン及び長期修繕計画作成ガイドラインコメント	長期修繕計画作成ガイドライン
（国土交通省策定　平成23年4月）（令和3年9月　改訂）マンションの修繕積立金に関するガイドライン	修繕積立金ガイドライン
賃貸住宅の管理業務等の適正化に関する法律	賃貸住宅管理業法

　本試験問題では、問題文中に特に断りがない場合には、以下の用語について、それぞれ右欄の法律及び条文の定義に基づいて表記しています。

試験問題中の用語	用語の定義を規定する法律及び条文
マンション	マンション管理適正化法 第2条 第1号
マンションの区分所有者等	マンション管理適正化法 第2条 第2号
管理組合	マンション管理適正化法 第2条 第3号
管理者等	マンション管理適正化法 第2条 第4号
管理事務	マンション管理適正化法 第2条 第6号
マンション管理業	マンション管理適正化法 第2条 第7号
マンション管理業者	マンション管理適正化法 第2条 第8号
管理業務主任者	マンション管理適正化法 第2条 第9号
宅地建物取引業者	宅地建物取引業法　　　第2条 第3号

【問　1】　Ａ所有のマンションの一住戸甲（以下、本問において「甲」という。）について、ＢがＡの代理人と称して、Ｃに売却する契約を締結した場合に関する次の記述のうち、民法の規定によれば、適切なものはいくつあるか。

ア　Ｂが未成年者であった場合でも、ＣはＢに対して履行又は損害賠償の責任を追及することができる。

イ　Ｂが自分には甲売却の代理権がないことを知っていた場合、Ｂが甲売却の代理権を有していないことをＣが知らなかったことについて過失があったときでも、Ｃは、Ｂに対して履行又は損害賠償の責任を追及することができる。

ウ　Ｂは、Ａの追認を得た場合であっても、無権代理行為をした者として、相手方に対して損害賠償の責任を負う。

エ　Ｃが、Ｂは甲売却の代理権を有していないことを知っていたときは、Ａ及びＢは、Ｃに対して履行又は損害賠償の責任を負わない。

1　一つ
2　二つ
3　三つ
4　四つ

【問　2】　AはBから100万円を借り受け、Aの依頼によってCがこの借入金債務について連帯保証人となった場合に関する次の記述のうち、民法の規定によれば、不適切なものはいくつあるか。

ア　BがCに対して債務の履行を請求したときは、Cは、まずAに催告をすべき旨を請求することができる。

イ　Aの債務が弁済期にあっても、Cは、Aに対して、あらかじめ求償権を行使することはできない。

ウ　Cの請求があったときは、Bは、Cに対し、遅滞なく、主たる債務の元本及び主たる債務に関する利息、違約金、損害賠償その他その債務に従たる全てのものについての不履行の有無に関する情報等を提供しなければならない。

エ　BがAに対して履行の請求をしたときは、Cの債務の消滅時効の完成が猶予され、BがCに対して履行の請求をしたときも、Aの債務の消滅時効の完成が猶予される。

1　一つ
2　二つ
3　三つ
4　四つ

【問　3】　債務不履行に関する次の記述のうち、民法の規定によれば、最も適切なものはどれか。

1　悪意による不法行為に基づく損害賠償請求権を受働債権とする相殺は禁止されているが、債務不履行に基づく損害賠償請求権を受働債権とする相殺は、人の生命・身体の侵害による損害賠償請求権を受働債権とする相殺を除いて、禁止されていない。

2　債権者が債務の履行を受けることを拒み、又は受けることができない場合において、その債務の目的が特定物の引渡しであるときは、債務者は、履行の提供をした時からその引渡しをするまで、善良な管理者の注意をもって、その物を保存しなければならない。

3　債務者は、履行遅滞後に履行不能に陥った場合には、履行不能がその責めに帰することができない事由によるときには、損害賠償責任を負わない。

4　債務の履行について確定期限があるときは、債務者は、その期限の到来した時から遅滞の責任を負うが、債務の履行について期限を定めなかったときは、履行の請求を受けたとしても、遅滞の責任を負うことはない。

【問　4】　被相続人Ａには、配偶者Ｂ、実子Ｃとその妻Ｄ、ＣとＤの子Ｅ、父Ｆがいる。この場合におけるＡの相続に関する次の記述のうち、民法の規定によれば、最も不適切なものはどれか。

1　ＡがＣから長い間に渡って虐待を受けてきたことを理由として、家庭裁判所にＣの相続廃除の請求をして廃除が認められた場合、ＥはＣを代襲して相続することができる。

2　Ｃが、Ａを重大な過失によって死亡させ、それによって懲役刑に処せられた場合、Ｃは、相続人たる地位を失う。

3　Ａの死亡前に、Ｂが死亡していた場合でも、Ｆは相続人とはならない。

4　Ａの相続開始の時点で、Ｃが死亡していた場合、Ｅが胎児であったとしても、ＥはＣの代襲相続人としてＡを相続する。

【問　5】　緊急時における管理事務に関する次の記述のうち、標準管理委託契約書によれば、最も適切なものはどれか。

1　地震により共用部分の給水管から漏水が発生しているが、マンション管理業者が受託している給水設備の管理業務の内容は、水道法に規定された水質検査や塩素等の測定、受水槽、給水管などの外観目視点検であることから、止水の作業を行うことはできない。

2　地震により漏水が発生していることについて、マンション管理業者に通報があり、通報者の上階に位置する者の専有部分を調査する必要がある場合には、その専有部分を所有する組合員の承諾を得なくても、専有部分へ立ち入ることができる。

3　地震発生後、被害状況の調査を行ったところ、１階玄関ホールの天井が剥がれ、落下の可能性がある危険な状態にあるため、緊急に補修工事を行う必要がある場合でも、マンション管理業者は、管理組合の承認を受けなければ、当該工事の発注をすることはできない。

4　地震発生後、マンション管理業者が、管理組合の承認を得ることなく、やむを得ず行った業務については、承認を得ていないものであるから、管理組合は、当該業務に要した費用を支払う必要はない。

【問　6】　管理組合Ａ（以下本問において「Ａ」という。）とマンション管理業者Ｂ（以下本問において「Ｂ」という。）との間で締結した管理委託契約における管理費等の出納業務に関する次の記述のうち、標準管理委託契約書によれば、最も適切なものはどれか。

1　組合員の管理費等の滞納状況については、管理組合の運営上重要な事項であることから、マンション管理業者は、2月ごとに1回、管理組合に報告しなければならない。

2　保証契約を締結してＡの収納口座とＡの保管口座を設ける場合は、保証契約の契約内容の記載については、保証契約書等の添付により確認できる場合は、解除に関する事項、免責に関する事項、保証額の支払に関する事項の記載を省略してもよい。

3　Ｂが管理費等の収納事務を集金代行会社に再委託する場合は、管理委託契約書に当該再委託先である集金代行会社の名称を記載しなければならないが、その所在地については記載する必要はない。

4　保証契約を締結する必要がないときにＡの収納口座とＡの保管口座を設ける場合において、保管口座については当該口座に係る通帳、印鑑、印鑑以外の預貯金引出用パスワード等の保管者を管理委託契約書に明記することにしているが、収納口座についてはその必要はない。

【問　7】　管理委託契約の締結及び更新等に関する次の記述のうち、標準管理委託契約書によれば、最も不適切なものはどれか。

1　管理規約において管理組合が管理すべきことが明確になっていない部分が存在する場合は、マンション管理業者は管理組合と協議して、契約の締結までに、管理組合が管理すべき部分の範囲及びマンション管理業者の管理対象部分の範囲を定める必要がある。

2　管理委託契約の更新について申出があった場合において、その有効期間が満了する日までに更新に関する協議が調う見込みがないときは、管理組合及びマンション管理業者は、従前の管理委託契約と同一の条件で、期間を定めて暫定契約を締結することができる。

3　管理委託契約の更新について、管理組合とマンション管理業者のいずれからも申出がないときは、当該契約は有効期間満了をもって自動更新される。

4　管理委託契約を更新することなく終了する場合、マンション管理業者は、当該契約の終了時までに、管理事務の引継ぎ等を管理組合又は管理組合の指定する者に対して行うが、管理組合の事前の承諾を得たときは、引継ぎ等の期限を当該契約終了後の日時とすることもできる。

【問　8】　マンション管理業者の個人情報の取扱いに関する次の記述のうち、標準管理委託契約書によれば、適切なものはいくつあるか。

　ア　マンション管理業者は、個人情報を管理事務の遂行以外の目的で、使用、加工、複写等してはならない。
　イ　マンション管理業者は、管理委託契約が終了したときは、管理組合と協議を行い個人情報を返却又は廃棄するものとし、その結果については、書面をもって管理組合に報告する。
　ウ　マンション管理業者は、個人情報の取扱いを再委託してはならないのが原則であるが、再委託先に対する必要かつ適切な監督を行う部署を設けていれば、管理組合の事前の承諾を得なくても、再委託が認められる。
　エ　マンション管理業者において個人情報の漏えい等の事故が発生したときは、マンション管理業者は、管理組合に対し、速やかにその状況を報告するとともに、自己の費用において、漏えい等の原因の調査を行い、その結果について、書面をもって管理組合に報告し、再発防止策を講じるものとする。

1　一つ
2　二つ
3　三つ
4　四つ

【問　9】　マンション管理業者や管理組合が対応すべきカスタマーハラスメントに関する次の記述のうち、標準管理委託契約書によれば、最も不適切なものはどれか。

1　マンション管理業者は、管理事務を行うため必要なときは、管理組合の組合員等に対し、管理組合に代わって、カスタマーハラスメントに該当する行為の中止を求めることができる。

2　マンション管理業者が組合員等にカスタマーハラスメントに該当する行為の中止を求めた場合は、1月以内に、その旨を管理組合に報告する。

3　マンション管理業者は、管理組合の組合員等に対しカスタマーハラスメントに該当する行為の中止を求めても、なお管理組合の組合員等がその行為を中止しないときは、書面をもって管理組合にその内容を報告しなければならない。

4　管理組合の組合員等がカスタマーハラスメントに該当する行為を中止しないため、書面をもって管理組合にその内容をマンション管理業者が報告した場合、マンション管理業者はさらなる中止要求の責務を免れるものとし、その後の中止等の要求は管理組合が行うものとする。

【問　10】　管理組合の会計に関する次の記述のうち、標準管理規約（単棟型）によれば、不適切なものはいくつあるか。

ア　収支予算を変更しようとするときは、理事長は、その案を理事会に提出し、その承認を得なければならない。

イ　今年度に計画されていた修繕工事が中止されたために修繕積立金会計から生じる予定の余剰分については、次年度の管理費会計の収支予算案に繰り入れることができる。

ウ　理事長は、管理組合の会計年度開始後、通常総会における収支予算案の承認を得るまでの間に、通常の管理に要する経費のうち、経常的でないものでも、通常総会の承認を得る前に支出することがやむを得ないと認められるものについては、理事会の承認を得て支出することができる。

エ　長期修繕計画の作成に係る業務で専門的知識を有する者の活用を予定している場合、それに必要な費用は、修繕積立金から支出することができる。

1　一つ
2　二つ
3　三つ
4　四つ

【問 11】 以下の貸借対照表（勘定式）は、管理組合の令和6年3月末日の決算において作成された一般（管理費）会計にかかる未完成の貸借対照表である。貸借対照表を完成させるために、表中の空白となっている（A）～（D）の科目の組合せとして最も適切なものは、次の1～4のうちどれか。

一般（管理費）会計貸借対照表
令和6年3月31日現在

（単位：円）

資産の部		負債・繰越金の部	
科　目	金　額	科　目	金　額
現金預金	1,600,000	（　C　）	400,000
【内訳】		【Cの内訳】	
現金	200,000	修繕費（2月工事完了）	300,000
普通預金	1,400,000	水道光熱費（2月分）	100,000
（　A　）	300,000	（　D　）	1,000,000
【Aの内訳】		【Dの内訳】	
管理費（2月以前分）	250,000	管理費（翌月分）	700,000
敷地内駐車場使用料（2月分）	50,000	敷地内駐車場使用料（翌月分）	300,000
（　B　）	100,000		
【Bの内訳】			
設備リース料（翌月分）	100,000	次期繰越剰余金	600,000
資産の部 合計	2,000,000	負債・繰越金の部 合計	2,000,000

	A	B	C	D
1	前払金	未収入金	前受金	未払金
2	未収入金	前払金	未払金	前受金
3	前受金	未払金	前払金	未収入金
4	未払金	前受金	未収入金	前払金

【問 12】 管理組合の活動における以下の取引に関して、令和 6 年 3 月分の仕訳として正しいものは次のうちどれか。ただし、この管理組合の会計年度は、毎年 4 月 1 日から翌年 3 月31日までとし、期中の取引において、企業会計原則に基づき厳格な発生主義によって経理しており、支払保険料についても、毎月初めに当月発生額を費用計上しているものとする。

> （取　引）
>
> 　当管理組合は、保険期間を 5 年、保険料支払方法を年払いとする「修繕積立保険」に加入しており、令和 5 年 8 月31日に、令和 5 年 9 月 1 日から令和 6 年 8 月末までの期間 1 年分の保険料960,000円を管理組合名義の普通預金から支払っている。なお、当該保険料の内訳は、以下のとおりである。
>
> ①危険保険料（危険保険部分）　　　年額　　　480,000円
> ②積立保険料（修繕積立部分）　　　年額　　　480,000円
> 　　　　　修繕積立保険料　　　合計　　　960,000円
>
> （注）「修繕積立保険」とは、マンションの共用部分の火災等による補償と修繕費用積立の 2 つの目的を 1 つの保険に組み込んだ、マンション管理組合向けの積立型商品をいう。

（単位：円）

1
（借　方）		（貸　方）	
支払危険保険料	40,000	普通預金	80,000
保険積立金	40,000		

2
（借　方）		（貸　方）	
支払危険保険料	40,000	前払保険料	80,000
保険積立金	40,000		

3
（借　方）		（貸　方）	
支払危険保険料	40,000	前払保険料	40,000

4
（借　方）		（貸　方）	
支払危険保険料	40,000	普通預金	40,000

【問　13】　管理組合の活動における以下のア～エの入金状況に関し、令和6年3月分のア～エを合わせた仕訳として、最も適切なものは、次の1～4のうちのどれか。なお、この管理組合の会計は、企業会計の原則に基づき、毎月厳格な発生主義によって経理しているものとする。

《管理組合の会計年度：毎年4月1日から翌年3月31日まで》

ア　令和6年2月末日までに普通預金口座に入金された管理費・修繕積立金
　（内訳）
　　①　令和6年3月分管理費　　　　　1,000,000円
　　②　令和6年3月分修繕積立金　　　　500,000円
　　　　合計　　　　　　　　　　　　1,500,000円

イ　令和6年3月1日から3月末日までに普通預金口座に入金された管理費
　（内訳）
　　①　令和6年2月以前分　　　　　　　120,000円
　　②　令和6年3月分　　　　　　　　　180,000円
　　③　令和6年4月分　　　　　　　　1,200,000円
　　　　合計　　　　　　　　　　　　1,500,000円

ウ　令和6年3月1日から3月末日までに普通預金口座に入金された修繕積立金
　（内訳）
　　①　令和6年2月以前分　　　　　　　　50,000円
　　②　令和6年3月分　　　　　　　　　100,000円
　　③　令和6年4月分　　　　　　　　　500,000円
　　　　合計　　　　　　　　　　　　　650,000円

エ　令和6年3月末日までに普通預金口座に入金されていない管理費・修繕積立金
　（内訳）
　　①　令和6年3月分管理費　　　　　　　80,000円
　　②　令和6年3月分修繕積立金　　　　　40,000円
　　　　合計　　　　　　　　　　　　　120,000円

〈令和6年3月分の仕訳〉

（単位：円）

1
（借　方）		（貸　方）	
前受金	1,500,000	管理費収入	1,500,000
普通預金	2,150,000	修繕積立金収入	680,000
管理費収入	80,000	前受金	1,700,000
修繕積立金収入	40,000	未収入金	290,000

2
（借　方）		（貸　方）	
普通預金	2,150,000	管理費収入	1,500,000
		修繕積立金収入	650,000

3
（借　方）		（貸　方）	
前受金	1,500,000	管理費収入	1,260,000
普通預金	2,150,000	修繕積立金収入	640,000
未収入金	120,000	前受金	1,700,000
		未収入金	170,000

4
（借　方）		（貸　方）	
前受金	1,500,000	管理費収入	2,500,000
普通預金	2,150,000	修繕積立金収入	1,270,000
未収入金	120,000		

【問 14】 建築基準法第28条の2 (石綿その他の物質の飛散又は発散に対する衛生上の措置) 等に関する次の記述のうち、誤っているものはどれか。

1 著しく衛生上有害なものとして建築材料に添加してはならない物質として指定されているものは、石綿のみである。

2 第3種ホルムアルデヒド発散建築材料とは、夏季においてその表面積1㎡につき毎時0.005mgを超え0.02mg以下の量のホルムアルデヒドを発散させるものをいう。

3 石綿以外の物質で、居室内において衛生上の支障を生ずるおそれがある物質として指定されているのは、クロルピリホスとホルムアルデヒドのみである。

4 吹付けロックウールで、その含有する石綿の重量が当該建築材料の重量の0.01％を超えるものは、建築材料として使用することができない。

【問 15】 共同住宅の消防用設備等の設置の特例を認める「特定共同住宅等における必要とされる防火安全性能を有する消防の用に供する設備等に関する省令」に関する次の記述のうち、正しいものはどれか。

1 特定共同住宅等に、「通常用いる消防用設備等」に代えて設置することができる「必要とされる防火安全性能を有する消防の用に供する設備等」は、特定共同住宅等の構造類型、階数により決められている。

2 特定共同住宅等は、二方向避難型、開放型、二方向避難・開放型の3つの構造類型に分けられる。

3 特定共同住宅等における、「必要とされる防火安全性能を有する消防の用に供する設備等」は、火災時に安全に避難することを支援する性能を有する消防用設備に限られている。

4 特定共同住宅等には、居住専用の建物だけでなく、店舗住居複合用途の建物も含まれる。

【問　16】　マンションの法令等に関する次の記述のうち、最も不適切なものはどれか。

1　「防犯に配慮した共同住宅に係る設計指針」によれば、共用玄関の照明設備は、その内側の床面において概ね50ルクス以上の平均水平面照度を確保することができるものとするとされている。

2　警備業法によれば、警備業者及び警備員は、警備業務を行うに当たっては、内閣府令で定める公務員の法令に基づいて定められた制服と、色、型式又は標章により、明確に識別することができる服装を用いなければならない。

3　浄化槽法によれば、浄化槽管理者は、環境省令で定めるところにより、毎年1回（全ばっ気方式の浄化槽にあっては、概ね6ヵ月ごとに1回以上）、浄化槽の清掃をしなければならない。

4　建築物の耐震改修の促進に関する法律によれば、所管行政庁から耐震改修が必要である旨の認定を受けた区分所有建築物については、規約に別段の定めのない限り、集会に出席した区分所有者の議決権の過半数による集会の決議を経て耐震改修を行うことができる。

【問　17】　鉄筋コンクリート造に関する次の記述のうち、誤っているものはどれか。

1　壁式構造とは、鉄筋コンクリート造の壁や床板によって箱状の構造体を構成し、荷重や外力に抵抗する構造形式である。

2　アルカリシリカ反応とは、アルカリ反応性骨材と鉄筋が長期にわたって反応し、その鉄筋が発錆し膨張することにより、コンクリートにひび割れを生じたり崩壊したりする現象をいう。

3　構造耐力上主要な部分に係る型わく及び支柱は、コンクリートが自重及び工事の施工中の荷重によって著しい変形又はひび割れその他の損傷を受けない強度になるまでは、取り外してはならない。

4　鉄筋露出とは、腐食した鉄筋が表面のコンクリートを押し出し、剥離させ、露出した状態をいうが、新築時のかぶり厚さ不足等が主な原因で生じる。

【問 18】 排水設備等に関する次の記述のうち、最も適切なものはどれか。

1 排水立て管は、どの階においても最下部の最も大きな排水負荷を負担する部分の管径と同一としなければならず、排水の流下方向の管径を広げることはできない。

2 配管内の空気が屋内に漏れることを防止する装置が排水管に設けられている場合でも、通気管は、直接外気に開放しなければならない。

3 雨水排水立て管は、汚水排水管若しくは通気管と兼用し、又はこれらの管に連結しなくてはならない。

4 敷地雨水管を一般排水系統の敷地排水管に合流させる場合、雨水排水ますを介して行う。

【問 19】 マンションの設備等に関する次の記述のうち、最も適切なものはどれか。

1 ガス給湯機の能力表示における1号とは、毎分流量1ℓの水の温度を20℃上昇させる能力をいう。

2 住宅の居室にシックハウス対策用として設けられる機械換気設備は、換気回数が毎時0.3回以上の能力が必要である。

3 エレベーターの昇降路について、出入口の床先とかごの床先との水平距離は4cm以下とし、乗用エレベーターにあっては、かごの床先と昇降路壁との水平距離は12.5cm以下とする必要がある。

4 マンションの収容人員が50人未満であっても、延べ面積が500㎡以上の場合、乙種防火対象物の防火管理に関する講習の課程を修了した者等の一定の資格を有する者から、防火管理者を選任しなければならない。

【問　20】　マンションの設備等に関する次の記述のうち、最も適切なものはどれか。

1　潜熱回収型ガス給湯機は、燃焼ガス排気部に給水管を導き、燃焼時に熱交換して昇温してから、燃焼部へ水を送り再加熱するものであり、加熱効率が高い。

2　マンションの敷地内に電力会社用の専用借室を設けて600ボルト以下の電圧で受電し、その電気を当該マンションの敷地内で使用するための電気工作物は、自家用電気工作物に該当する。

3　ロッド法は、スクリュー形・ブラシ形等のヘッドが先端に取り付けられたワイヤーを排水管内に回転させながら挿入し、押し引きを繰り返しながら、管内停滞・付着物等を除去する方法をいう。

4　全熱交換型の換気は、「第2種換気方式」である。

【問　21】　長期修繕計画作成ガイドラインによれば、最も不適切なものはどれか。

1　推定修繕工事として設定した内容や時期等はおおよその目安であり、計画修繕工事を実施する際は、事前に調査・診断を行い、その結果に基づいて内容や時期等を判断する。

2　マンションの形状、仕様等により該当しない項目、又は修繕周期が計画期間に含まれないため推定修繕工事費を計上していない項目は、その旨を明示する必要はない。

3　推定修繕工事の内容の設定、概算の費用の算出等は、新築マンションの場合、設計図書、工事請負契約書による請負代金内訳書及び数量計算書等を参考にして行う。

4　長期修繕計画は、新たな材料、工法等の開発及びそれによる修繕周期、単価等の変動といった不確定な事項を含んでいるので、5年程度ごとに調査・診断を行い、その結果に基づいて見直すことが必要である。

【問　22】　長期修繕計画作成ガイドラインによれば、次の記述のうち、最も不適切なものはどれか。

1　推定修繕工事の内容は、新築マンションの場合は現状の仕様により、既存マンションの場合は現状又は見直し時点での一般的な仕様により設定するが、計画修繕工事の実施時には技術開発等により異なることがある。

2　1次診断（簡易診断）は、劣化の要因を特定し、修繕工事の要否や内容等の判断を行う目的で行う。

3　修繕積立金の積立ては、計画期間に積み立てる修繕積立金の額を均等にする積立方式（均等積立方式）を基本とする。

4　推定修繕工事項目として「予備費」を設定し、例えば、各年度ごとに推定修繕工事費の累計額に定率を乗じた額を計上しておくことも考えられる。

【問　23】　長期修繕計画作成ガイドラインによれば、次の記述のうち、適切なものはいくつあるか。

ア　長期修繕計画の見直しに当たっては、事前に専門家による設計図書、修繕等の履歴等の資料調査、現地調査を行えば、区分所有者に対するアンケート調査等をする必要はない。

イ　高経年のマンションの場合は、必要に応じて「マンションの建替えか修繕かを判断するためのマニュアル（国土交通省）」等を参考とし、建替えも視野に入れて検討を行うことが望まれる。

ウ　長期修繕計画について総会で決議した後、総会議事録と併せて長期修繕計画を区分所有者に配付するなど、十分な周知を行うことが必要である。

エ　管理組合は、長期修繕計画の作成及び修繕積立金の額の設定に当たって、総会の開催に先立ち説明会等を開催し、その内容を区分所有者に説明する必要がある。

1　一つ
2　二つ
3　三つ
4　四つ

【問　24】　長期修繕計画作成ガイドラインによれば、次の記述のうち、不適切なものはいくつあるか。

ア　管理組合は、長期修繕計画を管理規約等と併せて保管しなければならないが、区分所有者等から求めがあっても閲覧させる必要はない。

イ　管理組合は、長期修繕計画等の管理運営状況の情報を開示することが望まれる。

ウ　長期修繕計画の作成方法として、敷地、建物・設備及び附属施設の概要（規模、形状等）、関係者、管理・所有区分、維持管理の状況（法定点検等の実施、調査・診断の実施、計画修繕工事の実施、長期修繕計画の見直し等）、会計状況、設計図書等の保管状況等の概要について示すことが必要である。

エ　長期修繕計画の計画期間は、30年以上で、かつ大規模修繕工事が2回含まれる期間以上とされる。

1　一つ
2　二つ
3　三つ
4　四つ

【問　25】　修繕積立金ガイドラインに関する次の記述のうち、最も不適切なものはどれか。

1　段階増額積立方式や修繕時に一時金を徴収する方式など、将来の負担増を前提とする積立方式は、増額しようとする際に区分所有者間の合意形成ができず修繕積立金が不足する事例も生じている。

2　建物に比べて屋外部分の広いマンションでは、給水管や排水管等が長くなるほか、アスファルト舗装や街灯等も増えるため、これらに要する修繕工事費が高くなる傾向がある。

3　均等積立方式は、将来にわたり定額負担として設定するため、将来の増額を組み込んでおらず、安定的な修繕積立金の積立てができる。

4　外壁がタイル張りの場合は、一定期間ごとの塗り替えが必要であることに加え、劣化によるひび割れや浮きが発生するため、適時適切に調査・診断を行う必要がある。

【問　26】　管理者の選任又は解任に関する次の記述のうち、区分所有法の規定によれば、適切なものはいくつあるか。

ア　管理者に不正な行為その他職務を行うに適しない事情がある場合には、区分所有者の5分の1以上で議決権の5分の1を有するものが、その解任を裁判所に請求することができる。

イ　管理者を解任するには、区分所有者及び議決権の各4分の3以上の多数による集会の決議によらなければならない。

ウ　管理者の選任について、集会の決議によらず、区分所有者の輪番制によるとする規約を定めることができる。

エ　集会の決議により、管理者を複数選任する場合には、そのうちの一人は区分所有者でなければならない。

1　一つ
2　二つ
3　三つ
4　四つ

【問　27】　甲マンションは、住戸数123戸、うち2戸を所有する区分所有者が3名おり、全員異なる共有名義の住戸が5戸ある。当該マンションの総会に関する次の記述のうち、標準管理規約（単棟型）よれば、最も不適切なものはどれか。なお、議決権については1住戸1議決権の定めがあるものとする。

1　総会開催のための招集通知書は、120部用意すれば足りる。

2　総会を開催し、審議及び議決をするには、63以上の議決権数を有する組合員が出席しなければならない。

3　総会で規約変更の決議をするには、組合員90人以上、議決権93以上に当たる組合員の賛成が必要である。

4　理事長に対し会議の目的を示して総会の招集を請求するには、組合員24人以上、議決権25以上に当たる組合員の同意が必要である。

【問　28】　マンションの総会の決議に関する委任状の取扱いに関する次の記述のうち、標準管理規約（単棟型）によれば、最も適切なものはどれか。

1　組合員から提出された委任状には、氏名欄に署名はあるが押印がなかったので、有効な委任状として取り扱わなかった。

2　組合員から委任状の提出はなかったが、組合員が電話で理事長に一任する旨の連絡をしてきたので、理事長の賛否に従い、賛成票として数えた。

3　欠席通知と理事長に一任する旨の委任状をあらかじめ提出していた組合員が出席したので、理事長の賛否ではなく、出席時の当該組合員の賛否に従った。

4　組合員から提出された委任状に「出席者の多数意見に従います。」と記載されていたので、出席者の賛否を問い、賛成多数であったので、賛成票として数えた。

【問　29】　弁済に関する次の記述のうち、民法の規定によれば、最も不適切なものはどれか。

1　弁済をするについて正当な利益を有していない第三者は、債務者の意思に反して弁済をすることができないが、債務者の意思に反することを債権者が知らなかったときは、弁済は有効となる。

2　弁済をするについて正当な利益を有していない第三者は、債務者の委託を受けなければ債権者の意思に反して弁済をすることはできない。

3　債権者と債務者が第三者の弁済を禁止した場合には、弁済をするについて正当な利益を有する者であっても弁済をすることはできない。

4　弁済を受領する権限を付与されている受領権者ではないが、取引上の社会通念に照らして受領権者としての外観を有するものに対してした弁済は、その弁済をした者が善意であるときには、過失があったとしても、その効力を有する。

【問　30】　手付に関する次の記述のうち、民法の規定及び判例によれば、適切なものはいくつあるか。

ア　売買契約における手付は、原則として、違約手付と認められる。

イ　売主が買主に対して手付の倍額を償還して売買契約を解除するためには、口頭により手付の倍額を提供する旨を告げて、その受領を催告するのみで足りる。

ウ　買主が売主に手付を交付した場合、買主は、契約の履行に着手した後でも、売主が履行に着手する前であれば、手付を放棄して契約の解除をすることができる。

エ　買主が売主に手付を交付した場合において、買主がその手付を放棄して契約の解除をしたときは、買主は、売主に対して、別途、損害賠償請求をすることができる。

1　一つ
2　二つ
3　三つ
4　四つ

【問　31】　敷地利用権が数人で有する所有権その他の権利である場合に関する次の記述のうち、区分所有法及び民法の規定によれば、最も不適切なものはどれか。ただし、規約に別段の定めはないものとする。

1　敷地利用権が数人で有する賃借権である場合、専有部分のみを目的として抵当権を設定することができる。

2　分離して処分することができない専有部分及び敷地利用権であることを登記した後に区分所有者が両者を分離して処分した場合、その処分の無効を善意の相手方に主張することはできない。

3　区分所有者が数個の専有部分を所有するときは、各専有部分に係る敷地利用権の割合は、壁その他の区画の内側線で囲まれた部分の水平投影面積による専有部分の床面積の割合による。

4　区分所有者が死亡して相続人及び特別縁故者がいない場合、死亡した区分所有者の専有部分と敷地利用権は、国庫に帰属する。

【問　32】　マンションの共用部分に関する次の記述のうち、区分所有法の規定によれば、適切でないものはいくつあるか。

ア　共有者の共用部分の持分は、規約に別段の定めがない限り、その有する専有部分と分離して処分することができない。

イ　マンションの附属の建物を規約により共用部分とするには、その旨の登記をしなければならない。

ウ　共用部分が区分所有者の全員又はその一部の共有に属する場合には、その共用部分の共有については、民法の共有に関する規定は適用されない。

エ　一部共用部分は、全体の利害に関する場合には、規約の定めがないときでも、区分所有者全員で管理を行う。

1　一つ
2　二つ
3　三つ
4　四つ

【問　33】　マンションにおける規約の保管に関する次の記述のうち、区分所有法の規定によれば、最も不適切なものはどれか。

1　規約の閲覧を請求することができる利害関係人には、区分所有者、専有部分を区分所有者の承諾に基づいて占有する占有者だけでなく、区分所有権を取得し又は専有部分を賃借しようとする者も含まれる。

2　規約の保管場所は、建物内の見やすい場所に掲示しなければならない。

3　管理組合法人においては、監事が管理組合法人の事務所において規約を保管しなければならない。

4　規約を保管する者は、利害関係人の請求があったときは、正当な理由がある場合を除いて、規約の閲覧（規約が電磁的記録で作成されているときは、当該電磁的記録に記録された情報の内容を法務省令で定める方法により表示したものの当該規約の保管場所における閲覧）を拒んではならない。

【問　34】　区分所有法第6条第1項に規定する区分所有者の共同の利益に反する行為をしている者（以下、本問において「義務違反者」という。）に対する措置に関する次の記述のうち、区分所有法の規定によれば、最も適切なものはどれか。

1　義務違反者である区分所有者に対し、管理者が訴えをもって、義務違反行為の停止を請求する場合、義務違反者である当該区分所有者に対し、集会において弁明の機会を与えなければならない。

2　義務違反者である区分所有者に対し、管理者が訴えをもって、当該区分所有者の区分所有権及び敷地利用権の競売を請求する場合、これを議案とする集会において、義務違反者である当該区分所有者は、議決権を行使することができない。

3　義務違反者である区分所有者に対し、義務違反行為の結果の除去を請求する場合、管理者は、訴訟によらなければならず、訴訟外で請求することはできない。

4　義務違反者である区分所有者に対し、管理者が訴えをもって、相当の期間の当該区分所有者による専有部分の使用の禁止を請求する場合、区分所有者及び議決権の各4分の3以上の多数による集会の決議によらなければならない。

【問　35】　管理組合の理事会に関する次の記述のうち、標準管理規約（単棟型）によれば、適切なものの組合せはどれか。ただし、電磁的方法が利用可能ではない場合とする。

ア　組合員から、専有部分の修繕等の工事申請書が提出された場合には、理事の過半数の承諾があれば、書面により工事承認の決議をすることができる。

イ　理事会の議長は、監事が務める。

ウ　理事がやむを得ず欠席する場合には、代理出席によるのではなく、事前に議決権行使書又は意見を記載した書面を出せるようにすることが考えられる。

エ　理事会の設置する専門委員会は、検討対象に関心が強い組合員を中心に構成されるものであるため、必要に応じ検討対象に関する専門的知識を有する者（組合員のみに限定する。）の参加を求めることもできる。

1　ア・ウ
2　ア・エ
3　イ・ウ
4　イ・エ

【問 36】 「標準管理規約（団地型）及び「標準管理規約（複合用途型）」に関する次の記述のうち、不適切なものはいくつあるか。

ア　複合用途型マンションにおいて、住宅一部共用部分及び店舗一部共用部分は、区分所有者全員の共有とする。

イ　団地型マンションにおいて、団地内の一棟内で、その棟の区分所有者が共同の利益に反する行為を行っているとして、区分所有法第57条第2項により当該行為の停止を求める訴訟を提起する場合には、訴えの提起と訴えを提起すべき者の選任を、棟総会で決議する必要がある。

ウ　複合用途型マンションにおいて、全体管理費等の額及び一部管理費等の額については、住戸部分のために必要となる費用と店舗部分のために必要となる費用をあらかじめ按分した上で、住戸部分の区分所有者又は店舗部分の区分所有者ごとに各区分所有者の全体共用部分の共有持分に応じて算出するものとする。

エ　団地型マンションにおいて、団地敷地内の駐車場使用料は、その管理に要する費用に充てるほか、各棟修繕積立金として積み立てる。

1　一つ
2　二つ
3　三つ
4　四つ

【問 37】 次の文章は、管理組合の理事量の解任に関する最高裁判所の判決の一部である。その文中の （ ア ）～（ エ ）に入る語句の組合せとして、最も適切なものはどれか。

　本件規約は、理事長を区分所有法に定める管理者とし、役員である理事に理事長等を含むものとした上、役員の選任及び解任について総会の決議を経なければならないとする一方で、理事は、組合員のうちから総会で選任し、その（ ア ）により理事長を選任するとしている。

　これは、理事長を理事が就く（ イ ）と位置付けた上、総会で選任された理事に対し、原則として、その（ ア ）により理事長の職に就く者を定めることを（ ウ ）ものと解される。そうすると、このような定めは、…（中略）…選任された理事長について（ エ ）の過半数の一致により理事長の職を解き、別の理事を理事長に定めることも総会で選任された理事に（ ウ ）趣旨と解するのが、本件規約を定めた区分所有者の合理的意思に合致するというべきである。

	（ ア ）	（ イ ）	（ ウ ）	（ エ ）
1	総会の決議	役職の一つ	強制する	理事
2	互選	役職の一つ	委ねる	理事
3	互選	特別な地位	強制する	区分所有者
4	総会の決議	特別な地位	委ねる	区分所有者

【問 38】 管理費の滞納に対する対策及び法的手続に関する次の記述のうち、最も適切なものはどれか。

1 請求額が60万円以下の支払督促の申立てに対して、滞納者である区分所有者が督促異議の申立てをすると、少額訴訟に移行する。
2 債務者が支払督促の送達を受けた日から2週間以内に督促異議の申立てをしないときは、債権者の申立てにより仮執行の宣言がなされる。
3 管理費の遅延損害金については、利息制限法が適用される。
4 少額訴訟の審理においては、訴訟代理人が選任されている場合でも必ず当事者本人が裁判所に出頭しなければならない。

【問 39】 マンションの管理費を滞納している区分所有者Aの支払債務に関する次の記述のうち、最も適切なものはどれか。

1 Aが死亡し、その相続人がAの区分所有権を承継した場合、その承継により、滞納管理費の支払債務の時効の完成が猶予される。
2 管理組合がAに対して内容証明郵便によって催告をした場合、その後6ヵ月を経過するまでの間は時効の完成が猶予され、この間さらに内容証明郵便によって催告を行ったときは、さらにその時から6ヵ月を経過するまでの間、時効の完成が猶予される。
3 管理組合とAとの間で、その支払額や支払方法について協議を行う旨の合意が書面でなされた場合、その合意において協議を行う期間が3ヵ月と定められていたときは、その期間が経過するまでは、時効の完成が猶予される。
4 管理費を滞納している区分所有者が行方不明の場合、管理組合は、その者に対して、滞納管理費の支払請求訴訟を提起することができない。

【問　40】　賃貸住宅管理業法に関する次の記述のうち、最も不適切なものはどれか。

1　賃貸住宅管理業を営もうとする者は、国土交通大臣の登録を受けなければならないが、賃貸住宅管理業に係る戸数が200戸未満である場合には、登録を受ける必要はない。

2　賃貸住宅管理業者は、その営業所又は事務所ごとに、賃貸管理業に従事する者5人に1人以上の割合の業務管理者を選任しなければならない。

3　賃貸住宅管理業者は、その営業所若しくは事務所の業務管理者として選任した者の全てが登録拒否事由のいずれかに該当し、又は選任した者の全てが欠けるに至ったときは、新たに業務管理者を選任するまでの間は、その営業所又は事務所において管理受託契約を締結してはならない。

4　賃貸住宅管理業者は、委託者から委託を受けた管理業務の全部を他の者に対し、再委託してはならない。

【問　41】　各種の法令に関する次の記述のうち、最も不適切なものはどれか。

1　「警備業法」によれば、警備業を営もうとする者は、警備業の一定の要件に該当しないことについて都道府県公安委員会の認定を受けなければならない。

2　「高齢者の居住の安定確保に関する法律」によれば、同法が定める終身建物賃貸借制度においては、公正証書による等書面によって契約をするときに限り、賃借人たる高齢者が死亡したときに終了する旨を定めることができる。

3　「住宅宿泊事業法」によれば、住宅宿泊管理業者は、国土交通大臣の登録を受けて住宅宿泊管理業を営む者をいい、登録の有効期間は5年である。

4　「地震保険に関する法律」によれば、地震保険契約は、単体で締結することができる。

【問　42】 不動産登記法に関する次の記述のうち、最も適切なものはどれか。

1　登記官は、表示に関する登記のうち、区分建物に関する敷地権について表題部に最初に登記をするときは、当該敷地権の目的である土地の登記記録について、職権で、当該登記記録中の所有権、地上権その他の権利が敷地権である旨の登記をしなければならない。

2　敷地権付き区分建物について売買を原因とする所有権の移転の登記をする場合、それと併せて敷地権の移転の登記をしなければならない。

3　区分建物の表題部所有者から所有権を取得した者が当該区分建物を転売した場合、当該区分建物の所有権を取得した転得者は、直接自己を登記名義人とする所有権の保存の登記を申請することができる。

4　区分建物を売買により取得した者は、取得した日から1月以内に所有権移転の登記を申請しなければならない。

【問　43】 次の記述のうち、国土交通省が発表している分譲マンションに関する統計・データ等によれば、最も不適切なものはどれか。

1　令和5年3月時点において、マンション建替え等円滑化法によらない建替えの件数は、マンションの建替え等の円滑化に関する法律による建替えの件数よりも50件以上、上回っている。

2　令和4年末時点において、築40年以上のマンションのストック数は、125.7万戸となっており、10年後には250万戸を超える見込みとなっている。

3　令和4年末時点のマンションストック総数は約694.3万戸であり、これに令和2年国勢調査による1世帯当たり平均人員数をかけて得られた数から推計すると、国民の1割超がマンションに居住していることになる。

4　平成24年から令和4年までのマンションの新規供給戸数は、毎年10万戸を上回っている。

【問 44】 区分所有者が、自己所有のマンションの専有部分を賃貸する場合（定期建物賃貸借契約及び一時使用目的の建物の賃貸借契約を除く。）における次の記述のうち、民法及び借地借家法の規定によれば、誤っているものはどれか。

1 「賃貸人が、自己使用の必要性があるときは、1年の予告期間を置けば、期間内解約ができる」旨の特約は、無効である。

2 「賃借人が相続人なしに死亡した場合、その当時、賃借人と事実上夫婦と同様の関係にあった同居者があるときは、その同居者は、建物の賃借人の権利義務を承継しない」旨の特約は無効である。

3 契約期間を2年と定めた場合、当事者が期間内における解約を可能とする特約を設けなかったときには、借主は、貸主に対して、解約を申し入れることができない。

4 専有部分の全部が滅失その他の事由により使用及び収益をすることができなくなった場合には、当事者の帰責事由の有無を問わず、賃貸借契約は終了する。

【問 45】 宅地建物取引業者Aが、自ら売主として、買主Bとの間でマンションの一住戸の売買を行う場合に、宅地建物取引業法第35条の規定により行う重要事項の説明に関する次の記述のうち、宅地建物取引業法によれば、最も適切なものはどれか。

1 重要事項の説明は、Aの事務所において行わなければならない。

2 Aに属する宅地建物取引士Cは、Bに対して重要事項の説明をするときには、Bからの請求がなくても、宅地建物取引士証を提示しなければならない。

3 Aは、Bが宅建業者であっても、重要事項の説明は行わなければならないが、重要事項説明書の交付（電磁的方法による提供を含む。）は省略できる。

4 Aは、Bに対してITを活用した重要事項の説明を行う場合、説明の際に、Bが重要事項説明書及び添付書類を画面上で視認できるのであれば、それらの書面をBにあらかじめ交付（電磁的方法による提供を含む。）している必要はない。

【問　46】　マンションの管理の適正化の推進を図るための基本的な方針に関する次の記述のうち、適切なものはいくつあるか。

ア　管理費等の滞納など管理規約又は使用細則等に違反する行為があった場合、管理組合の管理者等は、その違反者に、弁明の機会を与えたうえ、その是正のため、必要な勧告、指示等を行うとともに、法令等に則り、少額訴訟等その是正又は排除を求める措置をとることが重要である。

イ　万一、マンション管理業者の業務に関して問題が生じた場合には、管理組合は、当該マンション管理業者にその解決を求めるとともに、必要に応じ、マンション管理適正化推進センターにその解決を求める等の措置を講じることが必要である。

ウ　管理組合がその機能を発揮するためには、その経済的基盤が確立されている必要があるので、管理費及び修繕積立金等について必要な費用を徴収するとともに、管理規約に基づき、これらの費目を帳簿上も明確に区分して経理を行い、適正に管理する必要がある。

エ　長期修繕計画の作成及び見直しにあたっては、「長期修繕計画作成ガイドライン」を参考に、必ず、マンション管理士等専門的知識を有する者の意見を求め、また、あらかじめ建物診断等を行って、その計画を適切なものとするよう配慮する必要がある。

1　一つ
2　二つ
3　三つ
4　四つ

【問　47】　管理業務主任者に関する次の記述のうち、マンション管理適正化法（以下、本問において「法」という。）の規定によれば、適切なものはいくつあるか。

ア　管理業務主任者は、管理業務主任者証の亡失によりその再交付を受けた後において、亡失した管理業務主任者証を発見したときは、速やかに、発見した方の管理業務主任者証を返納しなければならない。

イ　管理業務主任者が、法第72条第4項の規定による「重要事項説明時における管理業務主任者証の提示義務」に違反した場合には、10万円以下の過料に処せられる。

ウ　管理業務主任者試験に合格した者が、偽りその他不正の手段によりマンション管理士の登録を受けたため、そのマンション管理士の登録を取り消され、その取消しの日から2年を経過していない者である場合には、管理業務主任者の登録を受けることはできない。

エ　管理業務主任者証の交付を受けようとする者は、管理業務主任者試験に合格した日から1年以内に交付を受けようとする者を除き、国土交通大臣の登録を受けた登録講習機関が国土交通省令で定めるところにより行う講習で、交付の申請の日前6月以内に行われるものを受講しなければならない。

1　一つ
2　二つ
3　三つ
4　四つ

【問 48】 マンション管理業者が行う業務に関する次の記述のうち、マンション管理適正化法の規定によれば、適切な記述のみを全て含むものは次の1～4のうちどれか。

ア マンション管理業者は、管理事務報告書の交付に代えて、当該管理事務報告書を交付すべき管理者等の承諾を得て、当該管理事務報告書に記載すべき事項を、電子情報処理組織を使用する方法その他の情報通信の技術を利用する方法であって、一定の電磁的方法により提供することもできる。

イ マンション管理業者は、管理組合から管理事務の委託を受けることを内容とする新規契約（最初の購入者等に引渡し後2年間で契約期間が満了するものを除く。）を締結しようとするときは、あらかじめ、一定の説明会を開催し、当該マンションの区分所有者等及び当該管理者等に対し、管理業務主任者をして、重要事項の説明をさせなければならない。

ウ 「保管口座」とは、区分所有者等から徴収された修繕積立金を預入し、又は修繕積立金等金銭や分別管理の対象となる財産の残額を収納口座から移し換え、これらを預貯金として管理するための口座であって、管理組合等を名義人とするものである。

エ マンション管理業者の登録がその効力を失った場合には、当該マンション管理業者であった者は、当該マンション管理業者の管理組合からの委託に係る管理事務を結了する目的の範囲内においては、なおマンション管理業者とみなされるが、その一般承継人がマンション管理業者とみなされることはない。

1 ア・イ
2 ア・ウ
3 イ・ウ
4 ウ・エ

【問　49】　マンション管理業者に関する次の記述のうち、マンション管理適正化法の規定によれば、不適切なものはいくつあるか。ただし、マンション管理業者の登録に必要な他の要件は満たしているものとする。

ア　直前1年の各事業年度の貸借対照表に計上された資産の総額から負債の総額に相当する金額を控除した額が300万円である法人は、マンション管理業の登録を受けることはできない。

イ　国土交通大臣は、マンション管理業者登録簿の閲覧所を設けたときは、当該閲覧所の閲覧規則を定めるとともに、当該閲覧所の場所及び閲覧規則を告示しなければならない。

ウ　マンション管理業者が個人である場合において、その名称又は氏名に変更があったときは、30日以内に、当該マンション管理業者は、その旨を国土交通大臣に届け出なければならない。

エ　マンション管理業者（法人である場合には、その役員）が管理業務主任者でない場合において、成年者である専任の管理業務主任者を設置しない者は、管理事務を受託するマンションの人の居住の用に供する独立部分の数にかかわらず、マンション管理業の登録を受けることはできない。

1　一つ
2　二つ
3　三つ
4　四つ

【問　50】　マンション管理適正化法（以下、本問において「法」という。）に関する次の記述のうち、不適切なものはいくつあるか。

ア　マンション管理業者は、管理組合から委託を受けて管理する修繕積立金その他国土交通省令で定める財産については、整然と管理する方法として国土交通省令で定める方法により、自己の固有財産及び他の管理組合の財産と分別して管理しなければならない。

イ　一団地内において、2以上の区分所有者が存在し、人の居住の用に供する専有部分のある建物を含む数棟の建物の所有者（専有部分のある建物については区分所有者）の共有に属する当該附属施設は、マンションに該当しない。

ウ　管理業務主任者は、18歳未満か否かにかかわらず、その登録を受けている事項のうち、「その勤務先として登録していたマンション管理業者の本店から支店に転勤した場合」には、その旨を国土交通大臣に届け出なければならない。

エ　マンション管理業者は、法施行規則第87条第2項第1号ハに規定する「マンションの区分所有者等から徴収された修繕積立金等金銭を収納・保管口座に預入し、当該収納・保管口座において預貯金として管理する方法」により、管理組合から管理事務の委託を受けている場合に、収納口座と保管口座を別々の口座に分けることもできる。

1　一つ
2　二つ
3　三つ
4　四つ